U0136965

胡楚生著

敏求軒讀書記

臺灣學生書局印行

自敘

傳統的典籍，從隋唐以下，多區分為四部，經部之書，充滿了崇高的理念，史部之書，記錄了古今世變的因果得失，子部之書，蘊涵了湛深的人生哲理，集部之書，滿載了感動人心的曲折因緣，這些典籍，悉心閱讀，可以使人體味艱巨困頓，可以激勵人心，而奮力前行，使人受益良多。

頻年以來，讀書閱覽，體會稍深，心有所感，濡筆記之，草成若干篇，先彙為一編，亦所以記述其心路之歷程云爾。

中華民國一百一十一年七月二十二日　**胡楚生**　謹識

敏求軒讀書記 II

敏求軒讀書記

目次

卷二 讀史

卷三　讀子

卷四 讀集

一、詩〈陟岵〉與〈卷耳〉的寫作技巧

(一)引　言

筆者曾經寫過一篇〈《詩經》中「行役詩」探究〉，收錄在拙著《經學研究論集》（二〇〇二年學生書局出版）之中，在該文中，除了討論「行役詩」之寫作技巧，也同時討論了「閨怨詩」與「行役詩」的呼應關係，因為，男士行役在外，女士閨怨在家，兩者正相呼應。

在「行役詩」中，筆者舉出的例子中，有〈陟岵〉篇，在「閨怨詩」中，筆者舉出的例子中，有〈卷耳〉篇，這兩篇詩，其寫作技巧，頗有相似之處，以下，即試作分析。

(二)〈陟岵〉詩之寫作技

《詩・魏風・陟岵》云：

陟彼岵兮，瞻望父兮，父曰嗟予子行役，夙夜無已，上慎旃哉，猶來無止。

陟彼屺兮，瞻望母兮，母曰嗟予季行役，夙夜無寐，上慎旃哉，猶來無棄。

陟彼岡兮，瞻望兄兮，兄曰嗟予弟行役，夙夜必偕，上慎旃哉，猶來無死。

此詩三章，每章六句，《詩序》說：「〈陟岵〉，孝子行役，思念父母。」此詩寫征夫行役在外，思念家中親人，《詩序》於「思念父母」之下，如果再加「兄弟」二字，則更加切合詩義，此詩寫作方式，從征人登高望遠，想像家中父母兄弟，懸念在外行役之人入手，首章想像家中老父，思念幼子行役在外，夙夜不得休息，而盼其能早日歸來，不至留止於外。次章想像家中老母，思念幼子行役在外，夙夜不得安眠，而盼其能早日返鄉，不致長棄在外。三章想像家中兄長，思念幼弟行役在外，夙夜與同袍相偕生活，而盼其能早日回家，不致喪生郊野。此詩三章之中，想像父母兄長，皆以「上慎旃哉」之言相為勉勵，以見期盼之深切。方玉潤《詩經原始》解釋此詩時曾云：「人子行役，登高念親，人情之常，若從正面直寫己之所以念親，縱千言萬語，豈能道得意盡，詩妙從對面設想，思親所以念己之心，與臨行勗己之言，盼筆以曲而愈遠，情以婉而愈深，千載下讀之，猶足令羈旅人，望白雲而起思親之念。」（藝文印書館影印《雲南叢書》本）確實能將此詩的寫作方式與情感表達，敘說得十分清楚。

錢鍾書《管錐編》第一冊頁一一三於〈陟岵〉詩有云：

「陟彼岵兮，瞻望父兮，父曰嗟予子行役，夙夜無已，上慎旃哉，猶來無止。」《傳》：「孝子行役，思其父之戒。」《正義》：「我本欲行之時，父教我曰」云云。

> 按註疏於二章「陟屺」之「母曰嗟予季」、三章「陟岡」之「兄曰嗟予弟」，亦作此解會，謂是征人望鄉而追憶臨別時親戚之叮嚀，說之可通，然竊意面語當曰「嗟女行役」，今乃曰「嗟予子（季、弟）行役」，詞氣不類臨岐分手之囑，而似遠役者思親，因想親亦方思己之口吻爾。

孔穎達《毛詩正義》於此詩三章，「謂是征人望鄉而追憶臨別時親戚之叮嚀」，已經十分接近此詩寫作之原意，故錢先生也謂之「說自可通」，但是，錢先生又從此詩之用語方面，更細作思考，以為若是征人追憶臨別時親人叮嚀之詞，則父母兄三人當面叮囑征人之詞，皆當直接謂征人云「嗟女行役」，而不當云「嗟予子（季、弟）行役」，此於詩中用語，思考極為細密，因此，錢先生以為，此詩「詞氣不類臨岐分手之囑，而似遠役者思親，因想親亦思己之口吻爾」。

錢先生謂此詩乃「遠役者思親，因想親亦思己之口吻」，判斷極為精準，此與方玉潤所謂「詩妙從對面設想，思親所以念己之心，與臨行勗己之言」，正相吻合。皆是「在此地想異地之思此地」（錢先生語）也。

(三)〈卷耳〉詩之寫作技巧

《詩・周南・卷耳》云：

采采卷耳，不盈頃筐，嗟我懷人，寘彼周行。
陟彼崔嵬，我馬虺隤，我姑酌彼金罍，維以不永懷。
陟彼高岡，我馬玄黃，我姑酌彼兕觥，維以不永傷。
陟彼砠矣，我馬瘏矣，我僕痡矣，云何吁矣。

《詩序》云：「〈卷耳〉，后妃之志也。又當輔佐君子，求賢審官，知臣下之劬勞，內有進賢之志，而無險詖私謁之心，朝夕思念，至於憂勤也。」歐陽修《詩本義》云：「婦人無外事，求賢審官，非后妃之職也。」《詩序》之說，自不可從，此詩四章，每章四句，皆以婦人思念行役在外之良人為言，首章言少婦思念良人，無心採摘卷耳之狀，其下三章，則是少婦想像良人行役在外，艱辛勞苦，懷念家中妻子之情況，二章設想良人陟登高山，乘馬疲憊，思念妻子，瞻望不見，姑酌金罍，聊以自醉而暫忘所懷之人。三章設想，與二章略同。四章設想良人躋登石山，馬疲僕病，憂心長吁之狀。方玉潤《詩經原始》云：

此詩當是婦人念夫行役，而憫其勞苦之作。

良人行役在外，少婦在家，思念其夫，無心工作，「憫其勞苦」，正是少婦心中設想的情形，也是此詩後三章設想良人在外勞瘁的情形。

錢鍾書《管錐編》第一冊頁六十七於〈卷耳〉詩有云：

首章「采采卷耳」云云，為婦人口吻，談者無異詞。第二、三、四章「陟彼崔嵬」云云，皆謂仍出婦人之口，設想己夫行役之狀，則惑滋甚。……胡承珙《毛詩後箋》卷一斡旋曰：「凡詩中『我』字，有其人自『我』者，有代人言『我』者，一篇之中，不妨並見。」然何以斷知首章之「我」，出婦自道，而二、三、四章之「我」，為婦代夫言哉？實則涵泳本文，意義豁然，正無須平地軒瀾，直幹添枝。作詩之人不必即詩中所詠之人，婦與夫皆詩中人，詩人代言其情事，故各曰「我」。首章託為思婦之詞，「嗟我」之「我」，思婦自稱也。……二、三、四章託為勞人之詞，「我馬」、「我僕」、「我酌」之「我」，勞人自稱也，「維以不永懷、永傷」，謂以酒自遣離憂。思婦一章而勞人三章者，重言以明征夫況瘁，非女手拮据可比，夫為一篇之主而婦為賓也。男女兩人處兩地而情事一時，批尾家謂之「雙管齊下」，章回小說之「話分兩頭」，《紅樓夢》第五四回王鳳姐仿「說書」所謂：「一張口難說兩家話，『花開兩朵，各表一枝』」。

錢先生以為〈卷耳〉一詩，「作詩之人不必即詩中所詠之人，婦與夫皆詩中人，詩人代言其情事，故各曰『我』，首章託為思婦之詞，『嗟我』之『我』，思婦自稱也」，「二、三、四章託為勞人之詞，『我馬』、『我僕』、『我酌』之『我』，勞人自稱也」，「思婦一章而勞人三章者」，「夫為一篇之主而婦為賓也」，因此，錢先生以小說家之「話分兩頭」「花開兩朵，各表一枝」的手法，來解釋〈卷耳〉詩的寫作技巧。

只是，小說與詩不同，小說寫作，除了以第一人稱抒寫作品之外，最常見的情形，仍然是客觀的敘事手法，在這種書寫中，作者居身在小說之外，敘說小說中情節的發展，在這種敘述故事的過程中，一枝筆難寫兩件事，一張口難說兩家話，「話分兩頭」、「雙管齊下」、「花開兩朵，各表一枝」，便都是常用的手法。

在詩歌的寫作中，尤其像是《詩經》，固然「作詩之人不必即詩中所詠之人」，但是，《詩經》的作者卻經常化身為詩中的主人翁，代表主角發言，抒寫主人翁的心情懷抱，十五《國風》中篇幅較短的詩篇，這種例子最多，即使篇幅較長的詩篇，像《衛風》中的〈氓〉篇，作者所替代發言的主人翁，仍然只是棄婦一人，只有像《豳風》中的〈七月〉詩，《大雅》中的〈生民〉詩，才有著較為明顯的「敘事詩」的形象，詩中的主角，往往才不止一人。

因此，錢先生以為，〈卷耳〉一詩，「首章託為思婦之詞」，「二、三、四章託為勞人之詞」，「思婦一章而勞人三章者」，「夫為一篇之主而婦為賓也」，筆者倒是贊成方玉潤的意見，「此詩當是婦人念夫行役，而憫其勞苦之作」，詩中二、三、四章只是婦人設想良人在外勞瘁的情形，全詩發言的主角只有一人，即是採摘卷耳的婦人。

(四) 結語

《詩經．魏風》中的〈陟岵〉詩，和《周南》中的〈卷耳〉詩，其寫作技巧，有相類似之處，這兩首詩，思念親人之意，卻不從正面去表達，方玉潤在《詩經原始》中解釋〈陟岵〉時說：「詩妙從對面設想，思親所以念己之心，與臨行勗己之言。」又在解釋〈卷耳〉時說：「此詩當是婦人念夫行役，而憫其勞苦之作。」兩詩都是從詩中主人設想對方親人思念自己的角度而發言，所不同的，兩首詩中的主角，一人行役在外，一人留居在家。因此，筆者在所撰的〈《詩經》中「行役詩」探究〉之中，也將〈陟岵〉篇歸類於「行役詩」，而將〈卷耳〉篇歸類於「閨怨詩」中，兩類詩也正好相互呼應。

錢鍾書先生在《管錐編》第一冊討論《毛詩正義》時，也針對〈陟岵〉篇和〈卷耳〉篇，作出了研究，對於〈陟岵〉篇，錢先生說：「遠役者思親，因想親亦思己之口吻。」與方玉潤對〈陟岵〉篇的解釋，十分相同，只是不像方氏所提「與臨行勗己之言」而已。

對於〈卷耳〉篇，錢先生卻說：「思婦一章而勞人三章者」，「夫為一篇之主而婦為賓也」，而以小說家「話分兩頭」的手法，來解釋〈卷耳〉詩的寫作技巧。

筆者仍然以為，經過分析之後，〈卷耳〉篇與〈陟岵〉篇的寫作技巧，不從正面寫起，從對面寫起，兩詩的表現手法、寫作技巧，都有頗為相似的地方，所不同的，詩中發言的主角，一為在外行役之男士，一為在家之婦女而已。

二、《毛傳》及《鄭箋》中之微言

(一)引言

《詩》有四家，齊、魯、韓、毛，《毛詩》獨存於今，漢代《毛詩》之學，西漢毛公《毛詩故訓傳》與東漢鄭玄《毛詩箋》，傳於後世，最為完整。

毛公《毛詩故訓傳》與鄭玄《毛詩箋》，皆所謂訓詁箋注之學，所謂「傳」，《釋名・釋典藝》云：「傳，傳也，以傳示後人也。」《說文》云：「箋，表識書也。」鄭玄〈六藝論〉云：「注《詩》宗毛為主，毛義若隱略，則更表明，如有不同，即下己意，使可識別。」

但是，毛公之《毛詩故訓傳》與鄭玄之《毛詩箋》中，訓詁之外，亦仍有「微言」之存在，所謂「微言」，班固《漢書・藝文志》云：「昔仲尼沒而微言絕，七十子喪而大義乖。」李奇注：「隱微不顯之言也。」顏師古注：「精微要妙之言也。」清人陳澧，於所著《東塾讀書記》中，曾經加以表出，此則彌足珍貴者也。

(二)分析(上)

陳澧《東塾讀書記》卷六云：

毛公說詩之大義，既著於續序中矣，其在《傳》內者，亦不少，如〈關雎〉傳云：「夫婦有別，則父子親，父子親，則君臣敬，君臣敬，則朝廷正，朝廷正，則王化成。」〈鹿鳴〉傳云：「夫不能致其樂，則不能得其志，不能得其志，則嘉賓不能竭其力。」如此類者，不可以其易解而忽之也。又如〈苕之華〉傳云：「治日少而亂日多。」此語甚悲，有無窮之感慨。又如〈鳧鷖〉傳云：「太平則萬物眾多。」乍讀之，似但稱頌太平之語，反而思之，離亂之時，人烟且稀少，況物產乎！乃知《毛傳》此語之深警也。

今案〈國風、周南、關雎〉，小序云：「〈關雎〉，后妃之德也，風之始也，所以風天下而正夫婦也。」此詩凡五章，每章四句，首章云：「關關雎鳩，在河之洲，窈窕淑女，君子好逑。」故《毛傳》抒發其義，而曰「后妃說樂君子之德，無不和諧，又不淫其色，慎固幽深，若雎鳩之有別焉，然後可以風化天下，夫婦有別則父子親，父子親則君臣敬，君臣敬則朝廷正，朝廷正則王化成。」此即陳蘭甫先生所謂毛公說詩之大義與微言。

又案〈小雅．鹿鳴〉，小序云：「〈鹿鳴〉，燕羣臣嘉賓也，既飲食之，又實幣帛筐篚，以將其厚意，然後忠臣嘉賓得盡其心矣。」此詩凡三章，每章八句，其三章云：「呦呦鹿鳴，食野之芩，我有嘉賓，鼓瑟鼓琴，鼓瑟鼓琴，和樂且湛，我有旨酒，以燕樂嘉賓之心。」故〈毛傳〉抒發其旨，而曰「夫不能致其樂，則不能得其志，不能得其志，則嘉賓不能竭其力。」以暢發微言。

又案〈小雅・苕之華〉，小序云：「〈苕之華〉，大夫閔時也。幽王之時，西戎東夷，交侵中國，師旅並起，因之以饑饉，君子閔周室之將亡，傷己逢之，故作是詩也。」此詩凡三章，每章四句，其三章云：「牂羊墳首，三星在罶，人可以食，鮮可以飽。」〈毛傳〉云：「治日少而亂日多。」〈毛傳〉之言，不為訓詁，而逕指詩中「人可以食，鮮可以飽」之原因，故陳蘭甫先生謂〈毛傳〉之言「甚悲」，也「有無窮之感慨」。

又案〈大雅・鳧鷖〉，小序云：「〈鳧鷖〉，守成也，大平之君子，能持盈守成，神祇祖考安樂之也。」此詩凡五章，每章六句，首章云：「鳧鷖在涇，公尸來燕來寧，爾酒既清，爾殽既馨，公尸燕飲，福祿來成。」〈毛傳〉云：「鳧，水鳥也，鷖，鳧屬，太平則萬物眾多。」陳蘭甫先生解此詩之〈毛傳〉，以為「乍讀之，似但稱頌太平之語」，然後從反面思考，不太平之時，社會離亂之時，人烟則相對必然稀少，自然界之飛禽走獸，村居中之家畜牛羊，必更為稀少矣。故蘭甫先生以為，〈毛傳〉中之言，有深為「警惕」之用意。

(三) 分析（下）

陳澧《東塾讀書記》卷六云：

《鄭箋》有感傷時事之語，〈桑扈〉：「不戢不難，受福不那。」〈箋〉云：「王者位至尊，天所子也，然而不自斂以先王之法，不自難以亡國之戒，則其受福祿亦不多也。此蓋嘆息痛恨於桓靈也。」〈小宛〉：「螟蛉有子，蜾蠃負之。」〈箋〉云：「喻有萬民不能治，則能治者將得之。」此蓋痛漢室將亡，而曹氏將得之也。又「戰戰兢兢，如履薄冰」，〈箋〉云：「衰亂之世，賢人君子，雖無罪猶恐懼。」此蓋傷黨錮之禍也。〈雨無正〉：「維曰予仕，孔棘且殆。」〈箋〉云：「居今衰亂之世，云往仕乎，甚急迮且危。」此鄭君所以屢被徵而不仕乎！鄭君居衰亂之世，其感傷之語，有自然流露者，但箋注之體謹嚴，不溢出於經文之外耳。（〈清人〉序云：「高克好利而不顧其君。」〈箋〉云：「好利不顧其君，注心於利也。」此序語意甚明，而鄭君必解之者，殆亦有所感也，注心於利，衰世之風，必如是矣。）

今案〈小雅·桑扈〉，小序云：「〈桑扈〉，刺幽王也。君臣上下，動無禮文焉。」此詩凡四章，每章四句，其三章云：「之屏之翰，百辟為憲，不戢不難，受福不那。」〈箋〉云：「王者位至尊，天所子也，然而不自斂以先王之法，不自難以亡國之戒，則其受福祿亦不多也。」陳澧云：「此蓋嘆息痛恨於桓靈也。」蓋鄭康成卒於獻帝建安五年，遠在桓帝靈帝之後，故蘭甫先生可引諸葛武侯之語，代替鄭玄之嘆息也。

又案〈小雅·小宛〉，小序云：「〈小宛〉，大夫刺幽王也。」此詩六章，每章六句，其三章云：「中原有菽，庶民采之，螟蛉有子，蜾蠃負之，教誨爾子，式穀似之。」〈箋〉云：「蒲盧取桑蟲之子，負持而去，煦嫗養之，以成其子，喻有萬民不能治，則能治者將得之。」鄭玄箋詩，言蒲盧取桑蟲之子，以成其子，尚且依緣詩辭以為釋，至言「喻有萬民不能治」以下，則為引申發揮，以言為政治民之事，與詩中詞義，相距較遠，故陳蘭甫先生更加引申，以言「蓋痛漢室將亡，而曹氏將得之也」。

〈小宛〉詩之六章云：「溫溫恭人，如集于木，惴惴小心，如臨于谷，戰戰兢兢，如履薄冰。」〈箋〉云：「衰亂之世，賢人君子，雖無罪，猶恐懼。」鄭玄卒於漢獻帝建安五年，其時，東漢黨錮之禍，康成親身感受，稍後，又逢董卓構亂，曹操、孫策、袁紹、袁術及其他諸侯相爭之際，〈鄭箋〉所云「衰亂之世，賢人君子，雖無罪，猶恐懼」，與詩義相距極遠，蓋康成別有寄寓之言，亦親身體會之言也。

又按〈小雅・雨無正〉，小序云：「〈雨無正〉，大夫刺幽王也。雨自上下者也，眾多如雨，而非所以為政也。」此詩七章，每章或十句、八句、六句不等，其第六章云：「維曰于仕，孔棘且殆，云不可使，得罪于天子，亦云可使，怨及朋友。」〈鄭箋〉云：「棘，急也，不可使者，不正不從也，可使者，雖不正從也，居今衰亂之世，云往仕乎，甚急迮且危，急迮且危，以此二者也。」鄭玄於箋此詩時，不僅闡釋詩旨，兼亦抒發一己之感慨，感慨自己仕於亂世，心甚急迫，事甚阽危，其曰「居今衰亂之世」，「急迮且危」，可以見其胸中之意，也可以見鄭君屢被徵召而不願出仕之意。

(四) 結　語

陳澧字蘭甫，生於晚清時代，為學精擅六經朱子之書，曾為廣州學海堂山長數十年，所著書凡數十種，而以《東塾讀書記》最為精要。

漢儒經傳之學，各有家法師法，箋注之學，亦各有義例。「箋注之體謹嚴」，所為詮解，「不溢出於經文之外」。毛公鄭玄，於闡釋《毛詩》之際，隅一抒發心意，已甚鮮見，而蘭甫先生能夠抉發表出，十分難得，足資珍貴。

三、錢鍾書論鄭玄注〈旄丘〉詩

(一)引　言

《詩經．邶風》中〈式微〉與〈旄丘〉，是兩首意義相關的詩篇，〈式微〉篇云：

式微式微，胡不歸，微君之故，胡為乎中露。
式微式微，胡不歸，微君之躬，胡為乎泥中。

〈小序〉云：「〈式微〉，黎侯寓于衛，其臣勸以歸也。」鄭玄〈箋〉云：「黎侯為狄人所逐，棄其國而寄于衛，衛處之以二邑，因安之，可以歸而不歸，故其臣勸之。」勸黎侯勿受辱而不歸也。

〈旄丘〉篇云：

旄丘之葛兮，何誕之節兮，叔兮伯兮，何多日也。

何其處也，必有與也，何其久也，必有以也。
狐裘蒙戎，匪車不東，叔兮伯兮，靡所與同。
瑣兮尾兮，流離之子，叔兮伯兮，褎如充耳。

〈小序〉云：「〈旄丘〉，責衛伯也，狄人迫逐黎侯，黎侯寓于衛，衛不能修方伯連率之職，黎之臣子，以責於衛也。」諷衛伯置身事外也。

(二)討　論

錢鍾書先生《管錐編》第一冊於《毛詩正義》中〈旄丘〉一詩，討論其中鄭玄所注「耳聾多笑」之事，頗堪注意。錢先生之意見如下：

「叔兮叔兮，褎如充耳」，《箋》：「人之耳聾，恆多笑而已。」按註與本文羌無係屬，卻曲體人情。蓋聾者欲自掩重聽，輒頷首呀口，以示入耳心通。今諺分則不言聾子，而言「瞎子趁淘笑」，如趙南星《清都散客笑贊》記瞽者與眾共坐，眾有見而笑，瞽者亦笑，眾問：「何所見而笑？」瞽答：「你們所笑，定然不差。」陳啟源《毛詩稽古編》斥此《箋》為「康成之妄說」，正如其斥〈終風〉「願言則嚏」鄭《箋》「（俗人嚏，云：「人道我」），為穿鑿之見。」就解《詩》而論，固屬妄鑿，然觀物態，考風俗者，有所取材焉。

今案〈旄丘〉詩之第四章「叔伯兄弟，褎如充耳」，鄭玄〈箋〉云：「充耳，塞耳也，言衛之諸臣，顏色褎然，如見塞耳，無聞知也。人之耳聾，恆多笑而已。」充耳塞耳，有名詞與動詞二義，以充耳（名詞）充耳（動詞），則其人之耳不能聽聞，此為鄭君釋「充耳」之意義，而鄭君於此箋之末，又益以「人之耳聾，恆多笑而已」兩句，則似與詩句之義，無所關涉，而啟人疑竇。

錢先生所引陳啟源《毛詩稽古編》，陳氏既斥〈旄丘〉箋中鄭君此兩句為「康成之妄說」，錢先生又引出陳啟源於《邶風．終風》篇第三章「願言則嚏」之〈鄭箋〉所言「今俗人嚏，云，人道我。此古人之遺語也。」同樣為「穿鑿之見」。

其實，鄭康成為東漢之大儒，一生遍注群經，但於《毛詩》，由於毛公《詩傳》，已甚傑出，故於《毛詩》一經，僅撰《鄭箋》一書，鄭玄〈六藝論〉云：「注《詩》宗毛為主，毛義若隱略，則更表明，如有不同，即下己意，使可識別也。」《鄭箋》於《毛傳》，僅作補正之功夫而已。

但是，《邶風．終風》篇中鄭玄所釋「嚏」為「人道我」，既為「古人之遺語」，（今人仍以自己打噴嚏，為「有人在想念我」），則〈旄丘〉篇中所釋「充耳」為「人之耳聾，恆多笑而已」，也當是「古人之遺語」，此兩者，皆是鄭君引漢時俗語以釋古經之意義而已，「人之耳聾，恆多笑而已」，以漢時俗語，以解「充耳」之意義而已，皆用以「表明」《毛詩》中之意義而已，並無「穿鑿之見」，就解《詩》而論，也非「妄鑿」之說。要之，〈終風〉與

〈旄丘〉兩詩鄭君之說，不僅可以提供考風俗者之取材而已，亦正是貼近《詩》義而解《詩》之說也。

(三) 結　語

〈旄丘〉詩第四章云：

瑣兮尾兮，流離之子，叔兮伯兮，褎如充耳。

鄭玄《箋》云：

衛之諸臣，初有小善，終無成功，似流離也。充耳，塞耳也。言衛之諸臣，顏色褎然，如見塞耳，無聞知也，人之耳聾，恆多笑而已。

唐代孔穎達《毛詩正義》云：

鄭以為衛之諸臣，初許迎黎侯而復之，終而不能，故責之，言流離之子，少而美好，長即醜惡，以興衛之臣子，初有小善，終無成功，言初許迎我，終不能復之，故又疾而言之，叔兮伯兮，顏色褎褎然，如似塞其耳，無所聞知也，恨其不納己，故深責之。

孔穎達《正義》於〈旄丘〉詩四章之鄭康成《箋》，細為疏釋，但於鄭氏「人之耳聾，恆多笑而已」兩句，則不為之解說，於鄭玄之言，似亦有所保留。

宋代朱熹撰《詩集傳》一書，於〈旄丘〉詩之第四章，注云：

> 賦也，瑣，細。尾，末也。流離，漂散也。褎，多笑貌。充耳，塞耳也。耳聾之人恆多笑。

又云：

> 言黎之君臣，流離瑣尾，若此其可憐也，而衛之諸臣，褎然如塞耳而無聞，何哉。至是然後盡其詞焉，流離患難之餘，而其言之有序而不迫如此，其人亦可知矣。

《毛詩正義》與《詩集傳》二書，影響於唐宋以下《詩經》學之研讀者，至為巨大，而二書中解〈旄丘〉，於鄭玄所注之「人之耳聾，恆多笑而已」，或棄而不釋，或加以引用（文字略加改易），於此一處，亦可見出孔穎達與朱熹二人，對此問題之看法不同，理解有異也。

四、鄭玄之政治理念

(一)引 言

鄭玄是東漢末年的經學大師，為學兼採今古文，遍注群經，而其政治理念，亦時時蘊涵於其經注之間。

陳澧《東塾讀書記》卷十五〈鄭學〉篇中嘗云：

《華陽國志》云：「丞相亮時，有言公惜赦者，亮答曰：『先帝言吾周旋陳元方鄭康成間，每見啟告，治亂之道備矣，曾不語赦也。』」（卷七十《三國志・蜀・後主傳》，注亦引此。）澧謂鄭君啟告昭烈治亂之道，其語惜乎不傳，然諸經鄭注，言治亂之道亦備矣，（澧採入《漢儒通義》者數十條，此不贅述。）啟告昭烈之語，必有在其內者矣。

據陳澧自注，檢《三國志・蜀書・後主傳》之注云：

《華陽國志》曰：「丞相亮時，有言公惜赦者，亮答曰：治世以大德，不以小惠，故匡衡、吳漢不願為赦。先帝亦言吾周旋陳元方、鄭康成間，每見啟告，治亂之道悉矣，曾不語赦也。若劉景升季玉父子，歲歲赦宥，何益於治。」臣松之以為，「赦不妄下」，誠為可稱，至於「年名不易」，猶所未達。

今考《三國志．諸葛亮傳》陳壽評曰：「諸葛亮之為相國也。撫百姓，示儀軌，約官職，從權制，開誠心，布公道，盡忠益時者雖讎必賞，犯法怠慢者雖親必罰，服罪輸情者雖重必釋，游辭巧飾者雖輕必戮，善無微而不賞，惡無纖而不貶，庶事精練，物理其本，循名責實，虛偽不齒，終於邦城之內，咸畏而愛之，刑政雖峻而無怨者，以其用心平而勸戒明也。可謂識治之良才，管蕭之亞匹矣。」是諸葛亮於治理蜀漢之政，參用刑名法術之制，為得其實，故於施政之際，鮮少施用赦免之事也。

此文所論，重點有二，其大者，在敘述鄭玄之政治理念，其小者，在彰顯鄭玄對「赦」罪之看法，俾與諸葛亮之主張，作一比較。

(二) 分　析

鄭玄處於東漢明帝章帝之際，三國之局勢，已經形成，戰爭頻仍，民不聊生，對於生民之痛苦，政治之混亂，不能沒有自己之看法。只是，鄭玄對於政治，並沒有寫成一部討論的專著，而只在他所注釋的五經專書之中，宛轉地表達了自己的見解，這些見解，分散在各種經籍之中，不易尋覓。

陳澧編撰有《漢儒通義》一書，以為「漢儒善言義理，無異於宋儒」，因此，選錄了漢儒孟喜、京房、鄭玄、伏生、毛萇、韓嬰、董仲舒、賈逵、何休、孔安國、許慎等二十二人，關於經書箋注之語，輯成《漢儒通義》一書，分為七卷，其中第七卷，討論「治道、政事、任賢、愛民、財用、學校、禮樂、法度、教化、賞罰、訟獄、刑法、軍旅、救災、防亂」等問題，自然都屬於廣義的政治事務。今即就《漢儒通義》第七卷中所輯錄之資料，覓出其中所收鄭玄之意見，以討論鄭玄所具有之政治理念。

1. 國君當率先自正其身

> 鄭氏《周禮注》曰：「政者正也，所以正不正者也。」（〈夏官、序官〉注）
>
> 又曰：「政事易耳，而人不能行者，無其志也。」（〈烝民〉箋）
>
> 「明明上天，喻王者當光明如日之中也。」（〈小明〉箋）
>
> 又曰：「王之為政，當如原泉之流行則清，無相牽率為惡，以自濁敗。」（〈小旻〉箋）

《論語．顏淵》記孔子答季康子問政之言曰：「政者正也，子帥以正，孰敢不正。」遂成為傳統儒者討論為政之基本原理，主張君主當率先以身作則，樹立道德之標準，作為臣民效法之對象，以此推己及人，感發官員，能夠逐步感化影響，故言「政事易耳」，關鍵皆在賢君之立志光明，行事清澈也。

2. 君王當用賢人以輔政治

〈毛詩箋〉曰：「人君得賢，則其德廣大堅固，如南山之有基趾。」（〈南山有臺〉箋）

又曰：「王者在位，樂賢知在位，則能為天下蔽捍四表患難矣。」（〈桑扈〉箋）

鄭氏《儀禮注》曰：「太平之治，以賢者為本。」（〈鄉飲酒禮〉注）

又曰：「得賢人則國家彊矣。」（〈烈文〉箋）

又曰：「教化之本，尊賢尚齒而已。」（〈鄉飲酒義〉注）

鄭氏《禮記注》曰：「序爵辨賢，尊尊親親，治國之要。」（〈中庸〉注）

天下之大，國君不能一人而治之，必當慎用賢才，以分己勞，以代己力，然後國事可以振興，百姓得以安寧富庶。

3. 治國教民當以禮樂輔政

又曰：「聖人制禮，因事以託政。」（〈燕義〉注）

又曰：「民知禮則易教。」（〈禮運〉注）

《禮記注》曰：「樂，人之所好也，害在淫侉，禮，人之所勤也，害在倦略。」（〈樂記〉注）

鄭氏《周禮注》曰：「禮，所以節止民之侈偽，使其行得中。樂，所以蕩正民之情思，使其心應和也。」（〈大司徒〉注）

禮樂可以導正人民之思想行為，可以輔佐政事之推行傳達，然亦宜避免其流弊，故禮樂之推行，仍以得中和之道為宜，始能發揮其功能。

4. 君王施政當廣求民意

「絜矩之道，善持其所有，必恕於人耳，治國之要，盡於此。」（〈大學〉注）

又曰：「民之意不獲，當反責之於身，思彼所以然者，而恕之。」（〈角弓〉箋）

〈緇衣〉：「若虞機張往省括于厥度，則釋。」注曰：「為政亦當以己心參於羣臣及萬民，可，乃後施也。」

絜矩之道，恕道也，所以推己而及人者也，君王施政，必廣求民意，民心樂此，方推行於大眾，規化以為政策，故君王常以己心度萬民之心，以萬民之心意，用為自己之心意，如此行政，自然與民心契合，而能得民心之擁護也。

5. 君王施政宜慎用刑罰

鄭氏〈三禮目錄〉曰：「刑者所以驅恥惡，納人於善道也。」（《周禮・司寇》疏）

《禮記・注》曰：「君不苛虐，臣無姦心，則刑可以措。」（〈緇衣〉注）

又曰：「法雖輕，不赦之，為人易犯。」（〈王制〉注）

刑者期於無刑，刑罰用以嚇止犯罪，故君王行政，如能導民於善，民眾之犯罪者少，則國家之刑罰，自然減少。至於言「法雖輕，不赦之，為人易犯」，應正屬鄭康成啟告昭烈帝「不語赦」之言論。

6. 君主執政當深察行事利弊

《尚書》注曰：「寬猛相濟，以成治立功。剛則彊，柔則弱，此陷於滅亡之道。」（《詩・鄭風・羔裘》正義）

又曰：「寬仁所以止苛刻也，安靜所以息暴亂也。」（〈昊天有成命〉箋）

又曰：「如行至誠之道，則民鞠訩之心息。如行平易之政，則民乖爭之情去。」（〈節南山〉箋）

鄭氏《禮記》注曰：「詐者害民信，怒者害民命，貪者害民財，三者亂之源。」（〈禮運〉注）

又曰：「民失其業則窮，窮斯盜。」（〈禮運〉注）

鄭氏《毛詩》箋曰：「國危而求賢者，已晚矣。」（〈正月〉箋）

《毛詩》箋曰：「人君政教一失，誰能反覆之。」（〈抑〉箋）

又《毛詩》箋曰：「王者位之尊，天所子也，然而不自斂以先王之法，不自難以亡國之戒，則其受福祿，亦不多也。」（《詩．桑扈》箋）

君主執政，莫要於有開闊之心胸，高遠之眼光，有開闊之心胸，則能任用賢才，而捨其所短，有高遠之眼光，則能深識政策之利病得失，而能作適當之運用，應時之調整，更重要者，在領導者能深自反省，不掩己過，一心為民，造福百姓，大本既立，則策略運用，自然能夠深識利病，而有所成就也。

(三)結　語

皮錫瑞《經學歷史》云：「經學盛於漢，漢亡而經學衰，桓、靈之間，黨禍兩見，志士仁人，多填牢戶，文人學士，亦扞文網，固已士氣頹喪而儒風寂寥矣。鄭君康成，以博聞彊記之才，兼高節卓行之美，著書滿家，從學盈萬，當時莫不仰望，稱伊、雒以東，淮、漢以北，康成一人而已，咸言先儒多闕，鄭氏道備，自來經師，未有若鄭君之盛者也。」然而鄭君身處衰亂之世，目擊道存，心中不能無所感慨，乃於群經箋注之間，寄寓其政治之觀點於其中，馴至晚清，蒙番禺陳君，加以搜集歸類，而得以略存其理念之大端，且鄭君處於亂世，其忠告漢昭烈帝之諫言，也幸而能存於今，也云幸矣。此文之作，略事鋪陳，以不沒鄭君之用心也。

五、歐陽修《詩本義》釋〈衛風・氓〉篇讀後

(一)引　言

《漢書・藝文志》著錄《詩》有四家，齊魯韓毛，僅毛詩獨存。

至於唐代，修五經正義，疏釋毛詩，以《毛傳》、《鄭箋》為主，由是正義之書，定於一尊。

至於宋代，說詩者始有異說，其中尤以歐陽修所撰之《詩本義》，最為先導。至於南宋，朱熹《詩集傳》出，說詩者乃別有遵循。

歐陽修所撰《詩本義》，計有本義說解一百四十篇、一義解二十篇、取舍義十二篇，以及時世論、本末論、豳問、魯問、序問、統解等。

《四庫全書簡明目錄》於歐陽修《毛詩本義》十六卷云：「自唐定《五經正義》以後，與

毛、鄭立異同者，自此書始。然修不曲徇二家，亦不輕詆二家，大抵和氣平心，以意逆志，故其所說，往往得詩人之本旨。」

《衛風・氓》篇，在國風之中，篇幅較長，也最具有故事性之情節，易於引人入勝，此文之作，即取歐公所釋此詩，上與毛傳鄭箋，略作比較，下與朱熹之說，略作核對，以窺其「以意逆志」所得之大略。

(二)比較（上）

《詩・衛風・氓》云：

氓之蚩蚩，抱布貿絲，匪來貿絲，來即我謀，送子涉淇，至于頓丘，匪我愆期，子無良媒，將子無怒，秋以為期。

乘彼垝垣，以望復關，不見復關，泣涕漣漣，既具復關，載笑載言，爾卜爾筮，體無咎言，以爾車來，以我賄遷。

桑之未落，其葉沃若，于嗟鳩兮，無食桑葚，于嗟女兮，無與士耽，士之耽兮，猶可說也，女之耽兮，不可說也。

桑之落矣，其黃而隕，自我徂爾，三歲食貧，淇水湯湯，漸車帷裳，女也不爽，士貳其行，士也罔極，二三其德。

三歲為婦，靡室勞矣，夙興夜寐，靡有朝矣，言既遂矣，至于暴矣，兄弟不知，咥其笑矣，靜言思之，躬自悼矣。

及爾偕老，老使我怨，淇則有岸，隰則有泮，總角之宴，言笑晏晏，信誓旦旦，不思其反，反是不思，亦已焉哉！（《十三經注疏》本）

〈氓〉詩一篇，凡六章，每章十句。〈小序〉云：「〈氓〉，刺時也，宣公之時，禮義消亡，淫風大行，男女無別，遂相奔誘，華落色衰，復相棄背，或乃困而自悔，喪其妃耦，故序其事以風焉，美反正，刺淫泆也。」先錄於此，以俟參考。

以下，即以歐陽修《詩本義》之說，與毛鄭之說，先作比較。

1.《衛風・氓》次章云：

爾卜爾筮，體無咎言。

《毛傳》云：

龜曰卜，蓍曰筮，體，兆卦之體。

《鄭箋》云：

爾，女也，復關既見此婦人，告之曰：我卜女筮女，宜為室家矣，兆卦之繇，無凶咎之辭，言其皆吉，又誘定之。

又云：

女，女復關也，信其卜筮皆吉，故答之曰，徑以女車來迎我，我以所有財賄徙就女也。

歐陽修《詩本義》云：

〈氓〉，據〈序〉是衛國淫奔之女，色衰而為其男子所棄，因而自悔之辭也，今考其詩，一篇始終，皆是女責其男之語，凡言子言爾者，皆女謂其男也。鄭於「爾卜爾筮」，獨以謂告此婦人曰，「我卜汝宜為室家」，且上下文初無男子之語，忽以此一句為男告女，豈成文理。據詩所述，是女被棄逐，怨悔而追序與男相得之初，殷勤之篤，而責其終始棄背之辭。云子初來即我謀，我既許子，而爾乃決以卜筮，於是我從子而往爾，推其文理，爾卜爾筮者，女爾其男子也。（《四庫全書》本）

歐陽修以為，〈氓〉詩全篇，自首至尾，都是以女子的口吻發聲，都是以女子責備男子變心之言，因此，第二章詩中的「爾卜爾筮」，也是婦人敘述男子之行事行為，而非男子告知女子之言語，歐陽修通觀〈氓〉詩全篇，既然全以女子之身分發聲發言，自然不會在詩中突然插入兩句男子告語之言，這是從全篇詩文觀察體會，而後得到的結論，其言自然可以憑信。

2.〈衛風・氓〉三章云：

桑之未落，其葉沃若，于嗟鳩兮，無食桑葚，于嗟女兮，無與士耽，士之耽兮，猶可說也，女之耽兮，不可說也。

〈毛傳〉云：

桑，女功之所起，沃若，猶沃沃然，鳩，鶻鳩也，食桑葚過，則醉而傷其性，耽，樂也，女與士耽，則傷禮義。

《鄭箋》云：

桑之未落，謂其時仲秋也，於是時，國之賢者，刺此婦人見誘，故于嗟而戒之，鳩以非時食葚，猶女子嫁不以禮，耽非禮之樂。說，解也，士有百行，可以功過相除，至於婦人，無外事，維以貞信為節。

歐陽修《詩本義》云：

桑之未落，其葉沃若，于嗟鳩兮，無食桑葚，于嗟女兮，無與士耽，皆是女被棄逐，困而自悔之辭。鄭以為國之賢者，刺此婦人見誘，故于嗟而戒之，今據上文以我賄遷，下文桑之落矣，皆是女之自語，豈於其問，獨此數句，為國之賢者之言？據序但言序其事以風，則是詩人序述女語爾，不知鄭氏何從知為賢者之辭，蓋臆說也。

歐陽修闡釋〈氓〉篇，開始即說，此詩「一篇始終，皆是女責其男之語」，又於此詩二章「以我賄遷」，四章「桑之落矣」，均指為「皆是女之自語」，因而判斷，作此詩者，「豈於其間（此詩三章）獨此數句，為國之賢者之言」？也懷疑說，「不知鄭氏何從知為賢者之辭」？因此，才斷定地說，鄭氏之說，「蓋臆說也」。

3. 〈衛風・氓〉五章云：

三歲為婦，靡室勞矣，夙興夜寐，靡有朝矣，言既遂矣，至于暴矣，兄弟不知，咥其笑矣，靜言思之，躬自悼矣。

〈鄭箋〉云：

無有朝者，常早起夜卧，非一朝然，言己亦不解惰。言，我也。遂，猶久也。我既久矣，謂三歲之後，見遇浸薄，乃至見酷暴。兄弟在家，不知我之見酷暴，若其知之，則咥咥然笑我。靜、安，躬、身也。我安思君子之遇己無終，則身自哀傷。

歐陽修《詩本義》云：

兄弟不知，咥其笑矣，據文本謂不知而笑，鄭箋云，若其知之，則笑我，與詩意正相反也，詩述女言，我為男子誘而奔也，兄弟不知我今被其酷暴，乃笑我爾，意謂使其知我今困於棄逐，則當哀我也，其意如此而已。

推測歐陽修之用意，以為詩中兄弟不知其姐其妹遠嫁後之遭受暴虐，以為其姐其妹已找到理想歸宿，正在享受幸福婚姻，故為之歡笑也。若兄弟知道真相，則應當為我而哀悲，歐陽修之意如此，故指鄭玄所謂「若其知之」，與詩中「不知」之說，「意正相反」。

(三) 比較（下）

歐陽修為北宋人，以下，再取南宋名儒朱熹所著《詩集傳》中〈氓〉詩之意見，試作比較，以見《詩》學流變至兩宋時的一些現象。

1. 朱熹《詩集傳》於〈氓〉篇首章注云：

此淫婦為人所棄，而自敘其事，以道其悔恨之意也。夫既與之謀而不遂往，又責所無以難其事，再為之約以堅其志，此其計亦狡矣。以御蚩蚩之氓，宜其有餘，而不免於見棄。蓋一失身，人所賤惡，始雖以欲而迷，後必有時而悟，是以無往而不困耳。士君子立身一敗，而萬事瓦裂者，何以異此，可不戒哉。

朱熹論此詩，與〈小序〉所謂「宣公之時，禮義消亡，淫風大行，男女無別，遂相奔誘，華落色衰，復相棄背」，語義全同，蓋朱熹論詩，深受〈小序〉之影響，後又創為「淫詩」之說，指〈國風〉之中，有二十四首「淫詩」，多為鄭衛之音，〈氓〉篇雖不在所指「淫詩」之中，《詩集傳》卻仍指〈氓〉篇主人為「淫婦」，而指婦人與氓相謀，又不即往，為其「狡計」，以求駕御蚩蚩之氓，及後為氓所悟，為氓所棄，乃「道其悔恨之意也」。

考歐陽修《詩本義》云：「今考其詩，一篇始終，皆是女責其男之語。」僅是女子色衰而為男子所棄，因而自悔之辭，如果逕言此女即為「淫婦」，則又何其沉重！除非天下男女皆不能戀愛，不能結婚，方不為淫婦乎？

2. 朱熹《詩集傳》於〈氓〉詩四章「桑之落矣，其黃而隕，自我徂爾，三歲食貧，淇水湯湯，漸車帷裳」注云：

> 言桑之黃落，以比己之容色凋謝，遂言自我往之爾家，而值爾之貧，於是見棄，復乘車而度水以歸，復自言其過不在此而在彼也。

考歐陽修《詩本義》云：「今考其詩，一篇終始，皆是女責其男之語。」推其用意，則「淇水湯湯，漸車帷裳」兩句，乃是女子在夫家三年，回憶當年乘車渡河，前往夫家，而河水浸濕衣裳車帷之事，而非見棄之後，「復乘車而度水以歸」時所作之言也。

3. 朱熹《詩集傳》於〈氓〉詩五章「言既遂矣，至於暴矣，兄弟不知，咥其笑矣」注云：

> 與爾始相謀約之言既遂，而爾遽以暴戾加我，兄弟見我之歸，不知其然，但咥然其笑而已。蓋淫奔從人，不為兄弟所齒，故其見棄而歸，亦不為兄弟所恤，理固有必然者，亦何所歸咎哉，但自痛悼而已。

朱熹所釋，仍以婦人之兄弟「見我之歸」為說，以為婦人之兄弟突然見到婦人遭棄遭暴而返家，又思及昔日婦人堅決求嫁之情形，及落井下石，訕笑其妹其姐之遇人不淑，終遭報應也。然而，揆諸手足之情，恐朱熹所釋，未必可以相信也。

歐陽修在《詩本義》中針對此一問題，主張「兄弟不知我今被其酷暴，乃笑我爾」，笑，指正面為其姐其妹之歡樂而笑，非負面之為譏誚而笑也，故又言，「使其知我今困於棄逐，則當哀我也」，其意應較符合人情。

(四)結 語

綜合以上的比較，可得到以下幾項結論：

1. 詩序、毛傳、鄭箋，代表漢代學者對於《詩經》學之主要意見，這種意見，一直到了唐代，而由《毛詩正義》的集結，為其大成。
2. 經學史上，關於闡釋《詩經》之學的轉變，以北宋歐陽修的《詩本義》，為時最早，

《詩本義》不守詩序、毛、鄭之意見，逕以直接體會《詩經》之本文，而以人情所感，「以意逆志」，加以抒發，而得其義趣。

3.至於南宋、朱熹撰《詩集傳》，並未沿續歐陽修研治《詩經》之精神，反於《詩序》之說，多加繼承，而抒發其「淫詩」之說，朱熹《詩集傳》，在南宋以後，成為士子《詩經》研讀之主流，影響甚大，以至歐陽修研治《詩經》之著作與精神，反而暗然不影，極少為後世所注重，極為可惜。

4.歐陽修是文學家、史學家，朱熹是理學家、經學家，二人研治《詩經》之態度與方法，確有不同。朱熹的《詩經》學，南宋以後，已成顯學，而歐陽修之《詩經學》，則尚待世人去多加瞭解，多加闡發。

六、《尚書、金縢》與《史記・魯周公世家》比勘

(一)引言

《尚書・金縢》篇記周武王克殷之後，有疾，周公乃作冊書，向先王禱告，祈求代替武王赴死之事。及至後來，武王崩殂，成王致疑周公，三監又與殷人叛變，周公前往征討三監，亂平，天候又出現災變，成王乃因而感悟等事情。

《史記・魯周公世家》中記述周公有關事跡，較為全面，如取〈魯周公世家〉與〈金縢〉作一比勘，則於彰明〈金縢〉篇中所記各事，或許有所助益。

(二)分析

以下，先行錄出〈金縢〉篇中文字，俾便取與《史記・魯周公世家》所記相關各事，試作

比勘。

既克商二年，王有疾，弗豫。二公曰：「我其為王穆卜。」周公曰：「未可以戚我先王！」公乃自以為功，為三壇同墠。為壇於南方，北面，周公立焉。植璧秉珪，乃告太王、王季、文王。

史乃冊，祝曰：「惟爾元孫某，遘厲虐疾。若爾三王，是有丕子之責于天，以旦代某之身！予仁若考，能多材多藝，能事鬼神。乃元孫不若旦多材多藝，不能事鬼神。乃命于帝庭，敷佑四方，用能定爾子孫于下地。四方之民，罔不祗畏。嗚呼！無墜天之降寶命，我先王亦永有依歸。今我即命于元龜，爾之許我，我其以璧與珪，歸俟爾命，爾不許我，我乃屏璧與珪。」

乃卜三龜，一習吉。啟籥見書，乃并是吉。公曰：「體！王其罔害。予小子新命于三王，惟永終是圖，茲攸俟，能念予一人。」公歸，乃納冊于金縢之匱中。王翼日乃瘳。

武王既喪，管叔及其群弟乃流言於國，曰：「公將不利於孺子。」周公乃告二公曰：「我之弗辟，我無以告我先王。」周公居東二年，則罪人斯得。于後，公乃為詩以貽王，名之曰〈鴟鴞〉。王亦未敢誚公。

秋，大孰，未穫，天大雷電以風，禾盡偃，大木斯拔，邦人大恐。王與大夫盡弁，

> 以啟金縢之書，乃得周公所自以為功，代武王之說。二公及王乃問諸史與百執事，對曰：「信。噫！公命，我勿敢言。」
>
> 王執書以泣，曰：「其勿穆卜！昔公勤勞王家，惟予沖人弗及知。今天動威，以彰周公之德，惟朕小子其新逆，我國家禮亦宜之。」王出郊，天乃雨，反風，禾則盡起。二公命邦，凡大木所偃，盡起而築之。歲則大熟。

司馬遷撰寫《史記》，於殷周之際的史事，《尚書》自然是他最基本的史料。今取〈金縢〉與〈魯周公世家〉試作比勘，如其所記事件，大略相同，僅文字有所差異者，如周公祈禱三王代武王死事，則不加討論。如其所記事件，其一，〈金縢〉所無而〈魯周公世家〉所有，事涉重要者，則錄出討論。其二，〈魯周公世家〉所有，而與〈金縢〉所記事實有不同者，則亦錄出，加以比較討論。

根據以上兩項原則，試作兩者之比勘如下：

1.〈金縢〉云：

> 武王既喪，管叔及其羣弟乃流言於國，曰：「公將不於孺子。」周公乃告二公曰：「我之弗辟，我無以告我先王。」

〈魯周公世家〉云：

其後，武王既崩，成王少，在強葆之中，周公恐天下聞武王崩而畔，周公乃踐阼代成王攝行政當國。管叔及其羣弟流言於國曰：「周公將不利於成王。」周公乃告太公望、召公奭曰：「我之所以弗辟而攝行政者，恐天下畔周，無以告我先王太王、王季、文王。三王之憂勞天下久矣，於今而后成。武王蚤終，成王少，將以成周，我所以為之若此。」於是卒相成王，而使其子伯禽代，就封於魯。

按〈金縢〉中「我之弗辟」，辟，避也。或云，辟，攝政也。周公踐阼，代成王攝政，〈金縢〉未載其事。

2.〈金縢〉云：

周公居東二年，則罪人斯得。

〈魯周公世家〉云：

管、蔡、武庚等果率淮夷而反。周公乃奉成王命，與師東伐，作〈大誥〉。遂誅管叔，殺武庚，故蔡叔。收殷餘民，以封康叔於衛，封微子於宋，以奉殷祀。寧淮夷東土，一年而畢定。諸侯咸服宗周。

按管叔、蔡叔、武庚等與淮夷反叛，周公乃奉成王之命，與師東伐，一年而畢定，與〈金縢〉

所曰「周公居東二年」，年歲有異，〈金縢〉亦未言周公東伐，「奉成王命」。

3.〈魯周公世家〉云：

成王七年二月乙未，王朝步自周，至豐，使太保召公先之雒相土。其三月，周公往營成周雒邑，曰吉，遂國之。

又云：

成王長，能聽政，於是周公乃還政於成王，成王臨朝。周公之代成王治，南面倍依以朝諸侯。及七年後，還政成王，北面就臣位，匑匑如畏焉。

按《尚書》別有〈洛誥〉篇，記召公周公經營新都洛邑（洛雒同）之事。〈魯周公世家〉記周公攝政，七年之後，還政於成王。

4.〈魯周公世家〉云：

初，成王少時，病，周公乃自揃其蚤，沈於河，以祝於神曰：「王少，未有識，好神命者乃旦也。」亦藏其策於府。成王病有瘳。及成王用事，人或譖周公，周公奔楚。成王發府，見周禱書，及泣，反周公。周公歸，恐成王壯，治有所淫佚，乃作〈多士〉，作〈毋逸〉。

按成王少時，病，周公乃自揃其蚤，沈於河，祝於神，其事不見於《尚書》。及成王用事，人或譖周公，周公奔楚，成王發府，見周公禱書，乃泣而返周公，事皆不見於《尚書》，周公作〈多士〉，作〈無逸〉，以規勸激勵成王，皆無所謂「周公奔楚」之因素存在。

5.〈金滕〉云：

秋，大熟，未穫，天大雷電以風，禾盡偃，大木斯拔，邦人大恐。王與大夫盡弁，以啟金滕之書，乃得周公所自以為功，代武王之說。二公及王乃問諸史與百執事，對曰：「信。噫！公命，我勿敢言。」王執書以泣，曰：「其勿穆卜，昔公勤勞王家，惟予沖人弗及知。今天動威，以彰周公之德，惟朕小子其新逆，我國家禮亦宜之。」王出郊，天乃雨，反風，禾則盡起，二公命邦人，凡大木所偃，盡起而築之，歲則大熟。

〈魯周公世家〉云：

周公卒後，秋，未穫，暴風雷（雨），禾盡偃，大木盡拔。周國大恐，成王與大夫朝服以開金縢書，王乃得周公所自以為功，代武王之說，二公及王，乃問史百執事，史百執事曰：「信有，昔周公命我勿敢言。」成王執書以泣，曰：「自今後其無繆卜乎！昔周公勤勞王家，惟予幼人弗及知，今天動威，以彰周公之德，惟朕小子其迎，我國家禮亦

> 宜之。」王出郊，天乃雨，反風，禾盡起。二公命國人，凡大木所偃，盡起而築之，歲則大熟。於是成王乃命魯得郊祭文王。魯有天子禮樂者，以褒周公之德也。

按〈金縢〉與〈魯周公世家〉兩相比勘，在此節之中，頗多矛盾之處，先就〈金縢〉而言，其一，「秋，大熟，未穫」，乃承前文「武王既喪」之後而言，就上下文義考之，宜指武王崩後不久之秋天而言，以見其與天意之呼應。其二，王與大夫盡弁，以啟金縢之書，乃得周公「自以為功，代武王之說」，故諸史與百執事，因有周公命令，故不敢言。其三，「王執書以泣」，「惟朕小子其新（親）逆」，自是往迎周公。其四，「王出郊，天乃雨」，王引之《經義述聞》以為雨當作霽，雨止為霽。

又按再就〈魯周公世家〉而言，其一，「及成王用事，人或譖周公，周公奔楚，成王發府，見周禱書，乃泣，反周公」。「周公卒後，秋，未穫，暴風雷（雨），禾盡偃，大木盡拔，周國大恐，成王與大夫朝服以開金縢書，乃得周公所以為功代武王之說」，則是成王前後兩次開啟金縢之書，其驚異之情，應已稍顯平淡。其二，既已言「周公卒後，秋未穫」，乃言「今天動威，以彰周公之德，惟朕小子其迎」，則成王前往何處？往迎何人？誰又能夠當得起天子親自往迎之大禮？（吳汝綸以「逆」為「迓天威也，謂將親祭于郊」，則過為曲說）。

(三) 結　語

經過前述的比勘，舉出五項重點，發現〈金縢〉和〈魯周公世家〉兩者之中，所涉及的史事，多少有一些敘述上的差異，其中差異最大的，則是第五項所陳述的史事，仍可試加討論如下。

在〈金縢〉中，「秋，大熟，未穫，天大雷電以風，禾盡偃，大木斯拔，邦人盡恐，王與大夫盡弁，以啟金縢之書，乃得周公所自以為功，代武王之說」，「王執書以泣，曰，其勿穆卜，昔公勤勞王家，惟予沖人弗及知。今天動威，以彰周公之德，惟朕小子其新逆，我國家禮亦宜之」，很明顯的，成王是要親自前往郊外，迎接周公返回國都。是明指周公生前之事。

但是，〈魯周公世家〉中，卻說「周公卒後，秋，未穫」，「昔周公勤勞王家，唯予幼人弗及知，今天動威，以彰周公之德，惟朕小子其迎，我國家禮亦宜之」，卻將成王感悟之事，明記在「周公卒後」。兩者的差異，如此之大，〈金縢〉在前，〈魯周公世家〉撰成在後，《史記》所述此事，自必以《尚書》為原始之依據，在此處，太史公亦必無筆誤之可能，然則，《史記》之記述，何以又有此巨大之改易呢？

關於〈魯周公世家〉與〈金縢〉中所敘述的周公事蹟，有所不同，除了《尚書》在前，《史記》在後，這一因素之外，另外還有兩點，也值得加以注意，其一是漢代經學注重今古文的問題，其二是歷史文獻敘述時的文義貫串的問題。

漢代經學的傳授，有今古文的問題，司馬遷從學於董仲舒，董仲舒是今文經學的大師，因此，司馬遷撰寫《史記》，自然多採今文經學的說法，（參考崔適《史記探源》）不過，司馬遷為了廣蒐史料，對於古文經學的說法，有時，也參酌採取，並不完全摒棄。《漢書·儒林傳》云：「孔氏有古文《尚書》，孔安國以今文字讀之，因以起其家逸《書》，得十餘篇，蓋《尚書》茲多於是矣。遭巫蠱，未立於學官。安國為諫大夫，授都尉朝，而司馬遷亦從安國問故。遷書載：〈堯典〉、〈禹貢〉、〈洪範〉、〈微子〉、〈金縢〉諸篇，多古文說。」（皮錫瑞《今文尚書考證》也說，「《史記》意在網羅放失舊聞，不拘一說」。）

另外，從文義貫串的角度而言，無論是《尚書》抑或《史記》，今文經抑或古文經，敘事的暢通無礙，文義的不相隔核，也同樣是敘事記述的基本條件。

《史記·魯周公世家》謂成王開啟兩次金縢之書，不見於《尚書》之記述，敘天大雷電以風，禾木盡偃，以儆成王，事在周公卒後，然而又言「惟朕小子其迎，我國家禮亦宜之」，與〈金縢〉所言「惟朕小子其新（親）逆，我國家禮亦宜之」，語義完全相同，如果周公已卒，則成王遠赴郊外親迎，到底迎誰？找不到被迎接返都的對象，則《史記》的這一句話，豈非完全懸空，而全無著落？太史公的行文，豈能如此輕率！

〈金縢〉篇中文末記載：「王執書以泣曰，其勿穆卜，昔公勤勞王家，惟予沖人弗及知，今天動威，以彰周公之德，惟朕小子其新逆，我國家禮亦宜之。」〈偽孔傳〉云：「周公以成王未悟，故留東未還，改過自新，遣使者迎之，亦國家禮有德之宜。」改過自新，究竟孰指，意欠明朗。蔡沈《書集傳》云：「新當作親，成王啟金縢之書，欲卜天變，既得公冊祝之文，遂感悟，執書以泣，言不必更卜，昔周公勤勞王室，我幼不及知，今天動威，以明周公之德，我小子其親迎公以歸，於國家禮亦宜也。按鄭氏詩傳，成王既得金縢之書，親迎周公。鄭氏學，出於伏生，而此篇則伏生所傳，當以親為正，親誤作新，正猶〈大學〉新誤作親也。」其云「我小子其親迎公以歸」，其云「鄭氏學出於伏生，而此篇則伏生所傳」，最為明確無誤。

七、《尚書》中〈顧命〉與〈康王之誥〉的分合問題

(一)引　言

《尚書》為古史記言之作，傳至漢代，有今古文之分別，今文《尚書》傳自濟南伏生，以漢隸書寫，有二十九篇，古文《尚書》出自孔子壁中，以先秦古文書寫，較今文《尚書》多得十六篇，孔子後人孔安國欲獻於武帝，因適遇巫蠱之事，未得列於學官，其書遂佚。東晉時，梅賾偽造古文《尚書》二十五篇，合今文《尚書》二十九篇，得列於學官，各篇皆有題為「孔安國傳」的注文與序文，以其作者不明，世稱之為「偽孔傳本」，唐代孔穎達等所撰《尚書正義》，即依據梅賾之書，為作疏解。

伏生所傳今文《尚書》之中，以〈顧命〉與〈康王之誥〉，分為兩篇，傳至歐陽生、大小夏侯，則合〈顧命〉與〈康王之誥〉為一篇，僅以〈顧命〉為篇名，故今文《尚書》有二十九

篇及二十八篇之異。

主張〈顧命〉與〈康王之誥〉宜分為兩篇者，馬融、鄭玄、王肅等以為，自「無壞我高祖寡命」以上為〈顧命〉，「王若曰」以下為〈康王之誥〉，偽孔傳本則以為，自「諸侯出廟門俟」以上為〈顧命〉，「王出在應門之內」以下為〈康王之誥〉，因此，〈顧命〉與〈康王之誥〉宜分宜合，以及主張分篇者，又當如何分法，一直是難於解決的問題。關於這兩個問題，首先，需討論兩文應屬一篇，抑應分為兩篇？其次，如果應當分為兩篇，則再討論兩篇的分開，宜以何處的文句作為起訖？

(二) 分析

針對前述兩個問題，都必須從〈顧命〉與〈康王之誥〉的內容中去作探究，為了眉目清晰起見，以下，先錄出兩篇經文文字，斟酌分段，並標出重點，以便討論。（據孔穎達《尚書正義》本）

甲、經文

1. 記成王生病之時間

惟四月，哉生魄，王不懌。

2. 記成王病危

甲子，王乃洮頮水，相被冕服，憑玉几。乃同，召太保奭、芮伯、彤伯、畢公、衛侯、毛公、師氏、虎臣、百尹、御事。

3. 記成王遺命

王曰：「嗚呼！疾大漸，惟幾，病日臻。既彌留，恐不獲誓言嗣，茲予審訓命汝。昔君文王、武王宣重光，奠麗陳教，則肄肄不違，用克達殷集大命。在後之侗，敬迓天威，嗣守文、武大訓，無敢昏逾。今天降疾，殆弗興弗悟。爾尚明時朕言。用敬保元子釗，弘濟于艱難，柔遠能邇，安勸小大庶邦。思夫人自亂于威儀，爾無以釗冒貢于非幾。」

4. 記成王崩殂

茲即受命還，出綴衣于庭。越翼日乙丑，王崩。

5. 記太保命迎太子

太保命仲桓、南宮毛俾爰齊侯呂伋，以二千戈、虎賁百人逆子釗于南門之外。延入翼室，恤宅宗。

6. 記太史訂制殯儀

丁卯，命作冊度。越七日癸酉，伯相命士須材。

7. 記傳達遺命之几席陳設

狄設黼扆、綴衣。牖間南向，敷重篾席，黼純，華玉，仍几。西序東向，敷重厎席，綴純，文貝，仍几。東序西向，敷重豐席，畫純，雕玉，仍几。西夾南向，敷重筍席，玄紛純，漆，仍几。

8. 記傳達遺命之玉器陳設

越玉五重，陳寶，赤刀，大訓，弘璧，琬琰，在西序。大玉，夷玉，天球，河圖，在東序。胤之舞衣，大貝，鼖鼓，在西房。兌之戈，和之弓，垂之竹矢，在東房。大輅在賓階面，綴輅在阼階面，先輅在左塾之前，次輅在右塾之前。

9. 記衛士禮兵之侍立

二人雀弁執惠，立于畢門之內。四人綦弁，執戈上刃，夾兩階戺。一人冕，執劉，立于東堂；一人冕，執鉞，立于西階。

10. 記太史宣讀冊命

王麻冕黼裳，由賓階隮。卿士邦君麻冕蟻裳，入即位。太保、太史、太宗皆麻冕彤裳。太保承介圭，上宗奉同瑁，由阼階隮。太史秉書，由賓階隮，御王冊命，曰：「皇后憑玉几，道揚末命，命汝嗣訓，臨君周邦，率循大卞，燮和天下，用答揚文武之光訓。」王再拜，興，答曰：「眇眇予末小子，其能而亂四方，以敬忌天威？」

11. 記康王接受同瑁

乃受同瑁，王三宿，三祭，三咤。上宗曰：「饗！」太保受同，降，盥，以異同秉璋以酢。授宗人同，拜。王答拜。太保受同，祭，嚌，宅，授宗人同，拜。王答拜。太保降，收。諸侯出廟門俟。

12. 記諸侯覲見康王

王出，在應門之內。太保率西方諸侯入應門左，畢公率東方諸侯入應門右，皆布乘黃朱。賓稱奉圭兼幣，曰：「一二臣衛，敢執壤奠。」皆再拜稽首。王義嗣德答拜。

13. 記太保再申顧命之義

太保既芮伯咸進，相揖，皆再拜稽首曰：「敢敬告天子，皇天改大邦殷之命，惟周文武誕受羑若，克恤西土，惟新陟王畢協賞罰，戡定厥功，用敷遺後人休。今王敬之哉！張皇六師，無壞我高祖寡命！」

14.記康王遍告臣民之言

王若曰：「庶邦侯甸男衛！惟予一人釗報誥。昔君文武丕平富，不務咎，厎至齊信，用昭明于天下。則亦有熊羆之士，不二心之臣，保乂王家，用端命于上帝。皇天用訓厥道，付畀四方。乃命建侯樹屏，在我後之人。今予一二伯父，尚胥暨顧，綏爾先公之臣，服于先王。雖爾身在外，乃心罔不在王室，用奉恤厥若，無遺鞠子羞！」

15.記康王釋冕服喪

群公既皆聽命，相揖，趨出。王釋冕，反，喪服。

乙、說明

以下，即更就〈顧命〉與〈康王之誥〉兩篇文字，略述其內容之要義，以便更作分析。

1.記成王生病之時間

成王在位三十七年，將薨之年，四月初，成王因病而身體不適。

2.記成王病危

甲子之日，成王沐首更衣，乃召見眾位大臣。（《周禮．大宗伯》云：「眾見日同。」）

3.記成王遺命

成王知己病日篤，恐自己未能謹慎宣布後嗣之人，乃決定即刻宣布命令，以效法文王武王，建立法制。盼眾臣接受朕言，保護太子姬釗，渡過艱難，安定邦國。

4.記成王崩殂

次日，乙丑，成王崩殂。

5.記太保命迎太子

太保召公，乃承成王遺命，令大臣及武士往迎太子，先進入側室，主持治喪之事。

6.記太史訂制殯儀

丁卯之日，命太史制定喪禮之法則。七日之後，令官吏準備喪禮所用之各種器皿。

7.記傳達遺命之几席陳設

狄人之官，率吏陳設先王禮服，以及室內各種几席，門窗各種方向位置。

8.記傳達遺命之玉器陳設

室內陳列各種寶器，在不同之方向位置。

9.記衛士禮兵之侍立

衛士禮兵，各居其位，執行任務。

10.記太史宣讀冊命

康王著穿禮服，由賓階登壇，三公各立其位，各執禮器，太史宣讀成王遺命詔書，康王下拜受命，恭敬領受，行禮拜謝。觀禮之各地諸侯，先行出俟廟門之外，恭候康王視政。

11. 記康王接受同瑁

同為酒器，執以行禮，瑁為禮器，唯天子所執，以示尊崇。

12. 記諸侯覲見康王

康王即帝位，受東西方諸侯之覲拜。

13. 記太保再申顧命之義

太保召公及芮伯，稟告天子，再強調新王受命之任務。

14. 記康王遍告臣民之言

康王即帝位，乃勉勵羣臣百姓，敬奉先王之教。

15. 記康王釋冕服喪

康王既登帝位，乃脫去吉服，反著喪服，為成王敬治喪禮。

丙、討論

前文將〈顧命〉與〈康王之誥〉之經文，合於一處，就其前後文字，按其內容，區分為一十五個小節，並說明每節所敘述之要義，因此，在此所敘前後相連續之事件中，可以反映出來兩項重要的訊息，第一，當第4節記成王崩殂之時，太子姬釗出使在外，並不在成王身邊，這可以從第5節太保命大臣往迎太子一事反映出來。第二，第11節記康王接受同瑁行禮，太保受同行禮之後，記述「諸侯出廟門俟」，記述前來親觀康王登基之禮的各方諸侯，皆步出祖廟之門，「在應門之內」（第12節），等候覲見康王，向登基之後的康王朝覲致敬。由此，可以引發出另一個問題，東方西方各地的諸侯，遠在千里萬里之外，一聞成王崩殂，豈能立即奔赴首都鎬京，參加康王的登基大典？合理的解釋是，成王崩殂之後，太子姬釗自外地奔喪返回首都，需要一段時間，而遠居各地之諸侯，聞訊前往首都弔唁致哀追思，並參加康王的登基朝覲大典，都需要一段不算太短的時間，而太保以下之大臣，迎接太子返都，籌備康王登基，辦理成王喪禮，都需要有充分的時間去進行籌備，而不能在短時間內一蹴而幾。但是，就〈顧命〉與〈康王之誥〉這兩篇經文來看，似乎以上所必需辦理的這些國家大典，似乎又是在極短的時間之內，一氣呵成者。

合理的解釋是，從〈顧命〉到〈康王之誥〉的這兩篇經文之中，在某些敘述的地方，必然是有脫簡的現象，脫漏了某些記述的文字。以致將以上這些大事敘述得似乎在極短時間之中，就一氣呵成。

顧亭林《日知錄》卷二〈顧命〉條云：

讀〈顧命〉之篇，見成王初喪之際，康王與其羣臣皆吉服，而無哀痛之辭。以召公、畢公之賢，反不及子產、叔向，誠為可疑。再四讀之，知其中有脫簡。（原注：「不言殯

> 禮，知是闕文。豈有新君已朝諸侯，而成王尚未殯，史官略無一言記及者乎？」）而「狄設黻扆綴衣」以下，即當屬之〈康王之誥〉。自此以上，記成王顧命登遐之事，自此以下，記明年正月上日，康王即位，朝諸侯之事也。古之人君於即位之禮重矣，故即位於廟，受命於先王，祭畢而朝羣臣，羣臣布幣而見，然後成之為君。

亭林先生以為，揆諸情理，知〈顧命〉篇中必有脫簡，因為古之人君，重視即位之禮，成王於四月初薨，依禮必於次年正月上日，康王方得即位，朝見諸侯。故亭林先生依此禮制，參以文義，而斷定〈顧命〉此處必有脫簡。顧亭林先生又云：

> 《記》曰「未沒喪不稱君」，而今《書》曰「王麻冕黼裳」，是逾年之君也。又曰「周卒哭而祔」，而今曰「諸侯出廟門俟」，是已祔之後也。

又云：

> 自「狄設黼扆綴衣」以下，皆陳之朝者也。設四席者，朝羣臣，聽政事，養國老，燕親屬，皆新天子之所有事，而非事亡之說也。自「王麻冕黼裳」以下，皆廟中之事也。自「王出在應門之內」，則康王臨朝之事也。

因為有以上的這些證據，所以，顧亭林先生說，「《書》之脫簡多矣」，「然則〈顧命〉之脫

簡，又何疑哉！」（參前引兩篇經文之第6段、第7段）

戴震〈書顧命後〉（載《戴震集》上編文集卷一）云：

> 馬、鄭、王本分「王若曰」以下為〈康王之誥〉，東晉晚出之古文分「王出在應門之內」以下為〈康王之誥〉，皆非也。考此篇自「狄設黼扆綴衣」至末，踰年即位事也，必日前陳設，故不書日。踰年即位，禮之大常，不必書日而知也。「大保降，收」，則受冊命畢，而「諸侯出廟門俟」，「王出在應門之內」，乃記即位之儀。〈顧命〉之篇，其大端有三，羣臣受顧命，一也；踰年即位，康王先受冊命，二也；適治朝，踐天子之位，三也。說者不察受命及出至路門外應門內之治朝，屬踰年，遂疑西方、東方諸侯為來問王疾者，則新喪內天崩地圻之痛，而從容興答，必無是情，又不必論其他事之禮與非禮矣。

戴震之說，簡明切要，而皆與亭林先生所說者，若相符合。

(三) 結　語

《尚書》是最早的古史記錄，關於其中〈顧命〉與〈康王之誥〉的分合問題，經過上述的分析討論之後，約可得到幾項意見，以當此文之結語。

1. 現存〈書序〉有云：「成王將崩，命召公畢公率諸侯相康王，作〈顧命〉。」又云：

「康王既尸天子，遂誥諸侯，作〈康王之誥〉。」〈書序〉既已分〈顧命〉與〈康王之誥〉為二篇，本文也即從二篇應該如何分合之角度，加以討論。

2.〈顧命〉與〈康王之誥〉應如何分法，本文採取顧亭林與戴震二人之分法，以「狄設黼綴衣」以下，屬於〈康王之誥〉。如此分析，則成王崩殂之後，大臣迎回太子，先行布置宣布成王遺命詔書之廳堂陳設。俟次年吉日，行布命之禮，太子先居賓階，由太保召公暫居主階，俟宣讀成王遺詔，康王即位之後，出在應門之內，方接受各方諸侯之朝覲，康王登基之後，乃著喪服，為成王服喪。如此，關於康王登基前後，諸侯朝覲等事項，皆可迎刃而解，亦符合古代禮儀制度。

八、《逸周書・克殷解》讀後

(一)引　言

周武王討伐商紂王之記載，《尚書》中僅有〈西伯戡黎〉、〈微子〉、〈牧誓〉三篇涉及此事，而真正記述武王師師與紂王大軍戰鬥情況者，則僅有〈牧誓〉一篇，且〈牧誓〉偏重誓師，於其他情況，也罕有記述。

《逸周書・克殷解》中所記武王伐紂之事，可與〈牧誓〉相參，提供世人了解武王伐紂時之更多情況。

(二)讀　後

閱讀《逸周書・克殷解》，對於武王伐紂之各種情況，可增加不少了解。

1. 參戰人數

《逸周書・克殷解》云：

周車三百五十乘，陳於牧野，帝辛從。（黃懷信、張懋鎔、田旭東：《逸周書彙校集注》，上海古籍出版社）

《逸周書彙校集注》引潘振云：「乘法，甲士三人，步卒七十二人，輜重二十五人，一乘共百人。三百五十乘，三萬五千人也。」《史記・周本紀》云：「帝紂聞武王來，亦發兵七十萬人距武王。」可以窺見牧野之戰，雙方軍力動員之情形。

2. 致師

《逸周書・克殷解》云：

武王使尚父與伯夫致師。

《逸周書彙校集注》引潘振云：「伯夫，百夫長也。」尚父，太公望也。致師，古時將戰，先使勇士犯敵以挑怒之，引其來戰也。

3. 會戰

《逸周書・克殷解》云：

王既以虎賁戎車馳商師，商師大敗。

虎賁，勇力之士，春秋車戰，有「車右」之制，或稱為「右」，蓋戰車之制，一車駟馬，車上甲士三人，中為御者，左為將士，右為勇力之士，持長矛，又擅射，（如春秋養由基之流）遠可射敵，近可持矛護主，車陷於泥中，則下而推車。此制，即殷周時戎車上虎賁為其始也。

4. 紂王自焚

《逸周書・克殷解》云：

> 商辛奔內，登于廩臺之上，屏遮而自燔于火。

商軍大敗，紂王奔返朝歌城內，登鹿臺（即廩臺）自焚而死。

5. 武王會見商民

《逸周書・克殷解》云：

> 武王乃手太白以麾諸侯，諸侯畢拜，遂揖之。商庶百姓，咸俟於郊，羣賓僉進曰：「上天降休。」再拜稽首。武王答拜，先入，適王所，乃尅射之三發而後下車，而擊之以輕呂，斬之以黃鉞。折懸諸太白。適二女之所，王又射之三發，乃右擊之以輕呂，斬之以玄鉞，懸諸小白。乃出場於厥軍。

商紂王既死之後，周武王乃手揮太白之旗（旗名太白），指揮諸侯，諸侯皆下拜，武王乃揖之請眾人起。此時，商都百姓，皆立俟於郊外，而隨征諸侯遠來者皆賀武王，群稱天降大祥，再拜稽首，以賀武王。武王答拜之後，乃率先而入紂王之宮，先射三箭，以為勝利之表徵，再下車，以輕呂劍擊紂王身，以黃鉞斬紂王首，而懸紂王首於太白之旗下。又往內宮，見紂王之寵后妲己及另一嬖妾，二人也已自殺。武王乃又射三發箭，以右手持輕呂劍擊二人，而以黑色之鉞斬妲己二人首，令懸之於小白之旗下。

以上所述，或者，以為有傷武王仁義行師之形象，然而，武王既已勝殷，為了平息殷民對於紂王之怨懟，為了樹立自己統治殷民的權威，以上的作為，也許還更符合歷史的真相。司馬遷《史記》，於〈周本紀〉中，於武王勝殷以後之敘述，多本之於〈克殷解〉，則知《逸周書》所述之事近真，而其書也不為偽書也。

6. 武王即帝位

《逸周書‧克殷解》云：

> 及期，百夫荷素質之旗於王前。叔振奏拜假，又陳常車。周公把大鉞，召公把小鉞，以夾王。泰顛、閎夭，皆執輕呂以奏王，王入，即位於社太卒之左。羣臣畢從，毛叔鄭奉明水，衛叔傳禮。召公奭贊采，師尚父牽牲。尹逸筴曰：「殷末孫受，德迷先成湯之明，侮滅神祇不祀。昏暴商邑百姓，其彰顯聞於昊天上帝。」周公再拜稽首，乃出。

及至登基之日，百人荷大旗前導，有威儀之車，周公召公，皆持鉞左右護武王，泰顛閎夭，皆執劍以隨武王後，毛叔鄭捧明水，衛康叔傳禮，召公奭贊采，師尚父率禮牲，尹佚為策書，以告上天神祇，武王乃即位。典禮既成，武王再拜稽首，乃步出宮中。（〈克殷解〉云「周公再拜稽首，乃出」，當作「武王」。）

7. 七道政令

《逸周書・克殷解》云：

立王子武庚，命管叔相。乃命召公釋箕子之囚。命畢公、衛叔出百姓之囚。乃命南宮忽振鹿臺之財，巨橋之粟。乃命南宮百達、史佚遷九鼎三巫。乃命閎夭封比干之墓。乃命宗祀崇賓，饗禱之於軍，乃班。

武王登基之後，頒布七道行政措施之命令：其一，立紂王之子武庚為殷商之後，並命管叔（當脫蔡叔二字）為相而監之。其二，命召公釋箕子之囚。蓋殷有三仁，比干諫而剖心，微子去之，箕子佯狂為奴，故乃釋之。其三，命畢公、衛叔盡釋被紂王所囚之百姓。其四，命南宮忽啟紂王所藏之財與粟，盡散予百姓。其五，命南宮百達史佚遷藏九鼎三巫等殷宗廟所藏之寶器。其六，命閎夭重營比干之墓以祀之。其七，命主祭之官崇賓，主禮禱之事。頒布以上七項政令之後，武王乃下令，百官及大軍啟程返回鄗京。

(三) 結　語

《漢書・藝文志》於〈六藝略〉尚書家有《周書》七十一篇，班固以為是「孔子所論百篇之餘也」，朱右曾《逸周書集訓校釋・序》云：「此書雖未必果出文、武、周公之手，要亦非秦、漢人所能偽託。」

今考《逸周書》內容繁複，不盡與《尚書》相似，但是，即以〈克殷解〉一篇而言，太史公於《史記・周本紀》中所述，周初史事，幾乎全本於《逸周書》，而為《尚書》中所未嘗記述者，即此而言，則〈克殷解〉一篇，足可與〈牧誓〉、〈微子〉、〈西伯戡黎〉等篇相互比參，也可與〈洪範〉篇所記箕子之事相互比參，使武王伐紂前後諸事項愈益清晰明白，而《逸周書》書中所記述者，不為偽書，益可憑信焉。

九、《周禮》與周公

(一)引　言

《周禮》一書，究竟是何人何時所撰，自古以來，便有著不同的說法。

首先，《左傳》文公十八年記載太史克云：「先君周公制《周禮》。」指出《周禮》為周公所制定，用以致太平之書。

其次，以何休為代表，主張《周禮》乃是六國陰謀之書。

其三，以為《周禮》乃是劉歆偽造，以助王莽篡漢之書。

兩千年來，關於《周禮》之作者，大抵有以上三種主要的說法。

清代學者陳澧，針對第一種意見，曾經舉出了一些文獻上的資料，作為佐證，錄出於下，以資參考。

(二)分　析

陳澧《東塾讀書記》卷七云：

周公制禮，至幽厲而廢，至秦而燔滅，幸而《周禮》出於山巖屋壁，即不盡周公所作，終是周代典制，豈可排棄之乎！後儒考古者，考一代之事，必蒐討一代之書，雖短書小說，猶不遺也，況《周禮》五官粲然，具存者乎！若以為非周公所作，則棄之，然則讀《漢會要》者，但取高帝時之事，以後皆可棄乎？鄭君尊信《周禮》，乃通儒高識，林孝存之排棄，則拘儒之見也。且鄭君亦不悉信也，〈職方〉荊州：「其淫潁湛。」注云：「潁出陽城，宜屬豫州，在此非也。」豫州：「其浸波溠。」注云：「《春秋傳》曰：楚子除道梁溠，營軍臨隨。則溠宜屬荊州，在此非也。」此鄭君明言經文之非，豈有周公之書，而可以為非者哉！《鄭志》云：「不信亦非，悉信亦非。」此之謂也。

周公曾經輔佐武王、成王，攝理國政，在制定禮儀制度之時，參與制定治理國家的典章制度，應該是合於情理的事情。但是，如果說，《周禮》一書，全出周公之手，以周公忙於治國而言，在情理上、時間上，也不可能。因此，陳澧先生，也舉出鄭玄在《周禮》注中，指明《周禮·春官·職方》中的兩項地理方面的錯誤，用以證明鄭玄也不盡以《周禮》即為周公所著之書。

陳澧《東塾讀書記》卷六又云：

鄭君知《周禮》，乃周公致太平之跡（此賈氏〈序周禮興廢〉語），以《周禮》之中，實有周公之制也。司馬溫公〈論財利疏〉云：「《周禮・冢宰》以九職九式九貢之法，治財用。唐制，以宰相領鹽鐵度支戶部。國初，亦以宰相都提舉三司，水陸發運等使。是則錢穀自古及今，皆宰相之職，必若府庫空竭，閭閻愁困，而曰，我能論道經邦，燮理陰陽，非愚臣之所知也。」《困學紀聞》云：「嬪御、奄寺、飲食、酒漿、衣服、次舍、器用、貨賄，皆領於冢宰。冕弁、車旗、宗祝、巫史、卜筮、瞽侑，皆領於宗伯。此周公相成王格心輔德之法，及其衰也，昏椓靡共、婦寺階亂，膳夫、內史、趣馬師氏，締交於嬖寵，瑣瑣姻亞，私人之子，竊位於王朝，至秦，而大臣不得議近臣矣，至漢，而中朝得以絀外朝矣，至唐，而北司是信，南司無用矣。由周公之典廢也。有詰責幸臣，如申屠嘉，奏劾常侍，如楊秉，宮中府中為一體，如諸葛武侯，可謂知宰相之職者，唐太宗責房玄齡以北門營繕，何預君事，豈善讀《周禮》者哉！」（卷四）《日知錄》云：「閹人寺人，屬於冢宰，則內廷無亂政之人，九嬪世婦，屬於冢宰，則後宮無盛色之事，太宰之於王，不惟佐之治國，亦誨之齊家者也，自漢以來，惟諸葛孔明為知此義，故其上表後主，謂宮中府中，俱為一體，而宮中之事，事無大小，悉以咨（郭）攸之、（費）禕、（董）允三人，於是後主欲采擇以充後宮而終執不聽，宦人黃皓，終允之世，位不過黃門，可以為行《周禮》之效矣。」（卷五）觀溫公、厚齋、亭林所論，非周公孰能定此制，所謂致太平者，此其犖犖大者也。

司馬光解釋《周禮》，以認為〈天官・冢宰〉以九職任用萬民（一曰三農，生九穀。二曰園圃，毓草木。三曰虞衡，作山澤之材。四曰藪牧，養蕃鳥獸。五曰百工，飭化八材。六曰商賈，阜通貨賄。七曰嬪婦，化治絲枲。八曰臣妾，聚斂疏材。九曰閒民，無常職，轉移執事。）以九式均節財用（一曰祭祀之式，二曰賓客之式，三曰喪荒之式，四曰羞服之式，五曰工事之式，六曰幣帛之式，七曰芻秣之式，八曰匪頒之式，九曰好用之式）以九貢致邦國之用（一曰祀貢，二曰嬪貢，三曰器貢，四曰幣貢，五曰材貢，六曰貨貢，七曰服貢，八曰斿貢，九曰物貢。）以至唐代宋代，也都以宰相掌理國家之錢糧府庫，一方面分擔君王之憂勞，一方面也可以制衡君王之權力，使君王不致濫用而揮霍無度，也暗示了這應該是周公創設官制時的用心。

王應麟在《困學紀聞》中，也指出《周禮》之中，以嬪御、奄寺、飲食等官歸由天官冢宰統理，而車旗、巫史、卜筮等官歸由春官宗伯指揮，應該也是周公當年為了避免皇宮內侍包圍君王，誤導少主所精心設計的制度。

顧亭林在《日知錄》中的意見，最為明確可信，他以閽人寺人、九嬪世婦，都歸屬於天官冢宰所掌理，使得皇宮內院之事，也都由宰相來掌理，使得天子少主，一人在深宮之中，不致任由內侍嬪妃們所左右所擺佈、所誤導，而以諸葛武侯與劉後主的關係，也恰如周公之於成王之關係，以諸葛武侯〈出師表〉中所謂「宮中府中，俱為一體，而宮中之事，事無大小，悉以咨攸之、禕、允三人」而言，也唯有周公之於成王，以叔父之尊，以可王而不王之身，以攝政之資，方可訂定此宮中之體制，方可製定此《周禮》治國之宏規巨綱，而令少主無可懷疑，而令天下人無可懷疑，而安然接受。要之，由〈出師表〉之言，以推《周禮》之宏綱大端，曾經經由周公之用心與設計，或者也是情理之中的事情。（除了周公，那位外姓大臣，敢於設計一套制度，去干預皇帝宮中的家務事？）

所以，陳澧先生也指出，「鄭（玄）君知《周禮》，乃周公致太平之跡，以《周禮》之中，實有周公之制也」。

(三)結　語

劉起釪教授曾撰有〈周公事跡大略〉一文，載所著《古史續辨》之中，舉出周公對於周代的貢獻，共有六項：

1. 第一次建立由中央王朝分封全境侯衛各國的統一的天下。
2. 確立了君位的傳子制度。
3. 確立了完整嚴密的宗法制度。
4. 由宗法制度產生有關禮制，主要是喪服之制和宗廟之制。
5. 建立官制。
6. 在意識形態方面，提出了「明德慎刑」的思想。

在第五項「建立官制」中，劉教授引用了《尚書・立政》篇中周公所訂定的官制，作為證明，那些官制，如任人、準夫、牧、虎賁、綴衣、趣馬、小尹、太史、尹伯、司徒、司馬、司空、亞旅等等，有些官員之名，不見於《周禮》之中，有些卻曾見於《周禮》之中，當然，官員之名，歷來可能有所變更，周公建立官制的事實，必然存在。但是，《周禮》與《尚書・立政》，畢竟是不同的書籍，因此，我們只能作出這樣的推測，《周禮》中官制的創設，宏綱巨目以規畫，可能曾經受到周公的影響，這從司馬光、王應麟、顧亭林等人的意見中，應該也多了一些佐證。

十、論《春秋》隱公元年不書「即位」之意義

(一)引　言

《春秋》十二公，於君主新繼任，多書明「即位」，只有隱公、莊公、閔公、僖公，不書「即位」，其中是否別有含義？歷來學者，加以探索者，頗不少見。以下，即刺取較為重要之意見，再加以探究。

(二)分　析

《左傳》隱公元年之前記曰：

惠公元妃孟子，孟子卒，繼室以聲子，生隱公。宋武公生仲子，仲子生而有文在其手，曰，為魯夫子，故仲子歸于我，生桓公而惠公薨，是以隱公立而奉之。

又於隱公元年記曰：

> 不書即位，攝也。

魯隱公為魯惠公之元妃孟子所生，魯桓公為魯惠公繼室聲子所生，但魯惠公喜愛桓公，欲於自己身故之後，以桓公繼立為君，所以，惠公薨後，《春秋》不書隱公「即位」，《左傳》以為是隱公自己暫時代理君位，一俟桓公長大，便將歸還君位予桓公，所以，杜預注《左傳》，便說：「假攝君政，不修即位之禮，故史不書於策，《傳》所以見異於常。」隱公既然未行即位之禮。故《春秋》也便不書「即位」之文。

《公羊傳》隱公元年記曰：

> 公何以不言即位，成公意也，何成乎公之意？公將平國而反之桓。……故凡隱之立，為桓立也。

《公羊傳》也以為，隱公能夠深心體會惠公喜愛桓公之心意，自己也決定等待桓公長大之後，即將君主之位讓予桓公，所以，自己也便不行即位之禮，《春秋》也便未書「即位」之文，何休在《公羊傳解詁》中說：「故於是己立，欲須桓長大而歸之，故曰為桓立，明其本無受國之心，故不書即位，所以起其讓也。」《公羊傳》的意思，確是強調了隱公心中的一個「讓」字。

《穀梁傳》隱公元年記曰：

公何以不言即位？成公志也，焉成之？言君之不取為公也，君之不取為公，何也？將以讓桓也，讓桓正乎？曰不正，《春秋》成人之美，不成人之惡。隱不正而成之，何也？將以惡桓也，其惡桓，何也？隱將讓而桓弒之，則桓惡矣，桓弒而隱讓，則隱善矣，善則其不正焉，何也？《春秋》貴義而不貴惠，信道而不信邪，孝子揚父之美，不揚父之惡，先君之欲與桓，非正也，邪也，雖然，既勝其邪心以與隱矣，已探先君之邪志，而遂以與桓，則是成父之惡也，兄弟，天倫也，為子受之父，為諸侯受之君，已廢天倫，而忘君父，以行小惠，曰小道也，若隱者，可謂輕千乘之國，蹈道，則未也。

《穀梁傳》對經義的詮釋，有好幾層解說，首先，是以隱公將讓位予桓公，以完成惠公及隱公自己的心願。其次，則指出隱公想讓位予桓公，是不正確的行為，因為，隱公將讓位予桓公，而桓公卻先行弒殺隱公，反而成就了桓公弒君殺兄的惡名。再則，提出「孝子揚父之美，不揚父之惡」的大原則，惠公欲將君位傳予愛子桓公，本來就是不正確的行為，而隱公卻順從惠公不正確的心意而行事，豈非成就了父親行事不正的惡名。第四層，則指出隱公的行為，是廢天倫而忘君父，是行小惠而未能踐行大道。

孔穎達《左傳正義》云：

舊說賈（逵）服（虔）之徒，以為四公（隱公、莊公、閔公、僖公）皆實即位，孔子修經，乃有不書。（杜預《春秋釋例》又引賈逵云：「不書隱即位，所以惡桓之篡。」）

賈逵服虔，則以為《春秋》於隱公，原本實書即位，但孔子於修《春秋》時，卻加以刪削，所以刪削隱公即位，是要彰顯桓公弒君篡位的罪惡。

胡安國《春秋傳》云：

國君逾年改元，必行告廟之禮，國史主記時政，必書即位之事，而隱公闕焉，是仲尼削之也。古者諸侯繼世襲封，則內必有所承，爵位土田，受之天子，則上必有所稟，內不承國於先君，不稟命於天子，諸大夫扳己以立，而遂立焉，是與爭亂造端，而篡弒所由起也，《春秋》首絀隱公，以明大法，父子君臣之倫正矣。（巴蜀書社影印怡府藏本）

胡安國以為，《春秋》經本來是記載隱公即位之事，而今本《春秋》所以不書隱公即位，是孔子修《春秋》時，加以刪削，因為，惠公薨後，隱公既不考慮惠公的心意，又不稟報於周天子，所以孔子才於修《春秋》時，刪削隱公之「即位」二字，用以彰明父子君臣之間應有之倫常與大法。

俞樾《湖樓筆談》卷一云：

隱公不書即位，雖三傳異辭，要皆以為攝耳，其實不然也，《公羊傳》曰：「元年者何？君之始年也，王者孰謂？謂文王也。」以是言之，《春秋》託王於魯，魯之隱公，其猶周之文王乎！文王雖受命改元，然必待武王而後定鼎乎郟鄏，是故隱公不書即位，示開創之始，王業未成也。《春秋》二百四十年，皆託王於魯，以寓一王之大法，非為十二公作載筆之史，其託始隱公，不書即位，自有大義，區區以為，成公志，小矣，是故《春秋》始于隱公元年王正月，不書即位，見創業之難，終于哀十四年春，西狩獲麟，見太平之應，自來言《春秋》者，未見及此。（《春在堂全書》本）。

東周以後，諸侯興起，周室雖然衰微，周天子仍然在位，孔子魯人，乃假借魯史春秋，所記之事實，別賦微言大義，以為褒貶是非之準繩，以見不為空言之鋪陳，而以《春秋》當新王，此即所謂「王魯」之說，故《公羊傳》於隱公元年曰：「元年者何？君之始年也，春者何？歲之始也，王者孰謂？謂文王也，曷為先言王而後言正月，王正月也，何言乎王正月，大一統也。」即是指明，《春秋》以魯國當新王，以魯君當文王也。故俞樾以為，「隱公之不書即位，示開創之始，王業未成也」。

以上所枚舉者，自漢代以迄清代，學者們之意見，可以代表歷代學者，對於《春秋》魯隱公不書即位的一些重要看法。

(三)結　語

就前節所引各家所見而言，則《左傳》之意見，以為是隱公意在暫代君位，是以未修即位之禮，史家因而未書即位之事於策書之上。

《公羊傳》以為，隱公要在秉承父意，將讓位於桓公，因未踐行即位之禮，故《春秋》遂也未書即位之文。

《穀梁傳》則意見轉折較多，自隱公立意讓位於桓公，到極論桓公弒殺隱公之不正當之行為，以至隱公適成就父親惠公溺愛幼子之惡名，到推論隱公之行徑只是行其小惠而已。

漢人賈逵服虔以為，隱公實已即位，《春秋》不書即位，乃是孔子有意刪之，以見貶惡桓公篡弒之行為。

宋人胡安國也主張，《春秋》本已記載隱公即位之事，乃是孔子刪之，以彰顯隱公既不稟報周天子，又違背惠公立幼的心意，所以，才刪削即位之名，以加貶責。

清人俞樾之意見，則頗與前述諸人不同，俞氏的意見，主要是以公羊學家「王魯」之說，為其基礎，而以魯國假託周朝，以魯君假託周天子，發揮其微言大義，進而遂以魯隱公之不書即位，表示「創業之艱」，表示「開創之始，王業未成」，並且與魯哀公十四年，西狩獲麟，孔子《春秋》，遂以絕筆，表示「太平之應」，相互呼應。

關於魯隱公元年《春秋》不書即位的問題，《左傳》、《公羊傳》、《穀梁傳》以及胡安國的《春秋傳》，都集中在隱公攝代讓位，以及孔子刪削等重點上作詮釋，至於俞樾的看法，則能跳脫上述各家的看法，而提出一種新穎的觀點，視野遼闊，所以，俞氏自己也說，「自來言《春秋》者，未見及此」，他的意見，足以提供人們作為另類的思考。

十一、呂大圭論《春秋》之「達例」與「特筆」

(一)引　言

呂大圭字圭叔，福建南安人，生於南宋理宗寶慶三年，卒於恭宗德祐元年（一二二七—一二七五），年四十九歲。

呂氏所撰《春秋五論》一卷，其第三論名曰「特筆」，主要討論《春秋》中之「達例」「特筆」，所論極具見解，茲謹分析如下。

(二)意　義

呂大圭《春秋五論·論三》云：

有《春秋》之「達例」，有聖人之「特筆」。有日則書日，有月則書月，名稱從其名稱，爵號從其爵號，與夫盟則書盟，會則書會，卒則書卒，葬則書葬，戰則書戰，伐則書伐，弒則書弒，殺則書殺，一因其事實，而吾無加損焉，此「達例」也。其或史之所無，而筆之以示義，史之所有，而削之以示戒者，此「特筆」也。元年春，正月，此史之舊文也，加王焉，是聖人筆之也。中國之諸侯，有葬，吳楚，君者矣，而吳楚之君不書葬，是聖人削之也。晉侯召王，見於傳者所載，而聖人書之曰狩，所以存天下之防。寧殖出其君，名在諸侯之策，而聖人書之曰衛出奔。不但曰成風，而曰僖公成風。不曰陳黃，而曰成侯之弟黃。不曰衛縶，而曰衛侯之兄縶。陽虎陪臣，書之曰盜。吳楚僭號，書之曰子。糾不書齊，而小白書齊，突不書鄭，而忽書鄭。立晉而書衛人。立王子朝而書尹氏。凡此者，皆聖人之「特筆」也。（據《通志堂經解》本）

在此論之中，呂大圭首先分別《春秋》中「達例」與「特筆」之意義，「有《春秋》之達例」，此《春秋》，先指魯史《春秋》而言，也指孔子筆削後之《春秋》而言，「有聖人之特筆」，則專就孔子筆削後之《春秋》而言。所謂「達例」，乃指魯史《春秋》至孔子筆削《春秋》，一仍魯史舊貫，後者文字一仍前者，不加改動，據史直書，是以有日則書日，有月則書月，以至戰則書戰，伐則書伐，殺則書殺等等，一因魯史《春秋》所記之事實，而不加損益改動。至於所謂之「特筆」，則是魯史《春秋》原本所無者，孔子《春秋》加書於史上，或魯史

《春秋》原本所有者，孔子《春秋》加以刪削，用以顯示告戒之義，這兩種情形，則是呂氏所謂之「特筆」，例如魯史《春秋》紀年曰「元年春正月」，而孔子筆削《春秋》則加「王」字，而曰「元年春王正月」。又如魯史《春秋》於諸侯之卒，例皆書「葬」，而孔子筆削《春秋》，於中國諸侯之卒，一律書「葬」，於吳楚蠻夷諸侯之卒，例不書「葬」，刪其「葬」字，以為貶責。又如魯僖公二十八年五月，晉文公與各國諸侯相會於踐土，而召周天子與會，孔子筆削《春秋》記曰「公朝于王所」，冬，晉文公又會諸侯於溫，又召周天子與會，孔子筆削《春秋》記曰，「天王狩于河陽」，以為天子隱諱。又如魯定公八年記載「盜竊寶玉、大弓」，其實，偷竊寶玉大弓之人是魯國的大夫陽虎，陽虎是有官爵之人，孔子筆削《春秋》卻直指為「盜」，自然是有貶責的用意。又如魯莊公九年，齊國大臣無知弒殺其君諸兒，齊國公子子糾及小白在外，爭相先入國中為君，管仲輔佐小白先入，是為齊桓公，而孔子筆削《春秋》記曰，「夏，公伐齊納糾，齊小白入于齊」，於子糾名上不書「齊」字，於小白名上加書「齊」字，都是意有所主的筆法。以上的這些例子，都是呂大圭所謂的聖人的「特筆」，所以，孔子才說，「其事則齊桓晉文，其文則史，其義則丘竊取之矣」，《春秋》如果只有「文字」記錄齊桓公晉文公一類的「史事」，那還只是史書，只有加上孔子以「特筆」方式所賦予的「義」，《春秋》才能真正成為「經書」。「事」與「文」，是客觀的敘述，「義」則是主觀的判斷。

因此，呂大圭特別強調，「蓋用達例而無加損者，聖人之公心，有特筆以明其是非者，聖人之精義。達例所書，非必聖人而後能，雖門人高弟預之可也。精義所在，豈門人高弟所能措其辭哉！非聖人則不能與於此。」又說，「學者之觀《春秋》，必知孰為《春秋》之達例，孰為聖人之特筆，而後可觀《春秋》矣。」

(三) 作　用

呂大圭在《春秋五論·論三》之中，又討論《春秋》中「達例」及「特筆」之作用，其言曰：

> 抑愚嘗深惟《春秋》之義，竊以為其大旨有三，一曰明分義，二曰正名實，三曰著幾微。所謂「明分義」者何也？每月書王，以明正朔之所自出，王人雖微，必序於諸侯之上，皆所以序君臣。內齊而外楚，內晉而外吳，始書荊而後書楚，始書吳而後書子，皆所以別夷夏，書陳黃衛縶，所以明兄弟之義，書晉申生許止，所以明父子之恩。曹羈鄭忽，長幼之序也，成風仲子，嫡庶之序也，凡此之類，皆所以「明分義」也。

所謂「明分義」的意義，呂大圭以為，例如《春秋》書法，皆以齊晉為中國，以荊吳為外夷，及荊吳兩國能向化守禮，乃改稱荊為楚，進吳而稱子，則是分別夷夏的書法。又如僖公五年，晉世子申生為麗姬所讒，不願自白於獻公，自縊而死，《春秋》書「晉侯殺其世子申生」。昭公十九年記，許悼公病，世子（名止）進藥，悼公飲藥而卒，《春秋》書「許世子止弒其君買」。則是「明父子之恩」，這都是明辨分際的例子。

呂大圭《春秋五論．論三》又云：

所謂「正名實」者何也？傳稱隱為攝，而聖人書之曰公，則非攝矣。傳稱許止不嘗藥，而聖人書之曰弒，則非不嘗藥矣。卓之立未踰年，而聖人正其名曰君，則里克之罪不能逃。夷皐之弒，既歸獄於趙穿，而聖人書之曰盾，則趙盾之情不能揜。齊無知陳佗，踰年之君也，而書之曰殺，正討賊之名也。陽虎陪臣也，而書之曰盜，正賤者之罪也。凡此之類，皆所以「正名實」。

所謂「正名實」的意義，在求循名責實，名與實相符，例如魯隱公元年，依《春秋》書法，魯國十二公，於其元年，應書「元年春王正月公即位」，但是《左傳》云：「元年春，王周正月，不書即位，攝也。」又云：「公攝位而欲求好於邾，故為蔑之盟。」攝是暫時代理之義，但是，呂大圭以為，《春秋》經於隱公元年三月書云：「公及邾婁儀父盟于昧。」孔子於《春秋》經文中既已書稱「隱公」為「公」，則明示魯隱公之繼位，並非代理之義可知。又如魯宣公二年，《左傳》記載晉靈公不君，趙盾驟諫，靈公患之，使鉏麑賊之，又使獒犬噬之，趙盾得提彌明救之得脫，出亡在外，趙穿攻靈公，趙盾未出境，聞靈公已薨，還朝，孔子於《春秋》經文之中明書「秋，九月，晉趙盾弒其君夷獔」，則明指趙盾為弒君之主謀。類似這些，都是《春秋》「正名實」的例子。

呂大圭《春秋五論．論三》又云：

所謂「著幾微」者何也？鄭伯使宛來歸祊，而聖人書之曰入，入者，內弗受之辭也。天王狩於河陽，壬申，公朝于王所，明因狩而後朝也。公自京師，遂會諸侯伐秦，明因會我而如京師也。公子結媵婦，遂及齊侯宋公盟著，公子結之專也。公會齊侯鄭伯于中丘，翬帥師，會齊人鄭人伐宋，著公子翬之擅也。葵丘之會，宰周公與焉，已而書曰，戊辰，諸侯盟于葵丘，明宰周公之不與盟也。溴梁之會，諸侯咸在，已而書曰，戊寅，大夫盟，明大夫之自盟也。凡此之類，皆所以「著幾微」。

呂大圭所謂「著幾微」的情形，例如魯莊公十九年，魯公子結送陳國夫人嫁於莊公時之陪嫁媵女到鄄地，而趁便和齊侯、宋公結盟，《春秋》經上記載，「秋，公子結媵陳人之婦于鄄，遂及齊侯、宋公盟」，春秋時各國結盟，例由諸侯親自為之，而魯公子結，並非諸侯，而逕以送陪嫁之陳國女子之便，逕與齊侯和宋公結盟，《春秋》所記，乃是彰顯公子結行事之專擅。又如魯隱公四年，《春秋》記載，「夏，公及宋公遇于清，宋公陳侯蔡人衛人，伐鄭。秋，翬帥師，會宋公陳侯蔡人衛人伐鄭」，公子翬曾經勸魯隱公長為國君，勿還位於其弟桓公，隱公不聽，公子翬恐自己所言，為桓公所知，遂轉勸桓公弒殺隱公，其後，於隱公十年，果然弒殺隱公，《春秋》於隱公四年，先書「翬帥師，會宋公陳侯蔡人衛人伐鄭」，已暗示公子翬行事之專擅，無視於國君之存在，用以貶責。又如《春秋》於魯襄公十六年，記載「三月，公會晉侯、宋公、衛侯、鄭伯、曹伯、莒子、邾婁子、薛伯、杞伯、小邾婁子于溴梁，戊寅，大夫盟」，十幾位國君都在會盟，而《春秋》卻記載大夫結盟，實則是暗示各國大夫在自行結盟，表示了大夫們不尊敬國君的行為。這些，都是呂大圭所謂的「著幾微」的例子。呂大圭說，「其他書法，蓋亦不一而足，然其大旨，不出於三者之外矣。」

(四)結　語

在《春秋五論．論三》之中，呂大圭提出《春秋》中有「達例」與「特筆」的書法，然後說明「達例」與「特筆」的不同，並各舉例證，加以分別說明，同時，他又說道，「聖人之筆，如化工，隨物賦形，洪纖高下，各得所所生生之意，常流行於其間，雖所紀事實，不出於魯史之舊，而其精神風采，則異矣。學者之觀《春秋》，要必知有《春秋》之『達例』，則日月名稱，如後世諸學之穿鑿者，必不同也。要必知有聖人之『特筆』，則夫分義之間，名實之辨，幾微之際，有關於理義之大者，不可不深察也。若曰《春秋》但約魯史之文，使其文簡事核而已，則夫人皆能之矣，何以為《春秋》？」，因此，《春秋》之作，如僅有「達例」，則仍為魯國之「史」而已，必需具有孔子所增削之「特筆」，方才能夠稱為聖人之「經」。《春秋》為史為經，也必須由此而加以分別。

呂大圭從學於王昭，王昭為陳淳弟子，陳淳為朱熹弟子，故大圭亦學宗朱熹，南宋末年，大圭知彰州軍，屬元兵南下，沿海都制置蒲壽庚降元，令大圭署降箋，大圭不肯，為蒲壽庚所害。

納蘭容若於《通志堂經解》中〈春秋五論序〉云：「《五論》閎肆而嚴正，《春秋》大旨具是矣。」又云：「宋室既屋，人爭北向，圭叔獨不為詭隨，甘走海島，不憚以身膏斧鉞，大節何澟澟也。」闕文瑛於《通志堂經解提要》中《春秋五論》云：「大圭持節守義，見危授命，可謂深明《春秋》大義者。」皆可謂為中肯之評論。

十二、顧棟高〈孔子成春秋而亂臣賊子懼論〉讀後

(一) 引　言

《孟子．滕文公》云：「世衰道微，邪說暴行有作，臣弒其君者有之，子弒其父者有之，孔子懼，作《春秋》，《春秋》，天子之事也，是故孔子曰：知我者其惟《春秋》乎！罪我者其惟《春秋》乎！」又云：「昔者禹抑洪水而天下平。周公兼夷狄、驅猛獸而百姓寧。孔子成《春秋》而亂臣賊子懼。」只是，孔子修成《春秋》，何以能使亂臣賊子知所畏懼，則有不同之解釋，此文取清人顧棟高所撰〈孔子成春秋而亂臣賊子懼論〉一文，加以分析討論。

(二) 分　析

清人顧棟高所撰〈孔子成春秋而亂臣賊子懼論〉一文云：

或曰，子謂《春秋》之文因魯史，魯史之文因赴告，如是，則弒逆之事，得以自為隱諱，何以稱孔子成《春秋》而亂臣賊子懼乎？余應之曰，子謂亂臣賊子懼者，第書其弒逆之名于策而懼乎？吾恐元凶劭及安慶緒史朝義之徒，雖日揭其策以示于前，而彼不知懼也。且此亦夫人能書之，何彼聖人？況人已成為簒弒，而懼之亦復何益？（載顧氏《春秋大事表》附錄之中）

《孟子．離婁》曾記孟子說：「王者之迹熄而《詩》亡，《詩》亡，然後《春秋》作。晉之《乘》，楚之《檮杌》，魯之《春秋》，一也。其事則齊桓晉文，其文則史，孔子曰：其義，則丘竊取之矣。」因此，《春秋》本是魯國國史的名稱，等到孔子藉魯史《春秋》而進行修訂，賦予微言大義之後，《春秋》又成為孔子所修訂者之專名。

只是，魯史《春秋》雖然由魯國史官所記錄，只是，春秋時期，各國的君主如果遇有崩薨，才會向他國赴告此等的大事，而就魯國史官而言，才會加以記錄於《春秋》之中，因此，顧氏在此文之首，先提出一個假設的問題，如果有一個國君，是被其子所弒，而其子繼位之後，又隱瞞弒君弒父之事，又不許派員前往各國赴告，魯國的史官自然也未曾記載這一弒君弒父的罪行，如此，則孔子修成的《春秋》，卻未曾記載這一罪案，更不要說使亂臣賊子有所畏懼了。這自然是一個值得注意的問題。

其次，顧棟高自己又提出了第二個問題，他以為，如果孔子《春秋》即使已記錄了那些弒殺君父的逆賊之名，但是，那些泯滅人性的亂臣賊子，連弒殺君父的殘忍行為都做得出來，像安慶緒弒殺其父安祿山，史朝義弒殺其父史思明一樣，他們還會去畏懼一部《春秋》的記載嗎？何況，只是記載弒君弒父的行為，是任何一位史官都能作的工作，也並不需要勞動孔子那樣的聖人去作。況且，殘賊的行為已經形成，那些弒殺君父之人，就算心中有所畏懼，對死難者又有何益處？

顧棟高〈孔子成春秋而亂臣賊子懼論〉又云：

聖人之作《春秋》，蓋有防微杜漸之道，為為人君父者言之，則書所云制之于未亂，保邦于未危是也。為為人臣子者言之，則禮所云齒路馬有誅是也。聖人嘗自發其作《春秋》之旨于坤卦之〈文言〉曰：「臣弒其君，子弒其父，非一朝一夕之故，其所由來者漸矣，由辨之不不早辨也。」是故兵權不可竊，翬帥師、公子慶父帥師、及鄭公子歸生帥師，必書，謹其漸也。盟會不可專，公子遂盟晉盟雒戎，必書，晉趙盾盟于衡雍，楚公子圍會于虢，必書，亦謹其漸也。人君知其漸而豫為之防，則無太阿旁落之患，臣子懍其漸而力為之避，則無功高震主之疑，此則游夏不能贊一辭，聖人獨斷之于心，而書之于策，以詔天下萬世者也。

顧棟高說孔子作《春秋》，有防微杜漸之道，自然不錯，但是，《春秋》的防微杜漸之道，卻不是像顧棟高所敘說的那種方式，《易經．坤卦》的〈文言傳〉所說的「臣弒其君，子弒其父」，主旨只是說明，凡事皆事出有因，更不是專門針對《春秋》而言。至於說到春秋時代，兵權不可竊，盟會不可專，雖然也是孔子所主張的意義，但是，所舉出的翬帥師，公子慶父帥師，鄭公子歸生帥師，只是《春秋》據事必書的記事方式而已，與孔子〈文言〉「謹其漸也」，毫無關係，與「兵權不可竊」，「人君知其漸而豫為之防」，更是毫無關係。同樣地，所舉出的公子遂盟晉盟雒戎，晉趙盾盟于衡雍，楚公子圍會于虢，也只是《春秋》據事必書的記事方式而已，與孔子〈文言〉「謹其漸也」，毫無關係，與「盟會不可專」，「人君知其漸而豫為之防」，更是毫無關係。顧棟高〈孔子成春秋而亂臣賊子懼論〉又云：

> 且人而忍推刃于其君父，是人而禽獸也，禽獸焉知懼，惟當夫威權已逼，聲勢漸成，覬覦初萌，形迹未露，是人禽之界，聖人燭其隱微，而大書特書以惕之，俾天下萬世之讀是編者，人人恥為大惡，而不敢一毫踰臣子之常分，有以寢邪謀而戢異志，此聖人之作《春秋》，所為撥亂世而返諸正也，孟子謂孔子作《春秋》以存幾希之統，直接堯舜、湯文者，端在于此。

又云：

> 若謂聖人第從其實而書之，且或未得其實而欲訪求傳聞而得之，則聖人豈能從百年後竊司寇之大權，而妄欲與魯史爭真偽哉！

孔子修《春秋》，輟筆於魯哀公十四年之西狩獲麟，孔子修《春秋》，不能改變春秋「弒君三十六」之事實，更無意「從百年後竊司寇之大權」，而「與魯史爭真偽」，孔子修《春秋》，自然有防微杜漸之作用，但其作用之實效，不在春秋二百四十二年之內，而在於後代千秋萬世之中，以顯現其「防微杜漸」之功效。

(三) 結　語

清人皮錫瑞在所著的《春秋通論》中說：

孟子言孔子成《春秋》，而亂臣賊子懼，何以《春秋》之後，亂臣賊子不絕於世，然則，孔子作《春秋》之功安在？孟子之言，殆不足信乎！曰，孔子成《春秋》，不能使後世無亂臣賊子，而能使亂臣賊子，不能全無所懼。自《春秋》大義昭著，人人有一《春秋》之義，在其胸中，皆知亂臣賊子，人人得而誅之，雖極凶悖之徒，亦有魂夢不安之隱，雖極巧辭飾說，以為塗人耳目之計，而耳目仍不能塗，邪說雖橫，不足以蔽《春秋》大義，亂賊既懼當時義士，聲罪致討，又懼後世史官，據事直書。（見皮氏《經學通論》卷四，臺灣商務印書館排印本）

又說：

如蕭衍見吳均作史，書其助蕭道成篡逆，逆怒而擯吳均。燕王棣使方孝孺草詔，孝孺大書燕賊篡位，遂怒而族滅孝孺，其怒也，即其懼也，蓋雖不懼國法，而不能不懼公論也。

皮錫瑞以為孔子作成《春秋》之後，已為後世的人們懸示了一項是非對錯的判別標準，也使得《春秋》的大義，常在人心，使知亂臣賊子，人人皆可誅之，也使得亂臣賊子，心知所畏，不敢輕犯，即使犯罪之後，仍然畏懼世人口誅筆伐的聲討，在歷史上留下千古的罵名。

孟子以孔子修《春秋》，而使亂臣賊子懼，與大禹抑治洪水，周公兼夷狄、驅猛獸、百姓寧，相提並論，都是澤及生民萬世的不朽功蹟，自然著眼遼遠廣闊，而不是與魯國史官爭一代魯史真偽的斤斤計較而已。

皮錫瑞在《春秋通論》中說：「孔子所作者，是為萬世作經，不是為一代作史，經史體例所以異者，史是據事直書，不立褒貶，是非自見，經是必借褒貶是非，以定制立法，為百王不易之常經。」又引周敦頤之言說：「《春秋》正王道，明大法也，孔子為後世王者而修也，亂臣賊子，誅死者於前，所以懼生者於後。」因此，顧棟高在前文中所論述者，未免是只看到《春秋》作為歷史的一個面向而已。

十三、春秋宋公子子魚事跡考

(一)引　言

春秋時代，諸侯之子，稱為公子，因此，春秋時代，也出現了許多著名的公子，像齊國的公子小白，晉國的公子重耳、夷吾，後來成為名震一時的齊桓公、晉文公、晉惠公，自然都是著名的「名公子」。

另外，春秋時代，還有一些不以事功知名，卻以賢德為人尊敬的公子，則可以稱之為「賢公子」，在「賢公子」之中，最受世人尊崇的，是吳國的公子季札。

季札以仁愛存心，以謙讓君位，退避延陵，尊守信義，掛劍象樹，而為世人所尊敬。又曾聘問魯國，觀樂觀舞，又出使各國，見微而能知其政治之清濁得失。因此，像延陵季子，自然可以稱之為「賢公子」。

只是，春秋時代，「名公子」雖然眾多，而「賢公子」卻極少。其實，賢德公子，除了吳國的延陵季子之外，宋國的公子子魚，也應該被稱之為「賢公子」之名。

以下，即就《左傳》中所記述者，分別加以考索，以彰明宋國公子子魚之賢德事跡。

(二) 考　索

1. 謙辭君位

《春秋》僖公八年《左傳》記曰：

> 宋公疾，太子茲父固請曰：「目夷長且仁，君其立之。」公命子魚，子魚辭曰：「能以國讓，仁孰大焉，臣不及也，且又不順。」

魯僖公八年，宋桓公三十年，桓公病，太子慈父（後立為襄公）請求桓公，將君位傳予目夷（字子魚），因為子魚為慈父之庶兄，較慈父年長，並且心存仁愛，但是，子魚卻堅決推辭，並且指出慈父為桓公嫡子，又能夠謙讓國君之位，其心中實在充滿仁愛之念，理當立為國君，自己遂退走他處。

2. 聽政治民

《春秋》僖公九年記云：

> 春，三月，丁丑，宋公御說（桓公）卒。

《左傳》云：

宋襄公即位，以公子目夷為仁，使為左師以聽政，於是宋治，故魚氏世為左師。

宋襄公即位之後，以為子魚能以仁愛存心，乃任命子魚為左師，相當於宰相之職，以治政事，而子魚不負所望，發揮長材，果然使得宋國大治。

3. 諫用人祭

《春秋》僖公十九年記云：

鄫子會盟于邾，己酉，邾人執鄫子，用之。

《左傳》云：

夏，宋公使邾文公用鄫子于次雎之社，欲以屬東夷。司馬子魚曰：「古者六畜不相為用，小事不用大牲，而況敢用人乎？祭祀，以為人也，民，神之主也。用人，其誰饗之？齊桓公存三亡國，以屬諸侯，義士猶曰薄德，今一會而虐二國之君，又用諸淫昏之鬼，將以求霸，不亦難乎？得死為幸。」

鄫子至邾國會盟，宋襄公為了想使東夷之人前來歸附，卻令邾文公誅殺鄫子，而以鄫子之血來祭祀睢地的社神，司馬子魚對於宋襄公的此一舉措，十分不以為然，乃堅決反對，並加以諫勸說，古代社祭，而用馬、牛、羊、豕、犬、雞六畜為祭，各有專司，不能混用，小的祭祀，不能用大牲，何況，那敢用人作犧牲之祭品呢！祭祀天地神祇，主要是希望為了人們而祈福，百姓人民，才是神明嘉惠的主要對象，今天君王殺人作為祭品，有那一位神明願意來享用呢？從前，齊桓公設法保全了魯、衛、邢三個瀕臨滅亡的國家，仗義之士仍然批評齊桓公施德不厚，而今天宋襄公卻因一次會盟，而使得鄫國、鄫國的兩位國君蒙受惡名，又用人來祭祀淫昏之鬼怪，甚至想用此一方法來求取霸業，恐怕是難於見效的。作為一位國君，如此行事，如果能夠得到善終，已經算是很幸運的了！

子魚對於宋襄公的此一作為，確實提出了義正辭嚴的批評和諫勸，不愧是謀國深慮的忠良大臣。

4. 勸君自省

《春秋》僖公十九年記云：

> 宋人圍曹，討不服也。子魚言於宋公曰：「文王聞崇德亂而伐之，軍三旬而不降，退脩教而復伐之，因壘而降。《詩》曰：『刑于寡妻，至于兄弟，以御于家邦。』今君德無乃猶有所闕，而以伐人，若之何？盍姑內省德乎，無闕而後動！」

宋軍為了懲罰曹國不願服從，因而包圍了曹國，子魚以宋襄公之行為不對，而加以諫勸，指出以前文王討伐崇侯虎，是由於他德行昏亂，圍攻三十天，崇侯仍不投降，文王乃自動退兵，回國後加強教化，然後再去攻伐崇侯，終於見效，而在原先的營壘之中，接受了崇侯的投降。

《詩經》上曾說，作君王者，應該在妻子面前作為榜樣，也在兄弟面前作為表率，由內至外，推行教化，才能治理家族，治理國家。可是，如今君主自己的德行尚有不足，卻去攻打他人的國家，恐怕不易達成目的，不如先行自省修德，等到自己的德行無所缺失之時，再行對外採取行動！

5. 窺見危機

這是公子子魚站在道德的高度，而對於宋襄公的缺失行為，加以諫諍，勸其改過。

《春秋》僖公二十一年記云：

> 二十有一年春，狄侵衛。宋人、齊人、楚人盟于鹿上。

又記云：

> 秋，宋公、楚子、陳侯、蔡侯、鄭伯、許男、曹伯會于盂。執宋公以伐宋。

《左傳》云：

> 二十一年春，宋人為鹿上之盟，以求諸侯於楚。公子目夷曰：「小國爭盟，禍也。宋其亡乎！幸而後敗。」

又云：

秋，諸侯會宋公于盂，子魚曰：「禍其在此乎！君欲已甚，其何以堪之。」於是楚執宋公以伐宋。冬，會于薄以釋之，子魚曰：「禍猶未也，未足以懲君。」

魯僖公二十一年，宋襄公與齊人、楚人在宋地鹿上會盟，時春秋霸主齊桓公已於四年前去世，中原未有霸主，宋襄公想繼承齊桓公的霸業，希望取得齊國與楚國兩個大國的支持首肯，而能繼承齊桓公的霸主地位。楚國暫時許諾，公子目夷（子魚）此時卻極為憂心，他指出宋國國力薄弱，以小國而妄求盟主霸主之位，必然會引致災禍的到來，果真如此，那宋國的亡國之禍，恐不遠了，戰敗而能夠不亡，就已是幸運的事了。

果然，等到秋天，各國諸侯趁著在宋國盂邑會盟的機會，擒住了宋襄公，作為人質，趁勢進攻宋國其他的地方。在此會盟之前，子魚已經預見宋襄公將會因欲望過深而召禍。等到冬天，各國諸侯在薄地會盟，才將宋襄公釋放，聽到消息，子魚說，宋國的災禍還未完未了呢！因為，襄公恐怕還未得到足夠的教訓哩！

6. 評泓之戰

《春秋》僖公二十二年記云：

夏，宋公、衛侯、許男、滕子、伐鄭。

《左傳》云：

夏，宋公伐鄭，子魚曰：「所謂禍在此矣。」

宋襄公與諸侯討伐鄭國，而鄭國自齊桓公死後，即服從楚國，則宋襄公伐鄭，明顯是與楚國為敵，時楚國已是強國，故子魚以為宋國之災禍，即將源於此也。

《左傳》又云：

楚人伐宋以救鄭，宋公將戰，大司馬固諫曰：「天之棄商久矣，君將興之，弗可救也已。」

商為宋之先也，大司馬公孫固同樣也諫勸宋襄公，殷商之後，宋國衰弱已久，難於復興，同樣也諫勸宋襄公勿輕舉戰爭。

《左傳》又云：

冬，十一月己巳，朔，宋公及楚人戰于泓。宋人既成列，楚人未既濟。司馬曰：「彼眾我寡，及其未既濟也，請擊之。」公曰：「不可」。既濟而未成列，又以告。公曰：「未可。」既陳而後擊之，宋師敗績。公傷股，門官殲焉。國人皆咎公，公曰：「君子不重傷，不禽二毛，古之為軍也，不以阻隘也。寡人雖亡國之餘，不鼓不成列。」子魚曰：「君未知戰，就敵之人隘而不列，天贊我也，阻而鼓之，不亦可乎？猶有懼焉。且今之勍者，皆吾敵也。雖及胡耇，獲則取之，何有於二毛？明恥教戰，求殺敵也，傷未及死，如何勿重？若愛重傷，則如勿傷，愛其二毛，則如服焉。三軍以利用也，金鼓以聲氣也。利而用之，鼓儳可也。」

宋襄公與楚國軍隊作戰，本來可以取得以逸待勞，隔河據守，俟其半渡，乘機出擊的優勢，但是，宋襄公卻堅持公平決鬥的方式，等到楚國大軍全部渡河，整頓陣勢之後，才下令出擊進攻，結果卻遭受失敗，連襄公自己腿部受傷，而左右護衛的禁衛部隊也幾乎全被敵人所殲滅。

等到宋國舉國上下的民眾都一致地指責襄公失職之時，襄公反而發出了一大套君子作戰不重複殺傷敵人，不誅擒年邁對手，不利用地理優勢險阻等等的理由，以強調自己是高格調的理想作戰方式。這些方式，卻被公子子魚一句「君未知戰」，澈底地批評得一無是處，因為，戰爭的目的，本來就是為了求取勝利，而不是講求仁義，在求取勝利的目標之下，任何取得勝利的方式，都可以採取，否則，臨陣而講求君子之道，好高騖遠，徒慕虛聲，只可能帶給國家更多的損失。

(三) 結　語

將宋公子子魚與吳公子季札作一比較，可以發現，二人有相同的地方，也有不同的地方。相同的地方，是二人都有謙讓國君之位的行為，不同的地方，則是吳公子季札的一些行為表現，多數在國際之間的訪視時顯現出來，而宋公子子魚的一些行為表現，卻多數在宋國國內，或是宋國與他國發生爭端時表現出來。

子魚在吳國的行事，像發揮治民的才能，像諫勸國君勿迷信鬼神，像勸勉國君努力修德，像判斷事理的遠見於未萌，像對戰爭行為的深刻認識，都是當時一般士大夫未能具有的明確見解。

綜合而言，縱觀春秋時代，一般貴族公子，或是知識分子，能具有像子魚一般的才能和品德，實不多見，因此，稱之為「賢公子」，應不為過。

十四、呂祖謙論春秋宋楚「泓之戰」

(一)引　言

《春秋》僖公二十二年記載：「夏，宋公、衛侯、許男、滕子伐鄭。」又記載：「冬，十有一日，己巳，朔，宋公及楚人戰于泓，宋師敗績。」

楚國興兵救鄭，宋國與楚國戰於泓水，由於宋襄公堅持作戰時要遵守一些道德規律，不鼓不成列、不重傷，不擒二毛，以致失去作戰的先機，因而大敗。

對於泓之戰，宋國的失利，《春秋》三傳已有不同的批評，《左傳》是藉著公子子魚的話，批評宋襄公「君未知戰」，以為戰爭本來就應以求取勝利為目的，在戰爭中一味講求道德仁義，是不了解戰爭本質的行為。

《公羊傳》卻與《左傳》完全相反，稱贊宋襄公的不鼓成列，是臨大事而不忘大禮的行為，以為宋襄公的行事，「雖文王之戰，亦不過此」。

《穀梁傳》則言，「日事遇朔曰朔。春秋三十有四戰，未有以尊敗乎卑，以師敗乎人者也。以尊敗乎卑，以師敗乎人，則驕其敵。襄公以師敗乎人，而不驕其敵，何也？責之也。」主要也在說明《穀梁傳》是意在責備宋襄公的。

宋代呂祖謙在所撰寫的《東萊博議》卷三之中，有〈宋公楚人戰於泓〉一篇，對於宋襄公在泓之戰中的行事作為，有著頗為中肯的評論，可以彌補三傳意見的不足。以下，即就呂氏之說，加以討論於後。

(二)分析

呂祖謙《東萊博議》卷三〈宋公楚人戰於泓〉云：

> 由涿鹿而至牧野，舉帝王之兵，更數十戰，由六經而至諸子，談帝王之兵，踰數萬言，效非不明，而說非不詳也。乃宋襄公為泓之役，而以帝王之兵自許，反自喪敗，後世指其一戰之失，盡疑帝王之兵，為不可信，果哉說之遽也。

帝王之兵，自屬可貴，不能因宋襄公不擅用兵，而懷疑其根本精神，呂祖謙〈宋公楚人戰於泓〉又云：

> 宋襄君於宋，豈不知宋之弱，迫於楚，豈不知楚之強，今乃不量宋之力，偃然自為盟主，欲屈強楚之君於會，其愚而不能料事，一矣。齊桓之霸，宋襄耳目所接也，宋襄自

視信義，與齊桓孰愈？壤地，與齊桓孰愈？兵甲，與齊桓孰愈？齊桓公九合諸侯，終不能屈致楚子，而宋襄乃驟欲致之，其愚而不能料事，二矣。盂之見執，幾不免虎口，僅而縱釋，會未閱時，遽忘目前之辱，尚敢稱兵與楚爭鄭，其愚而不能料事，三矣。是三者，皆匹夫匹婦之所共曉，況所謂帝王之兵制，遠在千百年之外，斷篇遺簡，若藏若沒，若存若亡，是豈宋襄之所能知乎？觀其料今事之疎，即可見其談古道之謬，雖未交鋒之前，固知其必敗也，說者乃以宋襄之敗，為古道之累，是猶見瞶者之誤評宮角，遂欲並廢大樂，豈不過甚矣哉！

更就宋襄公本身而言，呂祖謙舉出三件事情，作為向宋襄公的設問，第一，襄公本人，難道不知道楚強於宋，卻還要向楚國挑戰盟主的地位，豈非痴人說夢。第二，拿襄公自己與齊桓公比一比，自然遠遠不如，卻還要強法齊桓公稱霸的行為，豈非不自量力。第三，僖公二十一年秋天，宋襄公與楚、陳、蔡、鄭、許、曹等國的君主在雩地會盟，宋襄公曾被諸侯拘執，到當年年底才釋放，國力不足，君主被拘的恥辱，尚在眼前，宋襄公卻已忘記羞辱，不自衡量國力，反而要強自稱霸，橫挑強權，豈非自取其敗。「觀其料今事之疎，即可見其談古道之謬」，呂氏此言，批評宋襄公食古不化，不知變通，最為傳神，不能善處眼前之事，專論遠古不切之事，自然難於應用於眼前。呂祖謙〈宋公楚人戰於泓〉又云：

或者又謂宋襄無帝王之德，而欲效帝王之兵，所以致敗，亦非也，使帝王之世，人皆服其德，則固不待於用兵矣，德不能服，是以有兵，則兵者生於人之所不服也，彼既不服矣，豨縱豕突，亦何所不至，我乃欲從容揖遜以待之，適遺之禽耳，吾恐帝王之兵，不如是之拙也。古之誓師者曰，殄殲乃讎，曰取彼凶殘，凜然未嘗有毫髮貸其所寬者，惟弗迓克奔而已，奔而歸我，是以弗擊，苟推鋒而與之爭一旦之命，胡為而縱之哉！是縱降者帝王之兵，縱敵者宋襄之兵也，烏可置之一域耶！

古代帝王，爭衡天下，以德服人者寡，以力服人者多，以力服人，則必期於用兵，用兵之道，降者則縱之宥之，奔者則擊之殺之，此必然之勢也，故呂祖謙以為，宋襄公臨陣之所為，乃縱敵者，非縱降者，豈能自己妄比帝王之兵哉！呂祖謙〈宋公楚人戰於泓〉又云：

公羊子以宋襄之戰為文王不是過，嗚乎，宋襄何足以知文王，若子魚乃真知文王者也，子魚諫宋襄伐曹曰，「文王聞崇德亂而伐之，軍三旬而不降，退修教而復伐之，因壘而降。」其言薰然而不傷，退然而不伐，妙得文王之本心，至於泓之戰，諫宋襄之辭，發揚激厲，奮起勁悍，驟與前日異，若與文王不相似，與變推移，不主故常，此真學文王者也，知子魚之善學文王，則知宋襄之不善學文王矣。

宋公子魚諫襄公伐曹，事在僖公十九年，至於泓之戰，子魚諫襄公，乃曰：「君未知戰，勍敵之人，隘而不列，天贊我也，阻而鼓之，不亦可乎！猶有懼焉，且今之勍者，皆吾敵也，雖及胡耇，獲則取之，何有於二毛！明恥教戰，求殺敵也，傷未及死，如何勿重！若愛重傷，則如勿傷，愛其二毛，則如服焉，三軍以利用也，金鼓以聲氣也，利而用之，阻隘可也，聲盛致志，鼓儳可也。」子魚對戰爭的見解如此，所以呂祖謙才以為，「子魚之善學文王」，相較之下，也才以為，「宋襄之不善學文王」也。

(三) 結　語

研究春秋時代的歷史，習慣上都有春秋五霸之說，春秋五霸，指的是齊桓公、晉文公、宋襄公、秦穆公、楚莊王，但是，在五人之中，宋襄公是最不像霸者的君王，觀於「泓之戰」的前因後果，宋楚兩國的交戰情形，也可以看出，宋襄公確實不太像一位霸者，因此像《荀子・王霸》篇中，便曾經提到，「故齊桓、晉文、楚莊、吳闔閭、越句踐，是皆僻陋之國也，威動天下，彊殆中國，無它故焉，略信也，是所謂信立而霸也」，因此，也有人以荀子所提出的五人，為春秋時代的霸者另外一種五霸。

十五、呂祖謙論潁考叔

(一)引　言

閱讀《左傳》，在魯隱公元年一開始的時候，讀者往往就會被一個很長的故事所吸引，那就是所謂的「鄭伯克段於鄢」。

原來，鄭武公的妻子武姜，生了後來的鄭莊公及共叔段，生鄭莊公時，因為難產，故武姜討厭莊公，而偏愛共叔段。

等到莊公長大繼承君位，共叔段長大想要擴充勢力，兄弟二人兵戎相見，弟弟失敗，出奔在外，而莊公也與母親失和，甚至說出「不及黃泉，無相見也」的絕情話語，可是，時間一久，又心中懊悔，因為，母子畢竟仍是母子、親情仍在，只是，話已說出了口，又難於收回。有一次官居潁谷封人的潁考叔得知此事之後，心生一計，找了一個機會，藉口有一件寶物，想要呈獻給國君，莊公接受寶物之後，十分歡喜，乃賜宴給潁考叔，當潁考叔進食時，遇到肉類，故意放置一旁而不進食，這種情形，為莊公覺察，加以質問原因，頗考叔回答說：

「小人有母，皆嘗小人之食矣，未嘗君之羹，請以遺之。」這些話，引起了莊公的感慨，而說：「爾有母遺，緊我獨無！」此言引起了潁考叔的質問，莊公回答之後，潁考叔提出了他的方案，「君何患焉？若闕地及泉，隧而相見，其誰曰不然！」莊公聽了之後，加以踐行，果然恢復了和莊姜的母子之情。

《左傳》在這段記事之後，引用「君子」之言說道：「潁考叔，純孝也。愛其母，施及莊公，《詩》曰：『孝子不匱，永錫爾類。』其是之謂乎？」這一則故事，情節十分動人。

到了魯隱公十一年，五月，鄭莊公將要攻打許國，在祖廟中頒發武器時，公孫閼（子都）與潁考叔二人爭奪一輛兵車，潁考叔先奪到兵車，夾著兵車的車轅在前面奔跑，子都手持長戟在後追趕，由祖廟一直追到大路之上，仍然未能追趕得上，子都十分生氣。

到了那年七月，魯隱公聯合齊侯和鄭莊公去攻打許國，到了許國的國都，潁考叔拿著鄭莊公的旗幟「蝥弧」，搶先登上許都的城牆，子都卻從城下用箭射他，潁考叔從城上跌下而亡。瑕叔盈接著舉起「蝥弧」登上城牆，揮舞旗幟，大喊國君已經登上城垣了，於是鄭國軍隊全部登上城牆，取得勝利。

宋代的理學家呂祖謙，撰有《東萊博議》一書，全書四卷，有八十六篇古文，專門針對《左傳》中所記的事件，加以評論其得失，本文即取其中〈潁考叔爭車〉一篇，試加分析，以彰顯呂祖謙對此事件人物之批評。

(二)分　析

呂祖謙《東萊博議》卷一〈潁考叔爭車〉云：

> 理之在天下，猶元氣之在萬物也，一氣之春，播於品物，根莖枝葉，華色芬臭，雖有萬不同，然曷嘗有二氣哉。理在天下，遇親則為孝，遇君則為忠，遇兄弟則為友，遇朋友則為義，遇宗廟則為敬，遇軍旅則為肅，隨一事而得一名，名雖千萬，而理未嘗不一也。氣無二氣，理無二理，然物得氣之偏，故其理亦偏，人得氣之全，故其理亦全，物得其偏，非物之罪也，氣之偏也，至於人，則全受天地之氣，全得天地之理，今守一理而不能推，豈非人之罪哉！

呂祖謙認為，天地之中，有理有氣，理是形而上的原理，氣是形而下的才質，理在先，氣在後，理在內，氣在外，理是萬物的元氣，由此元氣，產生萬物。如以人倫而言，則親仁為其理，此理運行於不同人倫之際，則分別產生孝、忠、友、義、敬、肅之情，此情雖然分別不同之人，其理則未嘗不同。故人與人之相處，人倫之間，最重要者，在能遵守此一敬愛之理。

呂祖謙〈潁考叔爭車〉又云：

> 潁考叔以孝聞於鄭，一言而回莊公念母之心，固可嘉矣，使能推而極之，塞乎天地，橫乎四海，凡天下之理，未有出乎孝之外者，奈何伐許之役，反爭一車，而殺其身，惜

哉！其與莊公問答之際，溫良樂易，何其和也，其與子都鬥爭之際，忿戾攘奪，何其暴也，一人之身，前後如此。當賜食之時，則思其親至授兵之際，獨不思其親乎？當舍肉之時，則思其親，至挾輈之際，獨不思其親乎？前則思之，後則忘之，是見親於羹，而不見親於車也。茍考叔推事親之敬，為宗廟之敬，必不敢爭車於大宮矣，推事親之肅，為軍旅之肅，必不敢挾輈於大逵矣，惟其不能推，故得純孝之名，而終不免鬥很危父母之戒也。

在這一段中，呂祖謙採用對比的方式，將三件事情，作出對比，其一，是潁考叔對莊公之問時的溫良樂易，及與子都鬥爭時的忿戾攘奪，作出對比。其二，是將潁考叔在莊公賜肉時之思親，都在大宮授兵器時之未思其親作出對比。其三，是將潁考叔在舍內不食時思其親，卻在挾輈而走時未思其親作出對比。指出潁考叔是見親於羹，卻未見親於車。由此三種對比，呂祖謙進而指出，孝親之一念，為人們善德之根本，人們如能本此善德，加以推廣，則能獲得純孝之美名，一旦一夕，一時一刻，忘此善德，不能推廣，則不免危及己身，危及父母也。

呂祖謙〈潁考叔爭車〉又云：

或曰，考叔之伐許，輕身以先登，豈亦不能推其孝乎？曰，爭車者，私也。不孝也，先登者，公也，孝也。愛其身者，事親之孝，忘其身者，事君之忠，忠孝豈有二道乎！曾子以戰陣無勇而非孝，則考叔之勇，正曾子之所謂孝也。然不死於先登之傷，而死於子都之射，死於私不死於公，此吾所以深惜其不能推也。昔左氏嘗舉孝子不匱，永錫爾類之詩，以美考叔，自今觀之，能舍肉而不能舍車，則其孝有時而匱矣，能化莊公而不能化子都，則其類有時而不能錫矣。考叔三復是詩，能無愧乎？

曾子說過，戰陣無勇，非孝也，可惜，潁考叔卻死於自己國人之私鬥，不是為國犧牲而戰死，兩者意義，完全不同。《左傳》在讚美潁考叔時，曾經引述《詩經．大雅．既醉》中的兩句詩，「孝子不匱，永錫爾類」，來稱許潁考叔的孝行，能夠感化他人，使天下具有孝行的人，永不缺乏。但是，從潁考叔未能感化子都這一事件看來，則潁考叔以孝行感化他人的能力，還是欠缺得很啊！

(三)結　語

從潁考叔在前後兩件事情中的情況而言，令人不禁有著相當的感慨，同時也想到處理事情：

其一，為他人籌謀較易，為自己規畫較難。因為，凡事一涉及自身的利害關係，判斷便往往失去準繩。

其二，凡事在事前已心有準備而從容應對較易，在情況突然發生時能夠立即正確判斷則較難。

其三，面對可憎可怨可恨可怒之事，由心平氣和而致暴怒者較易，由暴怒中一念反思，回到心平氣和者較難。

人生在世，不如意事，常十之八九，觀潁考叔前後之事，宜深鑑之。

十六、王應麟論申包胥

(一)引 言

春秋時期，楚平王寵信奸佞，殺害大臣伍奢與伍尚父子，伍奢次子伍員（子胥），歷盡艱難險阻，逃至國外。

伍員逃亡之時，與好友申包胥相遇，伍員曰：「我必復（覆）楚國。」申包胥曰：「勉之，子能復之，我必能興之。」

對此事件，世人多同情伍子胥父子無辜受害，伍員也終復父仇。而宋代王應麟，卻特別稱許申包胥，看法較為特殊。

(二)分 析

王應麟《宋學紀聞》卷六云：

申包胥似張子房，天下士也，楚破矣，請秦師以卻吳。韓亡矣，借漢兵以滅秦，其相似一也。入郢之讎未報，則使越為之謀以滅吳，韓王成之讎未報，則從漢為謀以滅項，其相似二也。楚君既入而逃賞，漢業既成而謝事，其相似三也。自夏靡之後，忠之盛者，二子而已，然楚國復興，而韓祀不續，天也，子房之志則矣，求思古人，唯漢諸葛武侯，可以繼之，鞠躬盡力，死而後已，其志一也。若梁之王琳，唐之張承業，功雖不就，抑可以為次矣。不當以功之成否論。吁！春秋亡國五十二，未見其人也。遂之四氏，僅能殲齊戍，其亡而復存者，唯一包胥，豈不難哉！太史公傳伍員而不傳包胥，非所以勸忠也。（此據中華書局《四部備要》之《翁注困學紀聞》本）

王應麟以為，「申包胥似張子房，天下士也」，他以為，申包胥有三項事情，與張良相似，這三點相似的情形，我們試加分析如下：

1.楚破矣，請秦師以卻吳。韓亡矣，借漢兵以滅秦，其相似一也。

《左傳》定公四年記載，楚平王薨後，昭王立，伍子胥帥吳國軍隊攻入楚國都城，申包胥如秦乞師，立於秦庭，依牆而哭，日夜不絕聲，勺飲不入口七日，秦哀公為之出師，終復楚國。

《史記・留侯世家》記載，「留侯張良者，其先韓人也」，韓破，「悉以家財求客刺秦王，為韓報仇」。只是，秦滅六國，秦始皇統一天下，乃秦始皇薨，六國後人，紛紛興起，不僅為復一國之仇，也更為天下百姓推翻暴秦，尋求太平世界而戰。

故張良之輔佐漢王，視野已廣，用心已大，已與申包胥之尋求一國之復興有所不同。以申包胥與張良相提並論，也並不適當。

2.入郢之讎未報，則使越為之謀以滅吳，韓王成之讎未報，則從漢為之謀以滅項，其相似二也。

《國語．吳語》記載，「楚申包胥使於越，越王句踐問焉」。申包胥與句踐相互問答，申包胥強調，「夫戰，智為始，仁次之，勇次之。不智，則不知民之極，無以銓度天下之眾寡，不仁，則不能與三軍共饑勞之殃，不勇，則不能斷疑以發大計。」越王曰：「諾。」（此段記載，不見於《左傳》）故王應麟舉此事以為申包胥借越滅吳，以報吳軍攻隔楚國都城郢地之讎。

《史記．項羽本紀》云：「項王欲自王，先王諸將相。」又云：「韓王成，因故都，都陽翟。」又云：「項王自立為西楚霸王，王九郡、都彭城。」又云：「韓王成無軍功，項王不使之國，與俱至彭城，廢以為侯，已又殺之。」項羽分封諸侯，劉邦被封為漢王，張玉時正輔佐漢王，前往西川漢中一帶，並未事奉韓王，及至垓下之戰，擊敗項羽，也與項羽誅殺韓王成無關，王應麟將滅項視為是張良替韓王成報讎，已甚勉強，將此事視為是申包胥與張良二人相似之重點，也更加勉強。《史記．留侯世家》云：「良至韓，韓王成以良從漢王故，項王不遣成之國，從與俱東。」又云：「項王竟不肯遣韓王，乃以為侯，又殺之彭城。」

3.楚君既入而逃賞，漢業既成而謝事，其相似三也。

《左傳》定公五年記載，申包胥乞得秦軍，擊退吳軍之後，楚昭王返回國內，賞賜有功大臣，而申包胥云：「吾為君也，非為身也，君既定矣，又何求？」遂逃賞。功成不居，自然是值得稱許的行為。

至於說到張良一侯「漢業既成而謝事」，一方面，是張良體弱多病，一方面是看到劉邦呂后之誅殺功臣，乃學導引辟穀之術欲從赤松子遊，淡泊明志，以求自全，而與申包胥之行事，也不完全相似。

(三)結　語

申包胥與伍子胥既是好友，則當伍奢、伍尚父子將要被殺之時，申包胥理應不懼權貴，在楚平王面前力陳是非曲直，力加諫勸，以避免冤情的發生。才當得起是忠義之士，才稱得上是國家棟樑。另外，當伍奢、伍尚父子已經被害，伍員正欲逃亡之時，申包胥也應設法相助，協助脫離，方才能夠稱得上是夠義氣的朋友。

張良在暴秦統一天下之後，出而輔佐漢王，以天下百姓為念，才稱得上是「天下士也」，而申包胥，曲從於昏君之暴行，雖然以借兵秦國，卻以哭泣之道行之，與張良比較，張則「正而不譎」，申則「譎而不正」，（借孔子評齊桓公及晉文公語）或可論定。

《史記》卷六十六，有〈伍子胥列傳〉，一方面是太史公有感於伍子胥「烈大夫」之「復仇」行為，一方面也是有感於自己仗義為李陵鳴不平而竟遭腐刑之待遇，心懷怨懟，藉伍子胥之行事以為抒發，與「勸忠」與否無關。

《宋史》卷四三八有儒林〈王應麟傳〉，記王應麟乃南宋理宗淳祐元年進士，傳中記載，帝御集英殿策士，召應麟覆考。考第既上，帝欲易第七卷置其首。應麟讀之，乃頓首曰：「是卷古誼龜鏡，忠肝如鐵石，臣敢為得士賀。」遂以第七卷為首選。及唱名，乃文天祥也。

王應麟當南宋時代，二帝北狩，外患正殷，有感於恢復之大計，故於讀史之際，過崇申包胥，亦其宜也。

十七、《春秋繁露・俞序》與《史記・太史公自序》

(一)引　言

《漢書・董仲舒傳》云：「仲舒所著，皆明經術之意，及上疏條教，凡百二十三篇。而說《春秋》事得失，〈聞舉〉、〈玉杯〉、〈蕃露〉、〈清明〉、〈竹林〉之屬，復數十篇，十餘萬言，皆傳於後世。」《隋書經籍志》載有《春秋繁露》十七卷，且〈玉杯〉、〈竹林〉等篇亦在今本《春秋繁露》之中，胡應麟《四部正譌》云：「余意八十二篇之文，即《漢志》儒家之百餘篇者，必東京而後，章次殘缺，好事者因以《公羊治獄》十六篇合於此書，又妄取班氏所記繁露之名係之。」《四庫提要》云：「今本〈玉杯〉、〈竹林〉於此書中，今見其文，雖未必全出仲舒，然中多根極理要之言，非後人所能依託。」其言差為近真。

《春秋繁露》凡八十二篇，今本缺第三十九、四十及五十四篇，故僅存七十九篇。大略而言，自〈楚莊王〉第一至〈俞序〉第十七，主要為闡釋《春秋》之微言大義。自〈離合根〉第十八至〈諸侯〉第三十七，則以治國理論為主。自〈五行對〉第三十八至〈五行五事〉第六十四，以及〈天地行〉第七十七至〈天地旋〉第八十二，則為討論天地陰陽運轉，以及災異感應之事。自〈郊語〉第六十五至〈祭義〉第七十六，則以抒發尊天祭祖之義為主。

董仲舒是漢代的《春秋》公羊學大師，而大史學家司馬遷則為其弟子，此文之作，試取《春秋繁露》中〈俞序〉一篇，與司馬遷《史記》中〈太史公自序〉一篇，略作比較分析，以見二人對於《春秋》學所顯現之觀點。

(二)分　析

1.《春秋繁露．俞序第十七》云：

仲尼之作《春秋》也，上探正天端，王公之位，萬民之所欲，下明得失，起賢才，以待後聖，故引史記，理往事，正是非，見王公，史記十二公之間，皆衰世之事，故門人惑，孔子曰：「吾因其行事，而加乎王心焉，以為見之空言，不如行事博深切明。」子貢、閔子、公肩子言其切而為國家資也。其為切，而至於殺君亡國，奔走不得保社稷，其所以然，是皆不明於道，不覽於《春秋》也。

蘇輿在《春秋繁露義證》中說：「此篇說《春秋》大旨，蓋亦自序之類，董子元書散亡，藉此竊見著書次第，得其用心，讀者當寶貴之。」蘇輿又以為，「上探正天端，王公之位」，當作「上援天端，正王公之位」，乃指《春秋》於國君即位，必書「元年春王正月公即位」，以為「萬民之所欲（欲，當作始）。」然後下接「下明得失，起賢才，以待後聖」，文義方始貫串。「故引史記」，指魯史之不修春秋，王公、蘇輿以為當作「王心」，「史記十二公之間」，指春秋隱、桓、莊、閔、僖、文、宣、成、襄、昭、定、哀十二公，皆衰世，故門人惑，孔子則答以「因其行事，而加乎王心」，乃藉著過去之事實，假託賢君治理天下之用心，以見託之空言，不如見於行事之博深切明，也因此而取得弟子子貢、閔子、公肩子們的信任。《春秋繁露．俞序第十七》又云：

故衛子夏言：「有國家者，不可不學《春秋》，不學《春秋》，則無以見前後旁側之危，則不知國之大柄，君之重任也。故或脅窮失國，揜殺於位，一朝至爾，苟能述《春秋》之法，致行其道，豈徒除禍哉！乃堯舜之德也。」故世子曰：「功及子孫，光輝百世，聖人之德，莫美於恕。」故予先言：「《春秋》詳己而略人，因其國而容天下。」《春秋》之道，大得之則以王，小得之則以霸。故曾子、子石盛美齊侯，安諸侯，尊天子，霸王之道，皆本於仁，仁，天心，故次之以天心。

對於國君學習《春秋》的功用，子夏以為可以預知國家的危險，世碩以為可以將功業綿延至子孫，予先以為可以先治理魯，擴而大之，更可以包容天下之人民。所以，曾子子石等人，稱讚齊桓公的功業，也以為桓公能夠尊重天子，安定諸侯，都是能夠上體天心仁愛之德的表現。

《春秋繁露．俞序第十七》又云：

愛人之大者，莫大於思患而豫防之，故蔡得意於吳，魯得意於齊，而《春秋》皆不告。故次以言：怨人不可邇，敵國不可狎，攘竊之國不可使久親，皆防患、為民除患之意也。不愛民之漸，乃至於死亡，故言楚靈王、晉厲公生弒於位，不仁之所致也。故善宋襄公不厄人，不由其道而勝，不如由其道而敗，《春秋》貴之，將以變習俗，而成王化也。故子夏言：「《春秋》重人，諸譏皆本此，或奢侈使人憤怨，或暴虐賊害人，終皆禍及身。」故子池言：「魯莊築臺，丹楹刻桷；晉厲之刑刻意者；皆不得以壽終。」上奢侈，刑又急，皆不內恕，求備於人。故次以《春秋》，緣人情，赦小過，而傳明之曰：「君子辭也。」孔子明得失，見成敗，疾時世之不仁，失王道之體，故緣人情，赦小過，傳又明之曰：君子辭也。

《春秋》主張，泛愛民眾，因此，對於侵略別國的蔡魯兩國，《春秋》都不予以宣示，以其不合常理，對於楚靈王及晉厲公的因不仁而被弒，也不加以宣揚，反之，《春秋》對於宋襄公以仁義行師，雖敗於楚國，卻反而稱許他乃是可貴的行為，所以，子夏也強調《春秋》重視人民的意念，凡是違反人民意念的行為，都易於招致災禍。子池也批評魯莊公奢侈的行為，晉厲公嚴刑峻法，以至不得壽終的結果。因此，依於人情，推行仁道，才是孔子撰修《春秋》的根本用意。《春秋繁露・俞序第十七》又云：

孔子曰：「吾因行事，加吾王心焉，假其位號，以正人倫，因其成敗，以明順逆。」故其所善，則桓文行之而遂，其所惡，則亂國行之終以敗。故始言大惡，殺君亡國，終言赦小過，是亦始於麤粗，終於精微，教化流行，德澤大洽，天下之人，人有士君子之行，而少過矣，亦譏二名之意也。

孔子表示，他依據過往的事跡，寄託自己仁民愛物的心意，藉著過去君王們的名位稱號，來寄託自己對於人倫道德的理想，用以表達自己對於世事是非對錯的看法。由於孔子在《春秋》中寄寓著這種崇高的理想，所以，最明顯的，是他對於齊桓公、晉文公的推崇，而對於弒君篡國一類的行為，則表示了嚴厲的批評，更重要的，是鼓勵人們，推行道德，期望使天下之人，人人都具備士君子的行為。

2.《史記・太史公自序第七十》云：

太史公曰：「先人有言：『自周公卒五百歲而有孔子。孔子卒後至於今五百歲，有能紹明世，正《易傳》，繼《春秋》，本《詩》《書》《禮》《樂》之際？』意在斯乎！小子何敢讓焉。」

《孟子・盡心下》云：「由堯舜至於湯，五百有餘歲。」又云：「由湯至於文王，五百有餘歲。」周公卒於西元前一一〇四年，孔子卒於西元前四七九年，相距五百餘年，太史公言此，蓋以繼往聖所事，而自任之重也。《史記．太史公自序第七十》又云：

上大夫壺遂曰：「昔孔子何為而作春秋哉？」太史公曰：「余聞董生曰：『周道衰廢，孔子為魯司寇，諸侯害之，大夫壅之。孔子知言之不用，道之不行也，是非二百四十二年之中，以為天下儀表，貶天子，退諸侯，討大夫，以達王事而已矣。』子曰：『我欲載之空言，不如見之於行事之深切著明也。』夫《春秋》，上明三王之道，下辨人事之紀，別嫌疑，明是非，定猶豫，善善惡惡，賢賢賤不肖，存亡國，繼絕世，補敝起廢，王道之大者也。易著天地陰陽四時五行，故長於變；《禮》經紀人倫，故長於行；《書》記先王之事，故長於政；《詩》記山川谿谷禽獸草木牝牡雌雄，故長於風；《樂》樂所以立，故長於和；《春秋》辯是非，故長於治人。是故《禮》以節人，《樂》以發和，《書》以道事，《詩》以達意，《易》以道化，《春秋》以道義。撥亂世反之正，莫近於《春秋》。」

此藉壺遂之問，而直接闡明孔子作《春秋》之意旨。司馬遷嘗從學於董仲舒，董生猶董先生，尊師稱也，古時先生二字，或稱先，或稱生，趙翼《二十二史劄記》卷三〈先生或只稱一字〉有說。

孔子晚年，見己道不行於世，己言不為世主所採行，於是乃假藉魯史春秋一書，就其中二百四十二年所記之史事，取其可以為儀法表率，或可以為儆惕事項者，加以論次判斷，以表顯其心中所蘊涵之是非判斷，理想標準，以作為世人行為事項的衡論依據，道德準則，是則為孔子作《春秋》之目的。

蓋孔子以為，徒事空言說理，難於令人捉摸，不如陳述歷史事實，而於史事之陳述中，寄寓道德理想之判斷，是非對錯之抉擇，而更加容易使人了然於心，知所判別也。進而乃能使讀其書者，「別嫌疑，明是非，定猶豫」，善者善之，惡者惡之，賢者賢之，賤者賤之，立己有所標衡，進而於中夏諸侯，亡國存之，絕世繼之，補救敝者，振起廢者，以躋於振興王道之理想境地，凡此所舉，方才是孔子憑藉魯史，重賦《春秋》以新義所寓含之理想也。因此，太史公方才肯定而言，「撥亂世，返之正，莫近於《春秋》」。《史記・太史公自序第七十》又云：

《春秋》文成數萬，其指數千。萬物之散聚皆在《春秋》。《春秋》之中，弒君三十六，亡國五十二，諸侯奔走不得保其社稷者不可勝數。察其所以，皆失其本已。故《易》曰「失之毫釐，差以千里」。故曰「臣弒君，子弒父，非一旦一夕之故也，其漸久矣」。故有國者不可以不知《春秋》，前有讒而弗見，後有賊而不知。為人臣者不可以不知《春秋》，守經事而不知其宜，遭變事而不知其權。為人君父而不通於《春秋》之義者，必蒙首惡之名。為人臣子而不通於《春秋》之義者，必陷篡弒之誅，死罪之

> 名。其實皆以為善，為之不知其義，被之空言而不敢辭。

《春秋》之中，寓義豐富，探索不盡，如弒君、如亡國，皆人倫事變之巨者大者。而太史公深察緣由，以為「皆失其本已」，以為皆緣於世人之不知是非理想標準之所在，是以行為有此偏差，而一往不可恢復，如能懸其標的，分別是非，使世人得以審知為是為非之標準，則可使心懷妄想者懼而不敢為非，或為而能知所懼，則可以使世人欲妄為者知所是非，知所畏懼，從而戢止其為非之妄念。《史記．太史公自序第七十》又云：

> 夫不通禮義之旨，至於君不君，臣不臣，父不父，子不子。夫君不君則犯，臣不臣則誅，父不父則無道，子不子則不孝。此四行者，天下之大過也。以天下之大過予之，則受而弗敢辭。故《春秋》者，禮義之大宗也。夫禮禁未然之前，法施已然之後，法之所為用者易見，而禮之所為禁者難知。

禮義為治人之大法，作人之準則，「法之所為用者易見，而禮之所為禁者難知」，世道之維持，人性之尊嚴，惟賴禮與法而維護之，而《春秋》一經之大用，也正在於此也。

(三)結　語

《史記．儒林傳》云：「董仲舒，廣川人也，以治《春秋》，孝景時，為博士。下帷講誦，弟子傳以久次相受業，或莫見其面，蓋三年董仲舒不觀於舍園，其精如此。進退容止，非禮不行，學士皆師尊之。」司馬遷既曾親從董仲舒受業，習聞《春秋》學之要旨，及其撰著《太史公書》，遂亦慨然以《春秋》學之義趣作為效法之目標。

此文之作，即取《春秋繁露・俞序第十七》與《史記・太史公自序第七十》，相互對照，既以顯見孔子撰著《春秋》一經之目的，而董仲舒與司馬遷師弟二人致力傳經之精神，亦從而可以窺見其一斑焉。

十八、康有為論管仲

(一)引　言

清光緒二十四年（西元一八九八年），歲次戊戌，四月，光緒帝下令變法維新，八月，政變阧生，康有為藉英船掩護，自北京脫走，逃往香港，轉往日本，次年，康氏赴加拿大，轉往英國，二十七年，赴馬來西亞，二十八年（西元一九〇二年），前往印度，居大吉嶺，撰成《論語注》一書，時康氏四十五歲。

康氏《論語注》一書，並非遵循傳統經典注疏的方徑，重視訓詁名物的詮釋，而是配合時代的觀念，闡發一己的思想，所以，在他的詮釋之下，傳統的經典，也散發出新穎的意趣。

《論語》中有幾處評論到管仲的行事，但是在康有為的闡釋之下，管仲這位歷史上的名人，卻顯現出一些異於往常的面貌，值得人們去了解。

(二)分　析

《論語·憲問第十四》云：

> 子路曰：「桓公殺公子糾，召忽死之，管仲不死，曰，未仁乎？」子曰：「桓公九合諸侯，不以兵車，管仲之力也，如其仁！如其仁！」

康有為《論語注》云：

> 蓋仁莫大于博愛，禍莫大于兵戎，天下止兵，列國君民，皆同樂生，功莫大焉，故孔子再三歎美其仁，孟子之卑管仲，乃為傳孔教言之，有為而言也，宋賢不善讀之，乃鄙薄事功，攻擊管仲，至宋朝不保，夷于金元，左衽者數百年，生民塗炭，則大失孔子之教矣。專重內而失外，令人誚儒術之迂也，豈知孔子之道，內外本末並舉，而無所偏遺哉！

康有為盛讚管仲九合諸侯，一匡天下之大功，以見孔子稱許管仲為仁之不誣，而批評宋儒為學，「專重內而失外」，「鄙薄事功」，以至宋代夷於金人元人，生民塗炭，左衽數百年，言之令人痛心。

《論語·憲問第十四》又云：

> 子貢曰：「管仲非仁者與？桓公殺公子糾，不能死，又相之。」子曰：「管仲相桓公，

霸諸侯，一匡天下，民到于今受其賜，微管仲，吾其被髮左衽矣。豈若匹夫匹婦之為諒也，自經於溝瀆，而莫之知也。」

康有為《論語注》云：

霸者有天下之別名，但未一統革命廢王，如希臘之代蘭得，日本之大將軍耳，法之拿破崙似之，即德之該撒，受封教皇，亦為霸耳，觀魯朝貢于晉而不朝貢于周可見，蓋封建之世，有此體，後世無之，今普為德聯邦盟主，禮與聯邦平等，而稱該撒，真春秋之制也。匡，正也，微，無也，被髮，編髮被之體後，左衽，襟向左，夷狄之俗也。夷狄不得亂中國，諸侯不相尋兵伐，保華夏之族，存文明之化，功德至大，孔子自以為受其賜，蓋保種族，教化之功莫尚焉。後世若五胡不亂華，金元不入中國，文明之程度，必不止此，當時若有夷吾，民亦至今受其賜也。文明教化，乃公共進化所關，一亂則不可復，若劉石之陷洛陽，隋之破金陵，金之入汴，匈奴之入羅馬，突厥之入君士但丁，均于文明有損，實為天下之公罪，有捍禦之者，亦為天下之公功，微管之言，稱許之至，亦保愛種族文明之至，宋賢妄攻管仲，宜至于中原陸沉也。

又云：

庶民一夫一妻而無妾，故曰匹夫匹婦，諒，小信也，經，縊也，莫之知，人不知也，中論召忽伏節死難，人臣之美義也，仲尼比為匹夫匹婦之為諒矣，指召忽言之，蓋身名小，種族之文野大，以管仲較之召忽，則召忽行果節烈，僅同匹夫匹婦之自縊而已。蓋孔子之道貴仁，有可以救人者，則許之，至于保救天下之文明，則仁大莫京，孔子自稱堯舜文王外，未有若管仲者，子路子貢泥于尋常之小節，而責管仲，孔子乃為比較其功罪是非，而此義乃明。蓋施仁大于守義，救人大于殉死，宋儒尚不知此義，動以死節責人，而不以施仁望天下，立義隘陋，反乎公理，悖乎聖義，而世俗習而不知其非，宜仁義之日微，而中國之不振，然有管仲之才之功，則可不死，否則背君事仇，貪生失義，又遠不若召忽之為諒也。

康有為解釋齊桓公稱霸諸侯之「霸」字，並以希臘、日本、法國、德國之君主為例，指出桓公之稱霸，與彼等相同，使得夷狄不得擾亂中國，因而能夠保存華夏民族之文化，功勞極大，故孔子對於管仲，極為推崇，原因也即在此。同時，康氏並舉出中外歷史上不少外族入侵的例子，用以說明「文明教化，乃公共進化所關，一亂則不可復」，而文明之遭受損壞，「實為天下之公罪」，有捍禦之者，「亦為天下之公功」，因此，孔子「微管仲」之歎息，實在是對管仲「保愛種族文明之至」的稱譽之辭，並指出「宋賢妄攻管仲，宜至于中原陸沉也」。也是感慨極深之詞。縱觀典籍記載，孔子對於往古先聖先賢之稱譽，除卻唐堯虞舜以及周文王之外，恐怕也只有稱譽管仲，才能夠與之相比吧！

《論語・憲問第十四》云：

或問子產，子曰：「惠人也。」問子西，曰：「彼哉彼哉！」問管仲，曰：「人也，奪伯氏駢邑三百，飯疏食，沒齒，無怨言。」

康有為《論語注》云：

子產之政，不專于寬，然其心，則一以愛人為主，故孔子以為惠人，蓋舉其重而言也。……子西，楚公子申，能遜楚國立昭王，而改紀其政，亦賢大夫也。……人也，猶言是可謂之人物也。不關當時之治亂，不足謂之人，不繫一世之安危，不足謂之人。……蓋桓公奪伯氏之邑，以與管仲，伯氏自知己罪，而心服管仲之功，故窮約以終身，而無怨言，……管仲真有存中國之功，令文明世不陷于野蠻，故雖奪人邑而人不怨，言功業高深，可為一世之偉人也。孔子極重事功，累稱管仲，極詞贊歎，孟子則為行教起見，宋儒不知，而輕鄙功利，致人才苶爾，中國不振，皆由于此。

在此節之中，康有為強調，「管仲真有存中國之功，令文明世（界）不陷于野蠻，故雖奪人邑而人不怨」，也更強調，管仲之「功業高深，可為一世之偉人也」。

《論語・八佾第三》云：

子曰：「管仲之器小哉！」或曰：「管仲儉乎？」曰：「管氏有三歸，官事不攝，焉得儉？」「然則管仲知禮乎？」曰：「邦君樹塞門，管氏亦樹塞門。邦君為兩君之好，有反坫，管氏亦有反坫。管氏而知禮，孰不知禮？」

康有為《論語注》云：

包咸曰：「三歸，娶三姓女。」……攝猶兼也，禮，國君事大，官各有人，大夫兼並，今管仲家臣備職，非為儉。鄭氏玄曰：「反坫，反爵之坫，在兩楹之間，人君別內外于門，樹屏以蔽之，若與鄰國君為好會，其獻酢之禮，更酌，酌畢，則各反爵于坫上。今管仲皆僭為之，如是，是不知禮。」按管仲治國之才，成霸之術，以今觀之，自是周公後第一人才，如今德國之俾斯墨矣，故孔子稱其仁。然身則三歸反坫，君則內娶六人，其本末治，而徒騖事功，故君臣一逝，豎刀開方，易牙即亂，諸公爭立，霸業遂絕，幾與晉武帝同，此由不以王道為志，自以功名足以震矜天下，而內行不必檢，所謂器小也。

在此節之中，康有為雖然提及管仲不由王道而僅能止於小成，而不能更有絕大之成就，但也由衷地稱許管仲，為周公後之第一人，按之史實，康氏之說，也應屬不誣。

(三) 結　語

康有為是廣東南海人，十九歲時，從學於廣東大儒朱次琦，講求經世致用之學，二十一歲至香港，二十五歲赴北京，途經上海，皆廣購江南製造局及傳教士所譯之西書加以閱讀，思想亦愈趨變化。

光緒二十年（西元一八九四年），甲午戰爭爆發，清軍失敗，舉國憤慨。光緒二十一年（西元一八九五年），中日正在馬關議和，康有為適赴北京會試，乃邀集赴試之十八省舉人，聯名上書反對，是為「公車上書」，轟動一時。

嗣後兩三年間，康有為奔走各地，推動維新運動，並多次上書光緒帝，從事革新，終於在光緒二十四年（西元一八九六年）四月二十三日，光緒帝下詔，毅然變法革新。及至八月六日，政變發生，革新之政，僅一百零三日，譚同等六君子殉難，而康有為與梁啟超，則逃亡海外。

縱觀當時世界各國之革新政治，奮發圖強，以德國之鐵血宰相俾斯麥推動德意志帝國之復興，以及日本之首相伊藤博文，襄助天皇之明治維新，最為成功，因此，康有為在戊戌新政失敗之後，感慨良深，是以在逃亡海外，撰寫《論語注》之時，既對本國卓越之政治人才管仲，特別致予推崇之意，又對當代世界各國之優秀政治領袖，如俾斯麥及伊藤博文等人，加以稱許，蓋皆有欽慕嚮往自信之感情在其胸中澎湃也。

十九、孟子「五等爵」論

《孟子・萬章下》云：

北宮錡問曰：「周室班爵祿也，如之何？」孟子曰：「其詳不可得聞也，諸侯惡其害己也，而皆去其籍，然而，軻也嘗聞其略也。天子一位，公一位，侯一位，伯一位，子男同一位，凡五等也。君一位，卿一位，大夫一位，上士一位，中士一位，下士一位，凡六等。天子之制，地方千里，公侯皆方百里，伯七十里，子男五十里，凡四等，不能五十里，不達於天子，附於諸侯，曰附庸。」

北宮錡問周代爵位俸祿之等級情形，孟子答以周代之後，列國諸侯因厭惡該項規定妨礙自身的擴張，已將記錄該項規定的典籍加以銷毀，因此，自己也僅能言其大略而已。孟子言周代的爵位，分為五等，天子為一級位，公為一級位，侯為一級位，伯為一級位，子、男同為一級位，此乃通行於天下之爵位制度。另外，施行於諸侯一國之中者，則分為六等，國君、卿、大夫、上士、中士、下士，分為六個等級。另外，在俸祿方面，則依土地分配之大小，而有不同之等級，天子之地為一千方里，公侯之地皆為一百方里，伯為七十方里，子男之地皆為五十方里，分為四個等級。至於不足五十方里的小國，不能直接通達於天子之前，只能附屬於鄰近之諸侯，而應稱之為「附庸」。華夏自上古以來，以農立國，人們即已認為，人生在世，既然必需食用稻糧，方能生存，則人人應當耕種稻粱，以供生活，但是，自天子以下，各級官員，庶務繁忙，不能躬自耕作，即由所轄境內百姓，繳交耕作之糧食，名為稅收，而取之以為各級官吏之俸祿，用以為各級官吏「代耕」之所得。在《孟子》此節文字之中，最重要者，乃是視「天子」亦為百官中之「一位」，其地位爵祿，也只較「三公」略高一級而已，其職務，仍然只是服務於百姓萬民之一個等級之官吏。在《孟子》此章下文之中，三次提到「祿足以代其耕也」，「代耕」之義，也包括「天子」在內。

《禮記．王制》云：

> 王者之制爵祿，公、侯、伯、子、男，凡五等。諸侯之上大夫卿、下大夫、上士、中士、下士，凡五等。

孔穎達《禮記正義》云：

> 公、侯、伯、子、男，五等，謂虞夏及周制，殷制三等，公、侯、伯也。

案此與前文所引《孟子・萬章下》論「五等爵」與「六等爵」有所不同，孫奭《孟子注疏》云：

《孟子》所言，周制；〈王制〉所言，夏、商之制也。

《孟子》所言，與《禮記・王制》所言，不相吻合，孫奭與孔穎達所論，也不相同。因此，「五等爵」也出現了不同的意義。以下，可以從幾個方面，作出討論。

首先，北宮錡詢問，「周室班爵祿也，如之何？」詢問的既然是周代的爵位和俸祿制度，則孟子所回答的，自然也是周代的制度。

其次，可以從孟子的政治思想作出考察，孟子處於戰國時代，在政治上，諸侯以武力相爭，在思想上，諸子百家爭鳴，目睹這些情形，感受到民眾的痛苦，因此，孟子在思想上，也特別強調以民為本的精神，他主張，「民為貴，社稷次之，君為輕」（《孟子・盡心下》），也主張，「君之視臣如手足，則臣視君如腹心。君之視臣如犬馬，則臣視君如國人。君之視臣如土芥，則臣視君如寇讎」（《孟子・離婁下》），對於殘暴如桀紂的君主，他也贊同商湯與周武王的討伐行為，認為那是「聞誅一夫紂矣，未聞弒君也」（《孟子・梁惠王下》）。因此，由於孟子是一位極度尊重以民為本位的思想家，因此，由他敘說所了解的周代制度「五等爵」，將「天子」列入其中，也是極可憑信的史實。（《尚書・洪範》云：「天子作民父母，以為天下王。」〈洪範〉為周書，是「天子」之名，周代已經通用。）

其三，我們可以從歷史發展上作思考，春秋戰國以後，秦消滅六國，統一天下。嬴政號稱為始皇帝，自稱為朕，高出於萬民之上，及漢室遽興，典章多沿用秦制，尤重大一統之義。《禮記》一書，由漢儒於秦火之後，蒐集而成，其中〈王制〉一篇，敘說儒家之典章制度，不免也受到秦制之影響，於篇中特尊帝王，故「天子」不在「五等爵」之內。

由此觀之，《孟子》成書，雖在〈王制〉之前，而所論尊君之義，反較《禮記》寬鬆，所論「天子」亦在「五等爵」內，反較〈王制〉之言，更為可信。而「五等爵」中，由有「天子」在內，以至於無「天子」在內，其演變之痕跡，也宛然可見。

至於針對孟子所稱「五等爵」之義趣與功用，闡釋得最為精闢者，則當推顧亭林先生之見解，顧氏《日知錄》卷七云：

> 為民而號之君，故班爵之意，天子與公、侯、伯、子、男一也，而非絕世之貴。代耕而賦之祿，故班祿之意，君、卿、大夫、士與庶人在官，一也，而非無事之食。是故知「天子一位」之義，則不敢肆於民上以自尊，知祿以代耕之義，則不敢厚取於民以自奉。不明乎此，而「侮奪人之君」，常多於三代之下矣。（黃汝成《日知錄集釋》頁四三三，上海古籍出版社，二〇〇六年）

亭林先生直接從「天子一位」處立論，他申言，天生百姓萬民，不能自行治理，故上天為之設君，加以管理，是以君王天子，是為百姓而設，並非萬民百姓，為天子君王所設，以供天子之享樂。亭林先生從孟子「五等爵」中，申論「天子」之本分職務，與公侯伯子男一般無二，皆係服務百姓之一種官職，換言之，「天子」只是國家公務人員中的一個成員而已，其職務也僅比三公略高一等，而並非「絕世之貴」，也並非需令天下民眾共仰，視以為是無上之極位，同時，「天子」之俸祿，也僅為其個人「代耕」之所得而已，而非可以無所事事，坐糜公帑，任意肆其享樂也。但是，後世的人君，不明瞭自己「天子一位」之意義，是以三代以下，欺騙世人，剝奪財貨的君主，也越來越眾多。亭林先生闡釋「天子一位」之義，極具卓識。

明末清初之際，世局混亂，學者於政治理想，常有究本溯源之議論，黃梨洲先生撰《明夷待訪錄》，言民本民治之受義，其中〈原君〉一篇，所論最為精要，而亭林先生於《日知錄》中闡發孟子「民貴君輕」之義蘊，與梨洲先生〈原君〉中所闡論者，有異曲同工，可以互相發明之處，清康熙十五年，亭林先生六十四歲之時，曾有書信寄梨洲先生（時梨洲六十七歲）云：

> 因出大著《待訪錄》，讀之再三，於是知天下之未嘗無人，百王之蔽可以復起，而三代之盛可以徐還也。……炎武以管見為《日知錄》一書，竊自幸其中所論，同於先生者十之六七。

足見黃顧二先生，於所論政治思想方面，頗多相同之處，而〈原君〉之義，兩家尤可互相發明也。

二十、黃梨洲〈原君〉與顧亭林〈周室班爵祿〉

(一)引　言

黃宗羲字太冲，學者稱為梨洲先生，浙江餘姚人，生於明萬曆三十八年，卒於清康熙三十四年（一六一〇——一六九五），享年八十六歲。顧炎武字寧人，學者稱為亭林先生，江蘇崑山人，生於明萬曆四十一年，卒於清康熙二十一年（一六一三——一六八二），享年七十歲。黃顧二君，生當晚明時期，清兵入關，二君皆曾興兵抵抗，事雖不濟，終生不仕滿廷，著書傳世，以求喚醒民眾，再造中華。

梨洲先生所著《明夷待訪錄》一書，為其政治思想之代表作品，《明夷待訪錄》中〈原君〉一篇，尤為書中精華所在。

而亭林先生《日知錄》中有〈周室班爵祿〉一條，取義與梨洲先生〈原君〉中所論及者極相類似，故茲文之作，即取兩篇作品，稍作比較，以見其異同焉。

(二)〈原君〉之內容

黃梨洲《明夷待訪錄・原君》云：

有生之初，人各自私也，人各自利也，天下有公利而莫或興之，有公害而莫或除之，有人者出，不以一己之利為利，而使天下受其利，不以一己之害為害，而使天下釋其害，此其人之勤勞，必千萬於天下之人。夫以千萬倍之勤勞而己又不享其利，必非天下人情所欲居也。故古之人君，去之而不欲入者，許由、務光是也，入而又去之者，堯、舜是也，初不欲入而不得去者，禹是也。豈古之人有所異哉？好逸惡勞，亦猶夫人之情也。

梨洲先生分析世上一般普通人之人性，以為好逸惡勞，多為自己設想，以至自私自利，原本即是一般人民的常情，只有秉性睿智，近乎聖賢的特殊人物，才能超越個人的私利，進而以天下廣大人民之利害為念，以促進天下廣大庶民之幸福利益，去除其災害禍患，為個人一己之責任，只有這種近乎聖賢的人物，出而領導民眾，為民之君，為民服務，心存天下之「公」，才是民眾百姓的福祉所在。

黃梨洲〈原君〉又云：

後之為人君者不然，以為天下利害之權皆出於我，我以天下之利盡歸於己，以天下之害盡歸於人，亦無不可，使天下之人不敢自私，不敢自利，以我之大私為天下之大公。始而慙焉，久而安焉，視天下為莫大之產業，傳之子孫，受享無窮，漢高帝所謂「某業所就，孰與仲多」者，其逐利之情，不覺溢之於辭矣。此無他，古者以天下為主，君為客，凡君之所畢世而經營者，為天下也。今也以君為主，天下為客，凡天下之無地而安寧者，為君也。是以其未得之也，屠毒天下之肝腦，離散天下之子女，以博我一人之產業，曾不慘然，曰：「我固為子孫創業也。」其既得之也，敲剝天下之骨髓，離散天下之子女，以奉我一人之淫樂，視為當然，曰：「此我產業之花息也。」然則為天下之大害者，君而已矣。向使無君，人各得自私也，人各得自利也。嗚呼，豈有設君之道，固如是乎！

梨洲先生以為，聖賢之君不常見，乃至後世，自私自利之人為君，以為天下為我所奪取，天下即為我一人所專有，天下事事定奪之權力，皆在於己，天下事物之利益，自然應歸我一人之所有，而以天下奉我一人之享樂，為當然應該之事實，由是為君之一人，本應為天下百姓產生幸福，卻反而使天下百姓奉我為無上之君主，即使為我一人一家而為牛為馬，以供我一人一家之荒淫快樂，也不足怪，以至使得本應使天下百姓享「大利」，卻反而使天下百姓萬民受「大害」者，皆由於「君」而已，皆由於「君」之一念為「私」而不為「公」而已。以至使得成為天下之大害者，也是「君而已矣」，因此，梨洲先生沉痛地問，難道為天下設立君王，竟然就是如此的目的嗎？

黃梨洲〈原君〉又云：

古者天下之人愛戴其君，比之如父，擬之如天，誠不為過也。今也天下之人怨惡其君，視之如寇讎，名之為獨夫，固其所也。而小儒規規焉以君臣之義，無所逃於天地之間，至桀、紂之暴，猶謂湯、武不當誅之，而妄傳伯夷、叔齊無稽之事，使兆人萬姓崩潰之血肉，曾不異夫腐鼠。豈天地之大，於兆人萬姓之中，獨私其一人一姓乎！是故武王聖人也，孟子之言聖人之言也，後世之君，欲以如父如天之空名，禁人之窺伺者，豈不便於其言，至廢孟子而不立，非導源於小儒乎！

今案《孟子．離婁》云：「桀紂之失天下也，失其民也，失其民者，失其心也。」又云：「為湯武毆民者，桀與紂也。」《孟子．梁惠王》云：「賊仁者謂之賊，賊義者謂之殘，殘賊之人，謂之一夫，聞誅一夫紂矣，未聞弒君也。」又《史記．伯夷列傳》云：「伯夷叔齊聞西伯善養老，盍往歸焉，及至，西伯卒，武王載木主，號為文王，東伐紂，伯夷叔齊叩馬而諫曰：父死不葬，爰及干戈，可謂考乎？以臣弒君，可謂仁乎？左右欲兵之，太公曰：此義人也。扶而去之。武王已平殷亂，天下宗周，而伯夷叔齊恥之，義不食周粟，隱於首陽山，采薇而食之，及餓且死，作歌，其辭曰：『登彼西山兮，采其薇矣，以暴易暴兮，不知其非矣。神農、虞、夏忽焉沒兮，我安適歸矣？于嗟徂兮，命之衰矣！』遂餓死於首陽山。」梨洲先生所指「小儒規規」者，義即指此。至於梨洲先生所謂「廢孟子而不立」，則指明太祖朱元璋而言，朱元璋讀《孟子》，以為書中有許多對君主不敬不便的言論，乃命大臣劉三吾取《孟子》一書，刪除其中八十五條，另成《孟子節文》一書，頒行天下，作為士子科舉考試的讀本。（參容肇祖〈明太祖的〈孟子節文〉〉，載齊魯書社《容肇祖集》）

黃梨洲〈原君〉又云：

雖然，使後之為君者果能保此產業，傳之無窮，亦無怪乎其私之也。既以產業視之，人之欲得產業，誰不如我，攝緘縢，固扃鐍，一人之智力不能勝天下欲得之者之眾，遠者數世，近者及身，其血肉之崩潰，在其子孫矣。昔人願世世無生帝王家，而毅宗之語公主，亦曰「若何為生我家！」痛哉斯言！回思創業時，其欲得天下之心，有不廢然摧沮者乎！

歷稽史冊，天下無不亡之朝代，創業之君，苟能思念及此，設想異日，自家兒孫骨肉，北面乞降之情景，能不惕警於心，能不稍存追悔之念？陳登原《國史舊聞》引《烈皇小識》卷八於崇禎十七年三月十七日記云：「上召文武各官，上泣下，諸臣亦相向泣，上亟退，已而呼酒，與周后袁妃同坐痛飲，慷慨訣絕，妃先起行，上拔劍斫之，斃，后急返坤寧宮自縊，上視之，曰，好好，坤儀公主在旁，疼哭不已，上叱之曰，汝奈何生吾家，手刃之，公主以手仰格，臂斷，悶絕於地。」（參《明史》卷一二一，〈坤儀公主傳〉）崇禎帝乃與太監王承恩登煤山，對面而縊，帝以髮覆面，一足跣，袖中有書一行，云：「因失江山，無面目見祖宗於天上，不敢終於正寢。」

黃梨洲〈原君〉又云：

> 是故明乎為君之職分，則唐虞之世，人人能讓，許由務光，非絕塵也，不明乎為君之職分，則市井之間，人人可欲，許由務光，所以曠後世而不聞也。然君之職分雖明，以俄頃淫樂不易無窮之悲，雖愚者亦明之矣。

「明乎為君之職分」，為君之職分，不過「為公」而已，此義人人知之，而絕非人人可以行之，而帝王之權，帝王之勢，人人羨之，故〈原君〉一篇，不得不作，而作於帝王權勢鼎盛之際，其作也，尤為難能而可貴焉。

黃梨洲《明夷待訪錄．置相》也說：「原夫作君之意，所以治天下也。天下不能一人而治，則設官以治之，是官者，分身之君也。」又說：「蓋自外而言之，天子之去公，猶公、侯、伯、子、男之遞相去，自內而言之，君之去卿，猶卿、大夫、士之遞相去，非獨至於天子，遂截然無等級也。」意亦與〈原君〉相似。

(三)〈周室班爵祿〉之內容

顧亭林《日知錄》卷七〈周室班爵祿〉云：

> 為民而立之君，故班爵之意，天子與公、侯、伯、子、男，一也，而非絕世之貴。代耕而賦之祿，故班祿之意，君、卿、大夫、士與庶人在官，一也，而非無事之食。是故知「天子一位」之義，則不敢肆於民上以自尊；知祿以代耕之義，則不敢厚取於民以自奉。不明乎此，而「侮奪人之君」，常多於三代之下矣。

亭林先生以為，天生萬民，庶事繁多，不能一一治理，故設立百官，代天以治理，而天子的地位，君的地位，也只比公、侯、伯、子、男，相對地各自略高一級而已，天子或君，其職務，其地位，仍然是在百官行列之中，為民服務，並非在百官之外，另外還有一位擁有無上權力、無上地位的「絕世之貴」的主宰人物。

至於亭林先生所以對「君道」有如此的解釋，主要在於，亭林先生以為，人生在世，人人應當付出辛勞，才能換取報酬，這是天經地義的事情，天子與君，既然生而為人，自然也應遵守此義，耕田而食，織布而衣，才是理所當然的事情，但是，人的力量有限，而天下萬事，庶務繁多，於是分工合作，於是有天子、公、侯、伯、子、男等，分別治理，而天子、公、侯、伯、子、男等百官，遂無暇自耕自織，於是由百姓貢出稅捐，轉予天子、公、侯、伯、子、男等百官等人，作為彼等辛勞從公的報酬，作為彼等「代替耕織」所得的報償。這種「代替耕織」所得的報償，百官如是，公、侯、伯、子、男如是，君、卿、大夫、士、庶人在官者如是，天子也如是，這是極為公平的方式。所以，亭林先生說：「是故知天子一位之義，則不敢厚取於民以自奉，不明乎此，而侮奪人之君，常多於三代之下矣」。

(四) 結語

在梨洲先生〈原君〉與亭林先生〈周室班爵祿〉的論述中，他們對「君」已揭開了「天子」「上天之子」的神話面貌，他們也還原了「君」的平凡的人間面貌，「君」與「天子」，本身本職，只應該是為萬民服務的「公僕」而已，只是以工作換取報酬的普通人而已，這種見解，在他們那個時代提出來，公開宣示，公開討論，確實是難能而可貴的，極端不容易的。

張穆所撰寫的《清顧亭林先生炎武年譜》，在康熙十五年（亭林先生六十四歲）之時，錄有亭林先生〈與黃太冲書〉云：

> 辛丑之歲，一至武林，便思東渡娥江，謁先生之杖履，而逡巡未果。及至北方，十有五載，流覽山川，周行邊塞，粗得古人之陳蹟，而離群索居，幾同傖父，年踰六十，迄無所成，如何如何！伏念炎武自中年之前，不過從諸文士之後，注蟲魚，吟風月而已，積以歲月，窮探古今，然後知後海先河，為山覆簣，而於聖賢六經之旨，國家治亂之原，生民根本之計，漸有所窺，恨未得就正有道。頃過薊門，見貴門人陳萬二君，具稔起居無恙。因出大著《待訪錄》，讀之再三，於是知天下之未嘗無人，百王之敝，可以復

起，而三代之盛，可以徐還也。天下之事，有其識者，未必遭其時，而當其時者，或無其識，古之君子所以著書待後，有王者起，得而師之。然而《易》「窮則變，變則通，通則久」，聖人復起而不易吾言，可預信於今日也。炎武以管見為《日知錄》一書，竊自幸其中所論，同於先生者十之六七。唯奉春一策，必在關中，而秣陵僅足為偏方之業，非身歷者不能知也。但鄙著恆自改竄，且有礙時未刻，其已刻八卷及〈錢糧論〉二篇，乃數年前筆也，先附呈大教，倘辱收諸同志之末，賜以抨彈，不厭往復，以開末學之愚，以貽後人，以幸萬世，曷勝禱切，同學弟顧炎武頓首。

此書不見於《顧亭林集》，後世從梨洲先生《思舊錄》中抄出。案康熙十五年丙辰（西元一六七六年），梨洲先生六十七歲，亭林先生六十四歲，黃顧二先生之交往，今僅存亭林先生此書，似黃顧二先生，終生未嘗謀面。

亭林先生〈與黃太沖書〉云：「辛丑之歲，一至武林，便思東渡娥江，謁先生之杖履。」辛丑，指順治十八年，西元一六六一年，時亭林先生曾至浙江，武林，舊指杭州，娥江，指浙江曹娥江，梨洲先生為浙江餘姚人，時亦在浙江。「及至北方，十有五載」，自順治十八年辛丑（西元一六六一年），至康熙丙辰十五年（西元一六七六年），適為十五年，十五年後，亭林先生方作〈與黃太沖書〉，故云「及至北方，十有五載」。至於書中言「頃過薊門，見貴門人陳萬二君」，則指陳介眉、萬季野二人。亦當於陳萬二人處，得讀《明夷待訪錄》，至於

「知天下之未嘗無人，百王之敝可以復起，而三代之盛可以徐還也」，「炎武以管見為《日知錄》一書，竊自幸其中所論，同於先生者十之六七」，則係此書信中最為緊要之語，而亭林先生《日知錄》中所指與梨洲先生所論最相同者，則當為〈周室班爵祿〉與〈原君〉二篇中之精要處，似可斷言。蓋二君所論，亦似有桴鼓相應之意存焉。

二十一、王船山論班超

(一)引　言

班超是歷史上的著名人士，他在國人的心目中，一直是一位民族英雄，但是，在王船山的筆下，卻對他有著極其負面的批評，頗為出人意料之外。

王船山《讀通鑑論》卷七有云：

班超之於西域，戲焉耳矣，以三十六人橫行諸國，取其君，欲殺則殺，欲禽則禽，古今未有奇智神勇而能此者。蓋此諸國者，地狹而兵弱，主愚而民散，不必智且勇而制之有餘也。萬里之外，孱弱之夷，苟且自王，實不能踰中國一亭長。其叛也，不足以益匈奴之勢，其服也，不足以立中夏之威，而欺弱凌寡，撓亂其喙息，以詫奇功，超不復有人之心，而古今艷稱之，不益動妄人以為妄乎？發穴而攻螻蛄，入沼而捕鰍鯈，曰：「智之奇勇之神也。」有識者笑之久矣。

又云：

光武閉玉門，絕西域，班固贊其盛德。超，固之弟也。嘗讀固之遺文，其往來報超於西域之書，述竇憲殷勤之意，而羨其遠略，則超與固非意異而不相謀也。其立言也如彼，其兄弟相獎，誣上徼幸以取功名也如此，弄文墨趨危險者之無定情，亦至此乎！班氏之傾危，自叔皮而已然，流及婦人而辯有餘，其才也，不如其無才也。

王船山對於班超的批評，是否適當，是否公平？仍然要回到歷史中去作衡斷。

(二)分　析

班超是東漢扶風平陵人，是班彪之子，班固之弟，班昭之兄。班超與其母，曾隨班固至洛陽，因家貧，勞苦甚久，乃投筆歎息，欲效張騫立功異域，以取封侯，漢明帝永平十六年（西元七十三年），奉車都尉竇固出擊匈奴，以班超為假司馬，將兵出擊，多戰功，後得與從事郭恂同使西域。

班超在西域，長居三十一年，官居西域都護，封定遠侯，年老思鄉，上疏天子，自云「昔蘇武留匈奴中尚十九年」，「臣不敢望到酒泉郡，但願生入玉門關」，其妹班昭亦上書天子，言班超「延命沙漠，至今積三十年」，「所與相隨時人士眾，皆已物故，超最年長，今且七十」，「妾誠傷超以壯年竭忠孝於沙漠，疲老則便捐死於曠野，誠可哀憐」，書奏之後，帝感其言，乃令班超歸國。次年，班超卒。

班超在西域三十一年的種種事跡，王船山的批評，是依據《資治通鑑》的記述，只是，《資治通鑑》是編年體，往往一件事情的前因後果，發展過程，要記述在不同的年月之中，范曄《後漢書》是紀傳體，記一人之事，比較集中，范書卷四十七，有班超之傳，以下，即以《資治通鑑》為主，參酌《後漢書》，敘述班超在西域三十一年的重要事跡表現。

《後漢書》卷八十八有〈西域傳〉，所指大抵為今之新疆一帶地方，所列計有拘彌、于窴、西夜、子合、德若、條支、安息、大秦、大月氏、高附、天竺、東離、栗弋、嚴、奄蔡、莎車、疏勒、焉耆、蒲類、移支、東且彌、車師等二十二國，而〈班超傳〉中所記述者，則以班超在鄯善、于窴、疏勒、莎車、龜茲、焉耆六國之事為主。以下，分別說明。

1. 明帝永平十六年（西元七十三年），班超初到鄯善，鄯善王甚為禮敬，稍後，忽疏懈，班超知有匈奴使者來，因招部吏三十六人，告以不入虎穴，不得虎子，因趁夜舉火，攻匈奴使，殺其使及從者三十餘人，餘眾百許人悉燒死，鄯善王大驚，一國震怖，遂以其子為質，與漢交好。

2. 明帝永平十六年（西元七十三年），班超既至于窴，時于窴新勝莎車，氣頗壯，匈奴又遣使監護其國，故於漢使，禮意甚疏。于窴之俗信巫，巫言於其王廣德：「漢使有騧馬，急求取以祠我。」王請於班超，超令巫自來取馬。巫來，即斬巫之首，王乃大恐，即攻殺匈奴使者而降漢。

3.疏勒與龜茲鄰近，明帝永平十七年（西元七十四年），時龜茲王名建者，為匈奴所立，而攻破疏勒，並立龜茲人兜題為疏勒王。及班超至疏勒，遣吏田慮往勸兜題投降，兜題不從，為田慮所縛，班超乃立疏勒舊王之子名忠者為王，疏勒國之民乃大為喜悅。

4.莎車與漢，本屬友好，因漢兵久未至其國，莎車遂降於龜茲，而疏勒都尉番辰亦反叛。適平陵人徐幹，與班超同志，上疏願往佐班超，上准所奏，乃帥千人往西域助班超。章帝建初五年（西元八〇年），班超乃與徐幹合力擊番辰，斬首千餘，大破之。

5.章帝元和三年（西元八十六年），遣假司馬和恭等將兵八百人赴西域助班超，班超乃發疏勒兵擊莎車，莎車暗與疏勒王名忠者相通，忠乃反從莎車。班超乃更立其府丞成大為疏勒王，反以兵進攻疏勒舊王，並與月氏王謀，執疏勒舊王名忠者斬之，平定疏勒。

6.章帝章和元年（西元八十七年），班超發動于闐之兵共二萬五千人擊莎車，龜茲王發兵五萬人救之，班超令兵追斬五千餘人，莎車遂降。

7.和帝永元六年（西元九十四年），班超發動龜茲、鄯善等八國之兵共七萬人，及漢吏士卒一千四百人，往伐焉耆，焉耆王名廣者，迎班超於尉犁，奉獻珍物，但不欲漢軍入其國，焉耆國有葦橋之險，廣乃絕橋，班超率軍涉水而渡，到焉耆，廣出不意，大恐懼，率為班超所斬，傳首京師，並出兵，斬首五千餘級，更立元孟為焉耆王。於是西域五十餘國悉納質而內屬。

以上，是依據《後漢書・班超傳》中所敘述的班超生平，參照《資治通鑑》的記載，敘述班超一生，在西域居住三十一年，所作所為的重要事跡。

(三) 結語

王船山批評班超在西域的舉動，是一種「遊戲」的行為，他說班超「以三十六人橫行諸國」，三十六人，只是班超最早離開國門時所帶領的部吏而已，在往後的三十一年之間，難道也僅止率領這三十六個「老翁」在打天下嗎？

班超在西域三十一年，說他「橫行諸國，取其君，欲殺則殺，欲禽則禽，古今未有奇智神勇而能此者」，只是船山個人的想像而已，只要仔細看看歷史記載班超先後在西域各國艱苦的行事，便不會輕率地說班超在西域可以隨心所欲，任意而為。

說西域各國，「地狹而兵弱，主愚而民散，不必智且勇而制之有餘」，只是不了解邊疆民族的凶狠本性而已。

說「萬里之外，孱弱之夷，苟且自王，實不能踰中國一亭長，其叛也，不足以益匈奴之勢，其服也，不足以立中夏之威，而欺弱凌寡，撓亂其喙息，以詫奇功，超不復有人之心，而古今艷稱之，不益動妄人以為妄乎？發穴而攻螻蛄，入沼而捕鰍鯈，曰，智之奇、勇之神也，有識者笑之久矣。」西域地廣人稀，所有各國，大小不一，《漢書・百官公卿表》云：「大率十里一亭，亭有長，十亭一鄉。」西域國王，豈能盡以漢之亭長作為比喻？

漢之大敵，自當以北方之匈奴為主，而西域諸國，與匈奴之關係良窳，影響於匈奴與漢之往來關係者，不為不大，否則，〈班超傳〉何必曰，「前世議者皆曰，取三十六國，號為斷匈奴右臂」，又豈僅「立中夏之威」而已。

班超在西域，長達三十一年之久，歷經艱困險夷，而船山謂之為「欺弱凌寡，以詫奇功」，評之為「不復有人之心」，喻之如「發穴而攻螻蛄，入沼而捕鰍鰷」之簡易，對於班超而言，豈能謂之為公平？

班超之父兄班彪班固，與其妹班昭，各具長才，各有貢獻，謂之為「誣上徼幸，以取功名」，謂之為「弄文墨，趨危險」，亦非公平之言。

二十二、王船山對諸葛亮之評論

(一)引 言

漢末三國時代的史事，由於有《三國志》的記述，更由於有《三國演義》的流傳，已經廣為世人所熟知。

王船山在所撰的《讀通鑑論》中，對於三國中的史事人物，卻有著甚為深刻的評論，值得人們加以了解。

此文之作，即擇取船山對於諸葛亮有關行事之評論意見，略事歸納，試為分析，以供參考。

(二)評 論

1. 論劉備與諸葛亮君臣之關係

王船山《論通鑑論》云：

①談君臣之交者，競曰先主之於諸葛。伐吳之舉，諸葛公曰：「孝直若在，必能制主上東行。」公之志能盡行於先主乎？悲哉！公之大節苦心。不見諒於當時，而徒以志決身殲遺恨終古，宗澤咏杜甫之詩而悲惋以死，有以也夫！（卷十之四）

②公之心，必欲存漢者也，必欲滅曹者也。不交吳，則內掣於吳而北伐不振。此心也，獨子敬知之耳。孫權尚可相諒，而先主之志異也。夫先主亦始欲自強，終欲自王，雄心不戢，與關羽相得耳。故其信公也，不如信羽，而且不如孫權之信子瑜也。疑公交吳之深，而並疑其與子瑜之合，使公果與子瑜合而有裨於漢之社稷，固可勿疑也，而況其用吳之深心，勿容妄揣也哉！先主不死，吳禍不息，祁山之軍不得而出也。迨猇亭敗矣，先主殂矣，國之精銳盡於夷陵，老將如趙雲與公志合者亡矣，公收疲敝之餘民，承愚暗之沖主，以向北方，而事無可為矣。公故曰：「鞠躬盡瘁，死而後已。」唯忘身以遂志，而成敗固不能自必也。（卷十之四）

③嚮令先主以篤信羽者信公，聽趙雲之言，輟東征之駕，乘曹丕初篡，人心未固之時，連吳好以問中原，力尚全，氣尚銳，雖漢運已衰，何至使英雄之血不洒於許、雒，而徒流於猇亭乎？公曰：「漢，賊不兩立。」悲哉其言之也，若先主，則固非有宗社存亡之戚也，強之哭者不涕，公其如先主何哉！（卷十之四）

④張良遇高帝而志伸，宗澤遇高宗而志沮；公也，子房也，汝霖也，懷深情而不易以告人，一也，而成敗異。公懷心而不能言，誠千秋之遺憾與！（卷十之四）

⑤先主之初微矣，雖有英雄之姿，而無袁、曹之權藉，屢挫屢奔，而客處於荊州，望不隆而士之歸之也寡。及其分荊據益，曹氏之勢已盛，曹操又能用人而盡其才，人爭歸之，蜀所得收羅以為己用者，江、湘、巴、蜀之士耳。楚之士輕，蜀之士躁，雖若費禕、蔣琬之譽動當時，而能如鍾繇、杜畿、崔琰、陳羣、高柔、賈逵、陳矯者，亡有也。軍不治而唯公治之，民不理而唯公理之，政不平而唯公平之，財不足而唯公足之，任李嚴而嚴亂其紀，任馬謖而謖敗其功，公不得已，而察察於纖微，以為訏謨大猷之累，豈得已乎？（卷十之五）

⑥夫大有為於天下者，必下有人而上有君。而公之託身先主也，非信先主之可為少康、光武也，恥與荀彧、郭嘉見役於曹氏，以先主方授衣帶之詔，義所可從而依之也。上非再造之君，下無分猷之士，孤行其志焉耳。向令龐統、法正不即於溘亡，徐庶、崔州平未成乖散，先主推心置腹，使關羽之傲，李嚴之險，無得間焉，領袖羣才，各效其用，公亦何用此營營為也？公之泣楊顒也，蓋自悼也。（卷十之五）

⑦然則先主豈特不能將羽哉？且信武侯而終無能用也。疑武侯之交固於吳，而不足以快己之志也。故高帝自言能用子房者，以曹參之故舊百戰之功，而帷幄之籌，唯子房得與焉。不私其舊，不驕其勇，韓、彭且折，況參輩乎？先主之信武侯也，不如其信羽，明矣。諸葛子瑜奉使而不敢盡兄弟之私，臨崩而有「君自取之」之言，是有武侯而不能用，徒以信羽者驕羽，而遂絕問罪曹氏之津，失豈在羽哉？先主自貽之矣。（卷九之三

五）

⑧仲謀之聽子敬，不如其信瑜、蒙、先主之任孔明，而終不違關、張之客氣，天下之終歸於曹氏也，誰使之然也？（卷九之二七）

⑨乃武侯且表於後主曰：「成都有桑八百株，薄田十五頃，死之日，不使內有餘帛、外有贏粟，以負陛下。」一若志晦不章、憂讒畏譏之疏遠小臣，屑屑而自明者。嗚呼！於是而知公之志苦而事難矣。後主者，未有知者也，所猶能持守以信公者，先主之遺命而已。先主曰：「子不可輔，君自取之。」斯言而入愚昧之心，公非剖心出血以示之，豈能無疑哉？身在漢，兄弟分在魏、吳、三國之重望，集於一門，關、張不審，挾故舊以妬其登庸，先主之疑，蓋終身而不釋。施及嗣子之童昏，內而百揆，外而六軍，不避嫌疑而持之固，含情不吐，誰與諒其志者，然則後主之決於任公，屈於勢而不能相信以道，明矣。公乃諄諄取桑田粟帛，竭底蘊以告，無求於當世，其孤幽之忠貞，危疑若此，而欲北定中原、復已亡之社稷也，不亦難乎？（卷十之十九）

⑩於是而知先主之知人而能任，不及仲謀遠矣。仲謀之於子瑜也、陸遜也、顧雍也、張昭也，委任之不如先主之於公，而信之也篤，豈不賢哉？先主習於申、韓而以教子，其操術也，與曹操同，其宅心也，亦彷彿焉。自非司馬懿之深姦，則必被掣曳而不能盡展其志略。故曰公志苦事難也。不然，公志自明，而奚假以言明邪。（卷十之十九）

世人論古今君臣相得之事，率多舉劉先生與諸葛亮以當之，三顧草廬，情好日篤，關羽張飛為之不悅，劉備嘗曰：「孤之有孔明，猶魚之有水也。」

而船山論之，以為諸葛亮之苦心，劉備多不能用，且劉備之信任諸葛亮，尤不如信任關羽張飛之深，甚至懷疑諸葛亮之兄諸葛瑾在吳，族弟諸葛誕在魏，以至在遺命託孤之時，也說出了「子不可輔，君自取之」之言，明是推誠，暗乃示警，則諸葛亮不得不椎心出血，死而後已，以示忠誠，故船山乃云，「先主之疑，蓋終身而不釋」也。

當關羽為呂蒙所害，先主流淚泣血，將自帥大軍，討伐東吳，趙雲諫之曰：「國賊、曹操，非孫權也，若先滅魏，則權自服」。又曰：「不應置魏，先與吳戰。兵勢一交，不得卒解，非策之上也。」故船山亦言：「嚮令先主以篤信羽者信公，聽趙雲之言，輟東征之駕，乘曹丕初篡，人心未固之時，連吳好以問中原，力尚全，氣尚銳，雖漢運已衰，何至使英雄之血，不洒於許、雒，而徒流於猇亭乎！公曰『漢賊不兩立』，悲哉其言之也！若先主者，則固非有宗社存亡之戚也」，蓋於劉先主及諸葛武侯，皆深為惋惜，而惋惜之重點，各有不同。

2. 論力勸劉備攻取四川之目的

王船山《讀通鑑論》云：

①夫欲有事於天下者，莫患乎其有恃也。已恃之矣，謀臣將帥恃之矣，兵卒亦恃之矣，所恃者險也，而離乎險，則喪其恃而智力窮。……然則諸葛勸先主據益州天府之

國，亦恃險矣，而得以存，又何也？先主之時，豫、兗、雍、徐已全為操之所有，而荊、揚又孫氏三世之所綏定，舍益州而無託焉，非果以夔門、劍閣之險，肥沃鹽米之藪，為可恃而恃之也。李特睨劍閣而歎曰：「劉禪有此而不知自存。」夫特亦介晉之亂耳，使其非然，則亦趙廞、李順而已。董璋、王建皆乘亂也，豈三巴巖險之足以偷安兩世哉！（卷九之二三）

② 且形勢者，不可恃者也。荊州之兵利於水，一踰楚塞出宛、雒而氣餒於平陸；益州之兵利於山，一踰劍閣出秦川而情搖於廣野。恃形勢，而形勢之外無恃焉，得則僅保其疆域，失則祇成乎坐困。以有恃而應無方，姜維之敗，所必然也。當先主飄零屢挫、託足無地之日，據益州以為資，可也，從此而畫宛、雒、秦川之兩策，不可也。陳壽曰：「將略非其所長。」豈盡誣乎？（卷九之二五）

③ 諸葛公之始告先主也，曰：「天下有變，命一上將將荊之軍以向宛、雒，將軍身率益州之眾出於秦川。」其後先主命關羽出襄、樊而自入蜀，先主沒，公自出祁山以圖關中，其略定於此矣。是其所為謀者，皆資形勢以為制勝之略也。蜀漢之保有宗社者數十年在此，而卒不能與曹氏爭中原者亦在此矣。（卷九之二五）

漢獻帝建安十二年，劉備在荊州，往訪諸葛亮，凡三往，乃得見，亮為陳述天下大事，以曹操擁百萬之眾，挾天子而令諸侯，此誠不可與爭鋒，孫權據有江東，已歷三世，可與為援，而不可圖，荊州乃用武之國，益州天府之土，若「跨有荊益」、「結好孫權」，則「霸業可成，漢室可興」。

赤壁之戰以後，劉備借居荊州，故諸葛亮力勸劉備攻取益州（四川），益州雖遠在西南，但是，自古為天府之國，土地肥沃，物產豐富，加以地勢險峻，易守難攻，出而可以爭衡天下，退而可以自保無失，此為其優點。但是，益州距離中原一帶，畢竟是遠居邊陲，地勢封閉，是以船山先生以為，「當先主飄零屢挫，託足無地之日，據益州以為資，可也，從此而畫雒、秦川之兩策，不可也」，則也是不爭的事實。

要之，諸葛亮勸劉先主攻取四川，意在據險而守，綿延漢室之宗社，但是，如果據此而出，用以爭衡天下，則其勢將有所不足，其實，這種形勢關係，諸葛亮是早已瞭然於自己的心中，只是形勢逼人，已別無更佳的選擇了。

3. 論聯吳抗魏政策之執行

王船山《讀通鑑論》云：

> ①欲合孫氏於昭烈以共圖中原者，魯肅也，欲合昭烈於孫氏以共拒曹操者，諸葛孔明也，二子者守之終身而不易。子敬以借荊資先主，被仲謀之責而不辭，諸葛欲諫先主之東伐，難於盡諫，而歎法正之死。蓋吳則周瑜、呂蒙亂子敬之謀，蜀則關羽、張飛破諸葛之策，使相信之主未免相疑。然二子者，終守西弔劉表東乞援兵之片言，以為金石之

固於心而不能自白，變故繁興之日，微二子而人道圮矣。（卷九之二大）

②且以大計言之，周瑜、關羽競一時之利，或得或喪，而要適以益曹操之凶；魯、葛之謀，長顧遠慮，非瑜與羽徼利之淺圖所可測，久矣。兵之初起也，羣雄互角，而探挾天子四面應之而皆碎。此無異故，呂布倏彼倏此而為眾所同嫉，袁術則與袁紹離矣，袁紹則與公孫瓚競矣，袁譚、袁尚則兄弟相讎殺矣，韓遂則與馬超相疑矣，劉表雖通袁紹，視紹之敗而不恤矣，皆自相滅以授曹氏之滅之也。今所僅存者孫、劉，而又相尋於干戈，其不內潰以折入於曹操也不能。則魯、葛定交合力以與操爭存亡，一時之大計無有出於此者。晉文合宋、齊以敗楚，樂毅結趙、魏以破齊，漢高連韓、彭、英布而摧項，已事之師，二子者籌之熟而執之固。瑜與羽交起而亂之，不亦悲乎！（卷九之二六）

③關羽，可用之材也，失其可用而卒至於敗亡，昭烈之驕之也，私之也，非將將之道也。故韓信之稱高帝曰：「陛下能將將。」能將將而取天下有餘矣。先主之入蜀也，率武侯、張、趙以行，而留羽守江陵，以羽之可信而有勇。夫與吳在離合之間，而恃篤信乎我以矜勇者，可使居二國之間乎？定孫、劉之交者武侯也，有事於曹，而不得復開釁於吳。為先主計，莫如留武侯率雲與飛以守江陵，而北攻襄、鄧；取蜀之事，先主以自任有餘，而不必武侯也。然而終用羽者，以同起之恩私，矜其勇而見可任，而不知其忮吳怒吳，激孫權之降操，而魯肅之計不伸也。（卷九之三五）

④吳、蜀之好不終，關羽以死，荊州以失，曹操以乘二國之離，無忌而急於篡，關羽安能逃其責哉！羽守江陵，數與魯肅生疑貳，於是而諸葛之志不宣，而肅亦苦矣。肅以歡好撫羽，豈私羽而畏昭烈乎？其欲並力以抗操，匪舌是出，而羽不諒，故以知肅心之獨苦也。（卷九之三三）

⑤羽爭三郡，貪忿之兵也，肅猶與相見，而秉義以正告之，羽無辭以答，而悻悻不忘，豈盡不知肅之志氣與其苦心乎？昭烈之敗於長坂，羽軍獨全，曹操臨江，不能以一矢相加遺。而諸葛公東使，魯肅西結，遂定兩國之交，資孫氏以破曹，羽不能有功，而功出於亮。劉錡曰：「朝廷養兵三十年，而大功出一儒生。」羽於是以忌諸葛者忌肅，因之忌吳，而葛、魯之成謀，遂為之滅裂而不可復收。（卷九之三三）

⑥然而肅之心未遽忿羽而墮其始志也，以義折羽，以從容平孫權之怒，尚冀吳、蜀之可合，而與諸葛相孚以制操耳。身遽死而授之呂蒙，權之忮無與平之，羽之忿無與制之，諸葛不能力爭之隱，無與體之，而成謀盡毀矣。肅之死也，羽之敗也。操之幸，先主之孤也。悲夫！（卷九之三三）

⑦故孫、劉之不可不合，二子之見義為已審也。其信也，近於義而可終身守者也。先主沒，諸葛遽修好於吳，所惜者，肅先亡耳，不然，尚其有濟也。乃其無濟矣，二子之惇信，固以存人道於變故繁興之世者也。（卷九之二七）

⑧丕之逆也，權之狡也，先主之愎也，皆保固爾後而不降天罰，以其知止而能息民

也。逆與狡，違道甚矣，而惟愎尤甚。先主甫即位而興伐吳之師，毒民以逞，傷天地之心，故以漢之宗支而不敵篡逆之二國。先主殂，武侯秉政，務農殖穀，釋吳怨以息民，然後天下粗安。蜀漢之祚，武侯延之也，非先主之所克勝也。（卷九之六）

⑨以先主紹漢而繫之正統者，為漢惜也，存高帝誅暴秦、光武討逆莽之功德，君臨已久，而不忍其亡也。若先主，則惡足以當此哉？（卷十之三）

⑩光武之始起也，即正討莽之義，而誓死以挫王邑、王尋百萬之眾於昆陽，及更始之必不可為君而後自立，正大而無慚於祖考也。而先主異是。其始起也，依公孫瓚，依陶謙，以與人爭戰，既不與於誅卓之謀；抑未嘗念袁紹、曹操之且篡，而思撲之以存劉氏；董承受衣帶之詔，奉之起兵，乃分荊得益而忘之矣。曹操王魏，己亦王漢中矣，曹丕稱帝，己亦帝矣；獻帝未死而發其喪，蓋亦利曹丕之弒而己可為名矣；費詩陳大義以諫而左遷矣；是豈誓不與賊俱生而力為高帝爭血食者哉？（卷十之三）

⑪承統以後，為人子孫，則亡吾國者，吾不共戴天之讎也。以苻登之孤弱，猶足以一逞，而先主無一矢之加於曹氏。即位三月，急舉伐吳之師，孫權一驃騎將軍荊州牧耳，未敢代漢以王，而急修關羽之怨，淫兵以逞，豈祖宗百世之讎，不敵一將之私忿乎。先主之志見矣，乘時以自王而已矣。（卷十之三）

⑫故為漢而存先主者，史氏之厚也。若先主，則固不可以當此也。羿篡四十載而夏復興，莽篡十五年而漢復續，先主而能枕戈寢塊以與曹丕爭生死，統雖中絕，其又何傷？

尸大號於一隅，既殂而後諸葛有祁山之舉，非先主之能急此也。司馬溫公曰：「不能紀其世數。」非也。世數雖足以紀，先主其能為漢帝之子孫乎？（卷十之三）

王船山曾經說過，「蜀漢之義正，魏之勢強，吳介其間，皆不敵也，而角立不相下，吳有人焉，足與諸葛頡頏。」吳國最有見識之人，應以魯肅為代表，知「孫劉之不可不合」，魯肅與諸葛亮訂下了孫劉同盟抗曹的大計，二人相忍為國，識見遠大，但不幸為周瑜、呂蒙、關羽、張飛等人意氣之爭，過激的行為所破壞，可惜之至，尤可惜者，魯肅早卒，故船山先生曰：「肅之死也，羽之敗也。操之幸，先主之孤也，悲夫！」

對於曹丕、孫權、劉備、船山分別以「逆、狡、愎」三字評之，而對於劉備之固執剛愎，尤為不滿，以為「先主甫即位而興伐吳之師，毒民以逞，傷天地之心」，「豈祖宗百世之讎，不敵一將之私忿乎！」責備極為嚴厲。

船山甚至忿而批評，「為漢而存先主者，史氏之厚也，若先主，則固不可以當此也」，以為史書記載劉備是漢代帝王之宗裔，只是史家忠厚存心的用意，「而先主無一矢之加於曹氏，即位三月，急舉伐吳之師」，司馬光在《資治通鑑》中評論先主說，「不能紀其世數」，船山卻以為，「非也，世數雖足以紀，先主其能為漢帝之子孫乎！」義極正而辭極嚴。

4. 論討伐曹魏路徑之奇正

王船山《讀通鑑論》云：

①以形勢者，出宛、雒者正兵也，出秦川者奇兵也，欲昭烈自率大眾出秦川，而命將向宛、雒，失輕重矣。關羽之覆於呂蒙，固意外之變也，然使無呂蒙之中撓，羽即前而與操相當，羽其〔能〕制操之死命乎？以制曹仁而有餘，以敵操而固不足矣。宛、雒之師挫，則秦川之氣楞，而惡能應天下之變乎？（卷九之二五）

②乃公之言此也，以宛、雒為疑兵，使彼拒我於宛、雒，而乘間以取關中，此又用兵者偶然制勝之一策，聲東擊西，搖惑之以相牽制，乘倉猝相當之頃，一用之而得志耳。未可守此以為長策，規之於數年之前，而恃以行之於數年之後者也。敵一測之而事敗矣。謀天下之大，而僅恃一奇以求必得，其容可哉？善取天下者，規模定乎大全，而奇正因乎時勢。故曹操曰：「任天下之智力，以道馭之，無所不可。」操之所以自許為英雄，而公乃執一可以求必可，非操之敵矣。（卷九之二五）

③孔明之北伐也，屢出而無功，以為司馬懿之力能拒之，而早決大計於一言者，則孫資也。漢兵初出，三輔震驚，大發兵以迎擊於漢中，庸詎非應敵之道，乃使其果然，而魏事去矣。漢以初出之全力，求敵以戰，其氣銳，魏空關中之守，即險以爭，其勢危，皆敗道也。一敗潰而漢乘之，長安不守，漢且出關以搗宛、雒，是高帝破項之故轍，魏惡得而不危？資籌之審矣，即見兵據要害，敵即盛而險不可踰，據秦川沃野之粟，坐食而制之，雖孔明之志銳而謀深，無如此漠然不應者何也。資片言定之於前，而拒諸葛，挫姜維，收效於數十年之後，司馬懿終始所守者此謀也。（卷九之十一）

④魏延請從子午谷直搗長安，正兵也，諸葛繞山而西出祁山，趨秦、隴，奇兵也。高帝舍棧道而出陳倉，以奇取三秦，三秦之勢散，拊其背而震驚之，而魏異是。非堂堂之陣直前而攻其堅，則雖得秦、隴，而長安之守自有餘。魏所必守者長安耳，長安不拔，漢固無如魏何。而迂回西出，攻之於散地，魏且以為是乘間攻瑕，有畏而不敢直前，則敵氣愈壯，而我且疲於屢戰矣。夏侯楙可乘者，魏見漢兵累歲不出而志懈，卒然相臨，救援未及，小得志焉；彌旬淹月，援益集，守益固，即欲拔一名都也且不可得，而況魏之全勢哉？故陳壽謂應變將略非武侯所長，誠有謂已。（卷九之十二）

⑤而公謀之數年，奮起一朝，豈其不審於此哉？果畏其危也，則何如無出而免於疲民邪？夫公固有全局於胸中，知魏之不可旦夕亡，而後主之不可起一隅以光復也。其出師以北伐，攻也，特以為守焉耳。以攻為守，而不可示其意於人，故無以服魏延之心而貽之怨怒。（卷十之十二）

⑥秦、隴者，非長安之要地，乃西蜀之門戶也。天水、南安、安定，地險而民強，誠收之以為外蔽，則武都、陰平在懷抱之中，魏不能越劍閣以收蜀之北，復不能繞階、文以搗蜀之西，則蜀可鞏固以存，而待時以進，公之定算在此矣。公沒蜀衰，魏果由陰平以襲漢，夫乃知公之定算，名為攻而實為守計也。（卷十之十二）

⑦公之始為先主謀曰：「天下有變，命將出宛、雒，自嚮秦川。」惟直指長安，則與宛、雒之師相應，若西出隴右，則與宛、雒相去千里之外，首尾斷絕而不相知。以是知

祁山之師，非公初意，主闇而敵強，改圖以為保蜀之計耳。公蓋有不得已焉者，特未可一一與魏延輩語也。（卷十之十二）

⑧武侯遺令魏延斷後，為蔣琬、費禕地也。李福來請，公已授蜀於琬、禕。而必不可使任蜀者，魏延也。延權亞於公，而雄猜難御，琬未嘗與軍旅之任，而威望不隆，延先入而挾孱主，琬固不能與爭，延居然持蜀於掌腕矣。唯大軍退而延不得孤立於外，楊儀先入而延不得為主於中，雖憤激而成乎亂，一夫之制耳。（卷十之十八）

⑨延之亂也，不北降魏而南攻儀，論者謂其無叛心。雖然，豈可保哉？延以偏將孤軍，主帥死而乞活於魏，則亦司馬懿之屬吏而已矣，南轅而不北駕，不欲為懿下也。使其操全蜀之兵，制朝權而唯其意，成則攘臂以奪漢，不成將奉三巴以附魏，司馬懿不得折箠而馭之，其降其否，亦惡可諒哉？（卷十之十八）

⑩楊儀褊小之器耳，其曰「吾若舉軍就魏，寧當落度如此」。是則即為懿屈而不慚者。令先歸而延與姜維持其後，蔣琬談笑而廢之，非延匹也。於是而武侯之計周矣。故二將訌而於國無損。不然，將爭於內，敵必乘之，司馬懿之智，豈不能間二亂人以捲蜀，而何為斂兵以退也？（卷十之十八）

劉備三訪諸葛亮，亮為之分析天下大勢，是時，曹操孫權，已各據地利，因而勸劉備取荊州益州，「若跨有荊益」，「外結好孫權」，「天下有變，則令一上將將荊州之軍，以向宛洛」，

「將軍身率益州之眾，出於秦川，百姓孰敢不簞食壺漿，以迎將軍者乎，誠如是，則霸業可成，漢室可興矣。」及關羽不幸覆於呂蒙，荊州失守，而此策遂不克用。

劉備卒後，諸葛亮率師北伐，六出祁山，皆未能成功，而魏延請從子午谷直搗長安，其議不為諸葛亮所採用。船山先生以為，「魏延從子午谷直搗長安，正兵也，諸葛繞山而西出祁山，趨秦隴，奇兵也」。

考子午谷在今陝西省秦嶺山中，《長安志》云：「子午谷長六百六十里，北口曰子，在西安府南百里，南口曰午，在漢中府洋縣東一百六十里。」其後，魏將鍾會攻蜀，即由子午谷潛入漢中者也。

又考祁山在今甘肅省西和縣西北，諸葛亮北伐中原，取徑祁山，祁山距當時魏都長安，確係路途迂迴而又遙遠也。

船山先生以為，「魏所必守者長安耳，長安不拔，漢固無如魏何」，而「迂回西出，攻之於散地，魏且以為是乘間攻瑕，有畏而不敢直前，則敵氣愈壯，而我且疲於屢戰矣」，確為中肯之言。

但是，船山又以為，「公謀之數年，奮起一朝，豈有不審於此哉」，「夫公固有全局於胸中，知魏之不可旦夕亡，而後主之不可起一隅以光復也。」故「其出師北伐，攻也，特以為守焉耳」，「以是知祁山之師，非公初意」，「改圖以為保蜀之計也」，「公蓋有不得已焉者，特未可一一與魏延輩語也」。

諸葛亮聯吳伐魏之策，一敗於關羽荊州之失，再敗於先主伐吳之敗，國力已大非前比，又逢後主黯弱，此際而言討伐曹魏，興復漢室，已屬奢望，故其北伐，西出祁山，「攻也，特以為守焉耳」，而諸葛亮之內心苦矣。陳壽在《三國志》中批評諸葛亮「連年動眾，未能成功，蓋應變將略，非其所長歟」的話，也並非是真正了解諸葛武侯的評語。

(三) 結 語

王船山生當晚明清初，國家巨變之際，曾經參與抗清之師旅，失敗之後，隱居於湖湘一帶，終生不出，廣閱史籍，對於司馬光所纂之《資治通鑑》，用力尤多，別有所見之處，撰成《讀通鑑論》一書，抒發他對歷史事件與歷史人物的評論意見，所論多別具卓識，而能深中肯綮。

三國史事，蜀漢興亡，早已為人們所熟知，然而，在船山先生筆下，其評論多別具見解，所為議論，往往發人深省，令人感慨惋惜。諸葛武侯一生，忠於蜀漢，鞠躬盡瘁，死而後已，其心中之隱微深痛處，得船山先生為之發伏摘幽，也當益為世人所了解所崇敬焉。

二十三、比較新舊《唐書》中之〈柳宗元傳〉

(一)引　言

唐代古文運動，以韓愈與柳宗元二人為代表，但是，韓柳二人的生平際遇，卻大不相同。新舊《唐書》之中，都有韓愈、柳宗元二人的傳記，只是，在新舊《唐書》之中，〈韓愈傳〉的內容，頗為相同，篇幅也大致相當，但是，新舊《唐書》中的〈柳宗元傳〉，內容篇幅卻相距頗大。

本文的撰寫，即在比較新舊《唐書》中〈柳宗元傳〉之內容，並探討兩者內容所以書寫不同的原因。

(二)比　較

新舊《唐書》中之〈柳宗元傳〉，其內容相同者，約有以下幾項重點。

1.鄉里世系：河東人，祖先官爵，父柳鎮，為侍御史。宗元登進士第，為監察御史。

2.政治遭遇：順宗即位，王叔文、韋執誼用事，柳宗元參與，演變為八司馬事件，柳宗元被貶為永州司馬。

3.政治才華：元和十年，在柳州，改革鄉民以兒女質錢，久不得贖，淪為奴隸之陋規惡俗，深獲民心感激。

4.古文成就：贊之為一代宏才，似司馬遷。

新舊《唐書》中之〈柳宗元傳〉，其內容最不相同者，為《新唐書・柳宗元傳》中，收入了柳宗元所撰寫的四篇作品，而且，都是內容較為繁富，性質體裁都不甚相同的作品，這種情形，自然有其用意存在。以下，分別加以說明。

甲、《新唐書・柳宗元傳》中首先引用的是柳宗元的〈與蕭翰林俛〉，此書信原收在《柳河東集》卷三十中，為元和四年之作品，此信之重點為：

1.自言與王叔文、韋執誼等「罪人」交往，為眾人所怒，自己漸成為怪人。

2.敘說謫居南方，生活艱辛，心情痛苦之情形。

3.當今天子振興教化，海內歡愉，而自己與同僚被貶，淪落邊陲，乃命中注定。

4.聲言自己仍然努力，朝夕歌謠，撰成文章，期盼能夠成為聖唐大雅之作，增添歌頌之篇章。

乙、《新唐書・柳宗元傳》中，其次所引用的，是柳宗元的〈寄許京兆孟容書〉，也收在《柳河東集》卷三十五中，為元和四年之作品，此書之重點為：

1. 敘說自己與王韋相交，乃以「共立仁義，裨教化」，「興堯、舜、孔子之道，利安元元為務」，點出自己從事政治的目的。

2. 說明自己遠貶荒服，未有子息，無法歸省先人墓廬，自嘆立身一敗，萬事瓦裂，身殘家破，為世大僇。

3. 敘述自古賢士，被謗而不能自明者極多，並舉出歷史上十七個被謗者的事跡為例，以說明歷代許多毀謗者無中生有之事，以明己冤。

丙、《新唐書・柳宗元傳》中，第三篇所引用的是柳宗元的〈貞符〉，原收在《柳河東集》的卷一之中，為永貞元年或元和元年，初至永州時之作品。作品的重點是：

1. 駁斥董仲舒三代受命於天之說。

2. 強調唐朝乃正德受命於民心民意。

3. 敘述自聖人黃帝，以至堯舜禪讓，建立大公之制度，因而強調，「惟茲德，實受命之符」，方能「以奠永祀」。

4. 敘述自古以至大唐，其承傳之由，乃是「受命不于天，于其人，休符不于祥，于其仁」，強調世運所至，「惟人之仁，匪祥于天」，也更強調，「未有喪仁而久者也，未有恃祥而壽者也」。

丁、《新唐書・柳宗元傳》中，第四篇所引用的，是柳宗元的〈懲咎賦〉，原收在《柳河東集》的卷二之中，為元和三年在永州之作品。作品的重點是：

1. 言自己結交仁友，以堯舜為師。
2. 強調自己信心充沛，能經綸世務。
3. 敘說自己之政治遭遇，命途否塞。
4. 描寫南謫時沿途之艱辛情況。
5. 言慈母棄世，心傷不已。
6. 自信其志不誣，以大中之行為偶伴。

以上的四篇文章，都收在劉禹錫為柳宗元所編定的《柳河東集》之中，這四篇文章，就柳宗元而言，是作者主觀的心聲表白，在《新唐書・柳宗元傳》之中，卻很自然地轉化為史家客觀的評論，從而也促使讀者產生同情的力量，因此，就《新唐書》的撰者而言，也多少產生了借柳宗元的筆觸，寫自己之評論的作用。

(三) 結 語

《舊唐書》二百零三卷，署名後晉劉昫監修，實則出於史官張昭遠所撰。

《新唐書》二百二十五卷，乃宋代翰林學士歐陽修、龍圖閣學士宋祁刊修。本紀、志、表，多出歐陽修之手，列傳則為宋祁所撰。歐陽修與宋祁二人，皆雅擅古文辭，都有文集傳世。

趙翼《二十二史劄記》卷十八〈新書好用韓柳文〉有云：「歐宋二公，皆尚韓柳古文，故（宋）景文於《唐書》列傳，凡韓柳文可入史者，必採摭不遺。〈張巡傳〉，則用韓愈文，〈段秀實傳〉，則用柳宗元〈書逸事狀〉，〈吳元濟傳〉，則用韓愈〈平淮西碑〉文，〈張籍傳〉，又載愈〈答籍〉一書，〈孔戣傳〉，又載愈〈請勿聽致仕〉一疏。而於〈柳宗元傳〉，載其〈貽蕭俛〉一書，〈許孟容〉一書，〈貞符〉一篇，〈自儆賦〉一篇，可見其於韓柳二公有癖嗜也。」其實，宋祁於〈柳宗元傳〉，轉載柳氏四篇作品，不止為有「癖嗜」，實則乃另有其深刻之用意存在。

二十四、唐代酒價的推測

(一)引　言

本文之作，試圖推測唐代一般市售米酒的價格。

杜甫有「詩史」之稱，主要在於杜詩多寫時事，反映政治社會及民間狀況，可以補史證史之處甚多。此文先從杜甫言酒之詩入手，尋找當時酒價的基準點。

其次，此文借用當代學者全漢昇教授對於「唐代物價的變動」之研究，從七個物價變動時期的米價中，推測七個物價變動時期的酒價，所得的結果，雖然不能論斷唐代酒價的準確數字，但也可以推測出當時酒價變動的大略情況，可以作為瞭解唐代史事的一項助力。

最後，則根據唐代一般官員的薪俸所得，用以衡量唐代酒價是高是低是貴是賤的狀況。

(二)從杜甫詩中尋找酒價之基準點

杜甫是唐代的重要詩人，撰寫了數量龐大的詩篇，《舊唐書·文苑傳》記載，杜甫有詩集六十卷，即以流傳至今的詩作而言，已經超過一千四百餘首。

本文之作，先依據通行較廣的楊倫《杜詩鏡銓》，搜尋杜甫涉及飲酒的詩篇，作為推測唐代一般酒價的基準。

洪業先生等人在哈佛燕京學社所出版的《杜詩引得》，列出了杜詩中的「酒」字，一共出現了一百五十四次。而與本文關涉最重要的「酒價」，則出現了兩次，一次是在〈屏跡〉三首之第一首中，杜詩說：「衰顏甘屏跡，幽事供高臥，鳥下竹根行，龜開萍葉過。年荒酒價乏，日併園蔬課，獨酌甘泉歌，歌長擊樽破。」（見楊倫《杜詩鏡銓》卷九），此詩中只提到年荒世亂，缺乏購酒之錢鈔，但與本文所要討論的「酒價」，卻並無關係。另一次，則是出現在贈畢曜的一首詩中，楊倫《杜詩鏡銓》卷四〈偪側行贈畢曜〉云：

> 偪側何偪側，我居巷南子巷北。可恨鄰里間，十日不一見顏色。自從官馬送還官，行路難行澀如棘。我貧無乘非無足，昔者相過今不得。實不是愛微軀，又非關足無力，徒步翻愁官長怒，此心炯炯君應識。曉來急雨春風顛，睡美不聞鐘鼓傳。東家蹇驢許借我，泥滑不敢騎朝天。已令請急會通籍，男兒性命絕可憐。焉能終日心拳拳，憶君誦詩神懍然。辛夷始花亦已落，況我與子非壯年。街頭酒價常若貴，方外酒徒稀醉眠。徑須相就飲一斗，恰有青銅錢三百。[1]

杜甫一生，大約可以分為三個時期，第一個時期，自一歲至四十四歲（唐睿宗太極元年至玄宗天寶十四年，當西元七一二年至七五五年），是大亂以前奔波時期。第二個時期，自四十五歲至四十八歲，（唐肅宗至德元年至乾元二年，當西元七五六年至七六〇年），是離亂時期。第三個時期，自四十九歲至五十九歲，（唐肅宗上元元年至代宗大曆五年，當西元七六〇年至七七〇年），是寄居成都時期。杜甫〈偪側行贈畢曜〉一詩，作於唐肅宗乾元元年（西元七五八年），杜甫年四十七歲之時，杜甫時在長安，任左拾遺。畢曜為杜甫第三時期交遊之友人。[2]

偪側，意同逼窄，為生活艱辛，諸事不能如意，心情彆扭之貌，此詩言杜甫與友人畢曜，同在一地居住，相距不遠，但卻不能時時相見，由於自己送還官馬，出無車乘，依例有官職在身者又不得自行徒步外出，往訪友人，更增加心情的急迫，在憶及友人吟誦詩作之神情時，益發盼望友人能夠命駕來此相聚，何況時光飛逝，二人皆已俱非壯年，因此，決意藉酒消愁，命人往市上購酒，酒價雖貴，購得一斗，也可供二人相對一醉為快，這是詩中的大意，回到本文的重點，關鍵則在詩中提出了「酒價」的問題。

「徑須相就飲一斗，恰有三百青銅錢」，唐代前期政治安定，經濟發達，唐高祖李淵，開

1 楊倫：《杜詩鏡銓》卷四（臺北：華正書局，一九八一年），頁一九〇。

2 參見費海璣〈杜甫的交遊〉，載費著《文學研究續集》（臺北：臺灣商務印書館，一九七五年），及四川文史研究館所編輯之《杜甫年譜》（臺北：學海出版社影印，一九七八年）。

始以銅鑄造貨幣，稱為「開元通寶」，促進了唐代經濟的繁榮，這種錢幣，在歷史上也流行了久遠。只是，杜甫詩中所說的三百青銅錢購買一斗酒（十升為一斗），那種酒價，是否算是昂貴呢？是否就是當時一般的標準酒價呢？不免有人對此表示懷疑，王夫之《薑齋詩話》云：

「落人照大旗，馬鳴風蕭蕭」，豈以「蕭蕭馬鳴，悠悠旆旌」為出處邪？用意別，則悲愉之景原不相貸，出語時偶然湊合耳。必求出處，宋人之陋也。其尤酸迂不通者，既於詩求出處，抑即以詩為出處，考證事理。杜詩：「我欲相就沽斗酒，恰有三百青銅錢。」遂據以為唐時酒價。崔國輔詩：「與沽一斗酒，恰用十千錢。」就杜陵沽處販酒，向崔國輔賣，豈不三十倍息錢邪？求出處者，其可笑類如此。[3]

船山不贊成為詩歌尋找出處，更不贊成於詩求出處！甚至進而以詩為出處，以考證事理。因此，對於向杜詩斗酒三百錢的句中認定酒價，自然也是極不贊同的事情，他並舉出崔國輔的詩句，作為例證，用以反駁。《全唐詩》卷一百十九，收有崔國輔的五言古詩共三十七首，其中第二首〈雜詩〉云：「逢著平樂兒，論交鞍馬前，與酤一斗酒，恰用十千錢，後余在關內，作事多迍邅，何肯相救援，徒聞寶劍篇。」[4]崔國輔，吳郡人，開元中，應縣令舉，授許昌令，累遷集賢直學士，禮部員外郎，有詩一卷。崔詩言斗酒十千，十千為一萬，超過杜甫斗酒三百的十倍以上，故船山乃諷以可向杜甫沽酒處販酒，轉而可向崔國輔出售，牟取高利。

其實，在唐詩中，像崔國輔那樣「斗酒十千」的語句，並不少見，下面就舉出一些例子：

「金樽美酒斗十千，玉盤珍羞直萬錢」（李白〈行路難〉）
「共把十千沽一斗，相看七十欠三年」（白居易〈與夢得沽酒閒飲且約後期〉）
「十千提攜一斗，遠送瀟湘故人」（郎士元〈寄李袁州桑落酒〉）
「十千一斗猶賒飲，何況官供不著錢」（白居易〈自勸〉）
「若得奉君歡，十千求一斗」（陸龜蒙〈酒壚〉）

這些都是「斗酒萬錢」的例子。那麼，「斗酒十千」和「斗酒三百」，何者才是真實的酒價呢？這可以從文學與歷史兩個層面來看待。

先從文學的層面來看，「杜詩」或「唐詩」都是文學的作品，文學作品，常使用誇飾的手法，去描寫事物，因此，不但「斗酒十千」是誇飾的作品，「斗酒三百」也不見得就是真正的酒價。況且，「斗酒十千」的「十千」，也不是唐人始創，而是沿用前人的成語句典呢！曹植〈名都篇〉云：

我歸宴平樂，美酒斗十千。

古直《曹子建詩箋定本》卷三云：

---

3 王夫之：《薑齋詩話》（長沙：嶽麓書社《船山全書》本，一九九五年），頁八三五。
4 《全唐詩》（臺北：明倫出版社，一九七一年），頁一一九九。

《御覽》八百四十五引《典論》：「孝靈末，百司湎酒，酒千文一斗。」詩曰十千，極形其豪侈也。[5]

是則「斗酒十千」，不止是援用前人成語，而且，也如同李白的「白髮三千丈，緣愁似個長」（〈秋蒲歌〉）一樣，都只是詩人寫作時誇張的手法而已，不能誤認為是真實數量。

再從史實的層面來看，「斗酒十千」既然太過誇張，那麼，「斗酒三百」是否就是當時的酒價呢？清人汪中撰有〈釋三九〉一文，說道：

生人之措辭，凡一二之所不能盡者，則約之三以見其多，三之所不能盡者，則約之九以見其極多。此語言之虛數也。實數，可稽也，虛數，不可執也……推之十百千萬，固亦如此，故學古者通其語言則不膠其文字矣。[6]

劉師培《古書疑義舉例補》中有〈虛數不可實指之例〉一條，說道：

古籍以三字為形容眾多之詞，其數之最繁者，則擬以三百之數，以見其多，其數之尤繁者，則擬以三千之數，以見其尤多。[7]

既然，「三百」與「十千」一樣，都只是虛數而不可以實指其物，難道本文之作，好不容易從唐詩中大海撈針似地撈出了兩個數目字，卻都不能實際指陳加以應用，難道本文的工作也便繼續不下去，到此為止嗎？

推測酒價，有數字總比沒有數字好些，因此，姑就唐人詩歌代表的李白杜甫二人，從他們二人性格及詩風的豪放與謹嚴作為衡量，我們仍然選擇了杜甫「斗酒三百」，作為推測唐代酒價的第一個基準數字，因為有了它的指標性作用，才能去繼續本文的撰寫工作。

(三)從其他史籍中推測酒價及變遷

從其他的史籍中推測唐時酒價的情況，我們仍然可以從杜甫詩中入手，清人仇兆鰲《杜詩詳注》卷六於〈偪側行轉畢四曜〉一詩下注引趙次公云：

> 真宗問近臣，唐酒價幾何？眾莫能對。丁謂奏曰：「每斗三百文。」帝問何以知之，丁引此詩以對，帝大喜曰：「子美真可謂一代之史。」[8]

宋真宗向近臣詢問唐時的酒價，丁謂（晉公）據杜甫〈偪側行贈畢四曜〉詩，回答是每斗三百文（一文即一錢），引起真宗的欣喜與稱讚。仇兆鰲於《杜詩詳注》此詩又引黃鶴云：

---

5 古直：《曹子建詩箋定本》卷三，頁六八。見國立編譯館《層冰堂五種》（一九八四年）。

6 汪中，〈釋三九〉，見《汪中集》卷二（臺北：中央研究院中國文哲研究所，二〇〇〇年），頁七二。

7 劉師培：《古書疑義舉例補》，見《劉申叔先生遺書》第一冊（臺北：大新書局，一九六五年），頁五〇四。

8 仇兆鰲：《杜詩詳汪》卷六（臺北：里仁書局，一九八〇年），頁四六八。

> 按《唐・食貨志》，唐初無酒禁，乾元二年，京師酒貴，肅宗以廩食方缺，乃禁京城酤酒。建中三年，置肆釀酒，斛收值三千。貞元二年，斗錢百五十。真宗問唐時酒價，丁晉公引此詩以對，丁蓋知詩而未知史也。[9]

杜甫言「斗酒三百」，是詩歌，是文學作品，〈食貨志〉是正史，所以，說丁謂「知詩而不知史」，自然是事實。只是，杜甫詩既稱是「詩史」，作為補史證史之用，自然可行，只看讀者是如何應用而已。至於黃鶴所引《唐・食貨志》之言，確實是一條極有價值的指引，《新唐書・食貨志》云：

> （肅宗）乾元元年（西元七五八年），京師酒貴，肅宗以廩食方缺，乃禁京城酤酒，期以熟麥如初，二年，饑復禁酤，非光祿祭祀燕蕃客不御酒。（代宗）廣德二年（西元七六五年，定天下酤戶，以月收稅。（德宗）建中元年（西元七八一年）罷之。三年，復禁民酤，以佐民費，置肆釀酒，斛收直三千，州縣總領醨薄，私釀者論其罪，尋以京師四方所湊，罷榷。（德宗）貞元二年（西元七八六年），復禁京城畿縣酒，天下置肆以酤者，斗錢百五十，免其傜役，獨淮南忠武宣武河東榷麴而已。（憲宗）元和六年（西元八〇六年），罷京師酤肆，以榷酒錢，隨兩稅青苗斂之，（文宗）大和八年（西元八三四年），遂罷京師榷酤。[10]

《新唐書・食貨志》這一段記載，將唐肅宗至唐文宗之間的這一時期，酒的私釀與官賣（榷者專賣之義）的變動情形，敘述得極為詳細。

另外，《舊唐書・食貨志》云：

（德宗）建中三年（西元七六〇年）初，榷酒，天下悉令官釀，斛收直三千，米雖賤，不得減二千，委州縣綜領醨薄，私釀，罪有差，以京師王者都，特免其榷。（憲宗）元和六年，（西元八〇六年）六月，京兆府奏，榷錢除出正酒戶外，一切隨兩稅青苗，據貫均率。[11]

又《唐會要》卷八十八記載：

（德宗）貞元二年（西元七八六年）十二月，度支奏請於京城及畿縣行榷酒之法，每斗榷酒錢百五十文，其酒戶與免雜差役，從之。[12]

《舊唐書・食貨志》與《唐會要》的記載，也可以補充《新唐書・食貨志》的記載。

9 仇兆鰲：《杜詩詳注》卷六（臺北：里仁書局，一九八〇年），頁四六八。
10 歐陽脩：《新唐書》卷四十四〈食貨志〉（臺北：鼎文書局，一九九二年），頁一三八一。
11 劉昫：《舊唐書》卷四十九〈食貨志下〉（臺北：鼎文書局，一九九二年），頁二一三〇。
12 王溥：《唐會要》卷八十八（臺北：中文出版社，一九七八年），頁一六〇七。

關於唐代「酒價」的問題，前述三種史籍，敘說了兩個關鍵數字，一是德宗，建中三年（西元七八三年）的一斛售價三千（折合一斗，則是三百）。一是德宗貞元二年（西元七八六年）的一斗一百五十元。這兩個酒價的數字，都與杜甫〈偪側行贈畢曜〉詩中所說的「斗酒三百」，或相同，或相距不太遠。

在前文中，我們曾以杜甫所說的「斗酒三百」，作為推測唐代酒價的第一個基準點，至此，我們也可以上述三種史籍中所說的「斗酒一百五十」，作為推測唐代酒價的第二個基準點，在三百文與一百五十文之間，去推測唐代的酒價。

仇兆鰲《杜詩詳注》於杜詩〈偪側行贈畢曜〉引明人王嗣奭《杜臆》云：

> 北齊盧思道嘗云：「長安酒錢，斗價三百。」此詩酒價苦貴，乃實語，三百青錢，不過襲用成語耳。舊注不引盧說而引丁說，何也？又有引李白「金陵美酒斗十千」之句，疑李杜同時，酒價頓異，豈知李亦襲用曹子建詩成語也。酒有美惡，錢有貴賤，豈可為準。[13]

王嗣奭所謂的「酒有美惡，錢有貴賤」，極為正確，唐代約三百年間，酒價因時因地，因其種類品質，而有不同的價格，這是極其自然情形。

全漢昇教授撰有〈唐代物價的變動〉[14]一文，分析了唐代約三百年的時間裡，物價有四個上漲的時期，有三個下落的時期。並且徵引了許多史料，說明在這七個時期之中，「米價」漲跌的情形。

1.唐初物價的上漲

唐代開國以後十年（約在西元六一八年至六二七年），因承接隋代幾次對外用兵之後，物價上漲，米價由每斗數百錢，漲到每斗三千錢，甚至每斗萬錢的駭人地步。

2.太宗高宗間物價的下滑

從太宗初年到高宗前期（約在西元六二九年至六六六年），政治修明，經濟蓬勃，農產豐碩，物價低廉下滑，米價每斗曾跌至五錢，三四錢，甚至兩錢的極低價格。

3.武周前後物價的上漲

從高宗後期到玄宗即位之前（約在西元六六七年至七一二年），由於錢幣貶值，水旱災不時發生，物價有上漲之勢，米價每斗漲至二百二十錢，三百錢，甚至四百錢的高價。

4.開元天寶間物價的下滑

玄宗開元天寶年間（約在西元七一三年至七五五年），政治昇平，經濟繁榮，物價低廉，是詩人歌頌讚美的時代，人民生活最為富裕，米價跌至每斗十三錢，二十錢的極低價格。

13　仇兆鰲：《杜詩詳注》卷六（臺北：里仁書局，一九八〇年），頁四六九。又參見曹樹銘：《杜臆增校》卷二（臺北：藝文印書館，一九七一年），頁一〇二。

14　全漢昇：〈唐代物價的變動〉，見《中央研究院歷史語言研究所集刊》第十一本（一九四三年），頁一〇一至一四八。又收入全教授所著《中國經濟史研究》（香港：新亞研究所，一九九一年）。

5.安史亂後物價的上漲

安史之亂（約在西元七五六年至七八五年），發生在天寶十四年，漁陽鼙鼓，指向洛陽長安，農工商業，遭到破壞，物價急速高漲，米價也隨之高漲，每斗漲至一千錢，一千五百錢，甚至高至每斗七千錢的價格。

6.兩稅法實行後物價的下落

從德宗貞元元年到宣宗大中年間（約在西元七八五年至八四七年），由於德宗採用楊炎創立的兩稅法，規定人民向政府繳納夏秋兩稅，不用實物，改以錢幣繳納，不能再以穀米絹帛等實物繳納，錢幣因需要而價值增高，粟帛等實物，反因需要減少而價格降低，物價隨之下降，米價低至四十錢，二十錢，甚至有值二錢者。

7.唐末物價的上漲

唐代最後的四五十年（約在西元八六〇年至九〇七年），戰亂連年，災荒頻仍，物價又再度急升，米價漲至每斗二百錢，甚至每斗三十千的不可思議的價格。

全漢昇教授在〈唐代物價的變動〉一文之中，將唐代物價的變動情形，分為七個時期，說明物價上漲或下滑的情形，並且徵引許多史料，說明在這七個時期之中，「米價」漲跌的情形，米是人們的主食，說明米價的變動情形，自然是重要的事情，但是，米也是「釀酒」的原料，酒價自然也會隨著米價的高低而有所變動，因此，我們也可以由「米價」的高低去推測「酒價」的情況。

杜甫生於唐睿宗先天元年，卒於唐代宗大曆五年（西元七一二年至七七〇年），享年五十九歲。杜甫一生，大約可分為三個時期，第一個時期，自一歲至四十歲，是在亂世中奔波的時期。第二個時期，自四十五歲至四十八歲，是在長安一帶的離亂時期。第三個時期，自四十九歲至五十九歲，是寄居在成都的時期。（說已見前）

〈偪側行贈畢曜〉一詩，作於杜甫四十七歲（肅宗乾元元年，西元七五八年）之時，正值安史之亂嚴重的時候，（唐玄宗天寶十四年，西元七五五年，安祿山反叛，西元七五六年，肅宗即天子位，西元七五七年，安祿山死，西元七五九年，史思明死，西元七六二年，肅宗及玄宗崩）。因此，杜甫〈偪側行贈畢曜〉一詩，寫作前後的背景，正是安史之亂初起不久，政局混亂，極其嚴重，尚未平定之前的一段時間。也是全漢昇教授所分析的唐代物價變動所指的由第四個時期「開元天寶間物價的下滑」，轉變到第五個時期，「安史亂後物價的上漲」之間的轉變關鍵時期。在這關鍵時期，物價米價由極度低廉急轉為居高不下的情況，是極為嚴重的。杜甫詩中所說，「徑須相就飲一斗，恰有青銅錢三百」，酒價是一斗三百錢。米是酒的原料，酒是米釀的成品，但是，以米製酒，基本上要經過製麴、投料、發酵、濾酒和加熱等幾個步驟，除了以米作為原料之外，還要加上不少其他原料及製作過程，才能得到新釀成功的米酒。因此，如果說，酒價按照常情，應比米價高出三分之一到二分之一左右，應是可以接受的推測，那麼，杜甫當時所說的「斗酒三百」，折換原料米價，應是二百錢至一百五十錢之間，這與全漢昇教授所分析的唐代物價變動的第四至第五個時期，物價的變動情形，以及當時米價在兩個時期之間的變動情形，也大致可以符合，至少也並無太大的衝突。

米是釀酒的原料，酒是米所加工的釀成品，根據全漢昇教授所指出的唐代七個物價變動時期的米價，我們在此作一大膽的推測，以為一斗酒的價格至少需要一斗米的價格加上三分之一斗的米價，或者是加上二分之一斗的米價，才大略可能接近當時一斗酒的價格。根據這一推測，得出一項公式如下。

$$酒價（斗）＝米價（斗）＋（米價\times\frac{1}{3}）\text{ or }$$
$$米價（斗）＋（米價\times\frac{1}{2}）$$

以下，即以此一公式去推測唐代物價變動七個時期酒價的高低差別價格如下：（酒價皆以每斗計算，價格皆以每錢或每文計算，酒價計算以整數計算，不用小數點。）

1. 唐初物價上漲時期之酒價

$300＋（300\times\frac{1}{3}）＝300＋100＝400$（錢）　低價位

$300＋（300\times\frac{1}{2}）＝300＋150＝450$（錢）　低價位

$3000＋（3000\times\frac{1}{3}）＝3000＋1000＝4000$（錢）　高價位

$3000+(3000\times\frac{1}{2})=3000+1500=4500$（錢） 高價位

2.太宗初年到高宗前期之酒價

$3+(3\times\frac{1}{3})=3+1=4$（錢） 低價位

$3+(3\times\frac{1}{2})=3+1.5=4.5$（錢） 低價位

$5+(5\times\frac{1}{3})=5+2=7$（錢） 高價位

$5+(5\times\frac{1}{2})=5+3=8$（錢） 高價位

3.武周前後物價上漲時期之酒價

$220+(220\times\frac{1}{3})=220+70=290$（錢） 低價位

$220+(220\times\frac{1}{2})=220+110=330$（錢） 低價位

$400+(400\times\frac{1}{3})=400+133=533$（錢） 高價位

$400+(400\times\frac{1}{2})=400+200=600$（錢） 高價位

4.開元天寶間物價下滑時期之酒價

$13+(13\times\frac{1}{3})=13+4=17$（錢）　低價位

$13+(13\times\frac{1}{2})=13+7=20$（錢）　低價位

$20+(20\times\frac{1}{3})=20+7=27$（錢）　高價位

$20+(20\times\frac{1}{2})=20+10=30$（錢）　高價位

5.安史亂後物價上漲時期之酒價

$1000+(1000\times\frac{1}{3})=1000+333=1333$（錢）　低價位

$1000+(1000\times\frac{1}{2})=1000+500=1500$（錢）　低價位

$7000+(7000\times\frac{1}{3})=7000+2333=9333$（錢）　高價位

$7000+(7000\times\frac{1}{2})=7000+3500=10500$（錢）　高價位

6.兩稅法實行後物價下落時期之酒價

$20+(20\times\frac{1}{3})=20+7=27$（錢） 低價位

$20+(20\times\frac{1}{2})=20+10=30$（錢） 低價位

$40+(40\times\frac{1}{3})=40+13=43$（錢） 高價位

$40+(40\times\frac{1}{2})=40+20=60$（錢） 高價位

7. 唐末物價上漲時期之酒價

$200+(200\times\frac{1}{3})=200+70=270$（錢） 低價位

$200+(200\times\frac{1}{2})=200+100=300$（錢） 低價位

$3000+(3000\times\frac{1}{3})=3000+1000=4000$（錢） 高價位

$3000+(3000\times\frac{1}{2})=3000+1500=4500$（錢） 高價位

以上依據全漢昇教授分析唐代物價變動七個時期的「米價」情況，推測七個時期的「酒價」情況，也許可以略供參考之用。

(四) 從士大夫的薪俸衡量唐代酒價的貴賤

酒價的漲落，影響到民眾購買的意願，而民眾收入的多寡，也關係到購酒的能力。以下，姑且就唐代一般士大夫階級的薪俸收入，枚舉例證，衡量一下唐代酒類價格的貴賤情況。

唐代的政治制度，據《唐書・職官志》及《新唐書・百官志》所載，分為中央與地方兩大類。

甲、在中央方面

有輔導之官，置太師、太傅、太保各一員，謂之三師，並正一品。又置太尉、司徒、司空各一員，謂之三公，並正一品。

有主政之官，置宰相一人，正一品。下設中書省、門下省，尚書省等政務三省。又設秘書省、殿中省、內侍省等侍從三省。

乙、在地方方面

有州、縣二級之制，另有府制，與州同為一級，府州縣，又各有上中下之分，官員品秩，也有分別。

唐代官員，自中央至地方，遂有九品之分。

宋王溥《唐會要》卷九十一〈內外官料錢上〉記載，玄宗開元二十四年（西元七三六年）六月二十三日勅：「百官料錢，宜合為一色，都以月俸為名，各據本官，隨月給付，其貯粟宜令入祿數同申，應合減折及申請時限，並依常式。」[15]在此節中，《唐會要》也錄出了九品官員不同的月俸。

以下，我們舉出了時代相近的幾位唐代詩人，由他們曾經擔任過的官爵，推尋他們當時的俸祿情況，作為士大夫薪俸的例子。

杜甫（西元七一二—七七〇年）曾任中書省右拾遺（從八品上），工部員外郎（唐代尚書各司置員外郎一人，皆為正職，官爵次於郎中，屬從六品上）。

韓愈（西元七六八—八二四年）曾任國子博士（正五品上），吏部侍郎（正四品下）。

柳宗元（西元七七三—八一九年）曾任監察御史（正八品下），柳州刺史（正四品下）。

白居易（西元七七二—八四六年）曾任刑部侍郎（正四品下），杭州刺史（從三品）。

元稹（西元七七九—八三一年）曾任工部侍郎（正四品下），蘇州刺史（從三品）。

這幾位詩人，看他們的官爵，至少也應該是中等以上的職務，他們的薪俸，應該也標示著中產以上階層的收入狀況。

王溥《唐會要》卷九十一〈內外官料錢上〉記載：

> 四品，一十一千八百六十七文，月俸四千五百，食料七百，防閣六千六百文，雜用六百文。
>
> 五品，九千二百，月俸三千，食料六百，防閣五千，雜用五百文。

15 王溥：《唐會要》卷九十一〈內外官料錢上〉（臺北：中文出版社，一九七八年），頁一六五四。

六品，五千三百，月俸二千三百，食料四百，庶僕二千二百，雜用四百文。

下面用阿拉伯數字將前述四品、五品、六品官員的薪俸表示出來：

四品　11867＋4500＋700＋6600＋600＝26247（文）

五品　9200＋3000＋600＋5000＋500＝18300（文）

六品　5300＋2300＋400＋2200＋400＝10600（文）

另外，在九品官員的薪俸之中，最高一品官員的薪俸是六二〇〇〇（文），而最低九品官員的薪俸是四二八四（文）。一品官的薪俸是九品官員薪俸的十四倍多。至於前述幾位詩人官員，他們平均的薪俸，以五品計算是一八三〇〇（文），作為一個中數，上與一品官員的薪俸，相差約三倍，下與九品官員的薪俸，高出約四倍。（玄宗開元年間，是唐代的太平盛世，由這一士大夫的薪俸結構中，似乎可以窺見一斑）。

討論唐代的酒價，如果我們以上節所推測到的唐代酒價的數字，應在每斗三百錢與一百五十錢之間上下游動的話，那麼，以唐代一般士大夫（如前述幾位詩人）的薪俸而言，則酒價究竟是貴是賤，也大略可以顯現出端倪。

唐代各級官員的薪俸，隨著時代的轉變，也會有所變更，即使同一時代，中央政府官員與地方政府官員的薪俸，也有所差異，陳寅恪先生撰有〈元白詩中俸料錢的問題〉[16]一文，指出唐代「內外官吏同一時間，同一官職，而俸料亦因人因地而互異」，可資參考。

(五) 結語

以米價折換酒價，自然也有不可避免的缺點，因為，大體而言，米只有一種，而酒卻不只一種，米酒之外，有各種各樣水果釀製而成的水果酒，同時，米雖然也有好壞之分，但上等米與中等米，彼此之間，價格的差別，並不太大，而酒有多種，上等酒與普通酒之間的價差，卻極為巨大。這裡只能專就一般市售民間經常飲用的米酒作出討論。由於唐代物價變動的七個時期，米價有明確的文獻記載，但是，酒價卻沒有類似明確的文獻記載，因此，在不得已的情形下，以米價來折換成為一般民間經常飲用的米酒價格，仍然是一種可以嘗試的方法。

因此，杜甫詩中所說「斗酒三百錢」，應該是反映了安史亂前酒價漸漲時期的價格，而德宗貞元二年（西元七八六年）所計述的斗酒一百五十錢，則是德宗實施兩稅法以後較低的酒價。

此外，依據全漢昇教授分析唐代物價變動七個時期的米價，進行折換，則唐代物價變動高低不同的酒價，也大致可以推測得知，這些情形，都可以提供給研究唐代歷史者，做為參考之用。

16 陳寅恪：〈元白詩中俸料錢問題〉，載《金明館叢書二編》（北京：三聯書局，二〇〇一年），頁六五。

二十五、陳援庵的最後二十二年

(一)引　言

二十世紀前半葉，中國史學界有兩位極負盛名的陳姓史學家，他們是陳援庵（垣）和陳寅恪，他們被稱之為「史學二陳」。

陳援庵是廣東新會人，生於一八八〇年，卒於一九七一年，享年九十一歲。

陳寅恪是江西義寧人，生於一八九〇年，卒於一九六九年，享年八十歲。

陳援庵早年習醫，後又從政，一九二九年，擔任輔仁大學校長，共二十年，一九四九年後，又擔任北京師範大學校長甚久。一九四八年，當選中央研究院第一屆院士。

陳寅恪早年赴歐美各國留學，一九二六年返國，任清華大學國學研究院導師。一九四八年，當選中央研究院第一屆院士。一九四九年以後，長期在廣州中山大學任教。

一九四九年以後，在日常生活及學術研究方面，兩位陳先生，卻有著不同的際遇，以下，試略為陳述。

(二)說　明

陳寅恪先生自任教於清華大學以後，逐漸發表其學術研究之心得，學術論文之外，學術專著，如《唐代政治史述論稿》、《隋唐制度淵源略論稿》、《元白詩箋證稿》，皆撰成出版於一九四九年以前。

一九四九年以後，陳寅恪先生完成的學術專著，最重要的，則是《柳如是別傳》。而《論再生緣》一書，也別有寓意。

陸鍵東撰有《陳寅恪的最後二十年》一書，書中記載在文化大革命時期，陳先生所遭受到的許多困苦與磨難，其悲慘的情況，令人不忍卒讀。

陳援庵先生發表其學術研究之心得，為時甚早，數量極多，學術論文之外，學術專著，如《元西域人華化考》（一九二三年），《二十史朔閏表》（一九二五年），《中西回史日曆》（一九二五年），《史諱舉例》（一九二八年），《敦煌劫餘錄》（一九三一年），《元典章校補》（一九三一年），《元典章校補釋例》（又名《校勘學釋例》）（一九三一年），《釋氏疑年錄》（一九三八年），《明季滇黔佛教考》）（一九四〇年），《清初僧諍記》（一九四一年），《南宋初河北新道教考》（一九四一年），《中國佛教史籍概論》（一九四二年），《通鑑胡注表徵》（一九四五年），這些專著，在史學的研究上，都有重要的貢獻。

但是，在一九四九年之後，陳援庵先生所發表的一些文章，卻與以前的論著，有很大的不同。

如〈給胡適之的一封公開信〉（一九四九年），〈天主教徒英斂之的愛國思想〉（一九五一年），〈跋陳東塾與鄭小谷書墨迹〉（一九五二年），〈柬埔寨始通中國問題〉（一九五六年），〈黨使我獲得新的生命〉（一九五九年），〈談北京雙塔寺海雲碑〉（一九六一年），〈佛牙故事〉（一九六一年），〈跋王羲之小楷曹娥碑真迹〉（一九六一年），〈法獻佛牙隱現記〉（一九六二年），〈跋凌次仲藏孫淵如殘札〉（一九六二年），〈跋洪北江與王復手札〉（一九六二年），〈余嘉錫論學雜著序〉（一九六二年），〈書傳藏永樂大典本南臺備要后〉（一九六三年），〈跋西涼戶籍殘卷〉（一九六三年），〈跋胡金竹草書千字文〉（一九六四年），〈跋董述夫自書詩〉（一九六四年），〈戴子高年歲及遺文〉（一九六四年），〈薩都剌的疑年——答友人書〉（一九六五年）。

從這些小型的文章看起來，不免使人覺得，以援庵先生的學術功力，過往成就，又享高壽，而二十年的時光，未免太可惜了。

(三) 結　語

一九四〇年，陳援庵先生撰成了《明季滇黔佛教考》，該書是記述明代末年，清兵入關，永曆帝遠徙西南邊徼，而當時之文人學士，不願臣服於異族者，往往遁逃於禪，出家為僧，以保全其志節，因此，援庵先生此書，形式上雖然為宗教史，實質上也等同於政治史。

援庵先生此書撰成，以稿本遠寄昆明，請陳寅恪先生為之撰序，時日寇侵華正亟，寅恪先生隨學校西遷，任教於昆明西南聯合大學，遂為援庵先生之書撰序，序中有云：

嗚呼！昔晉永嘉之亂，支愍度始欲過江，與一傖道人為侶。謀曰：「用舊義往江東，恐不辦得食。」便共立心無義。既而此道人不成渡，愍度果講義積年。後此道人寄語愍度云：「心無義那可立，治此計，權救饑耳。無為遂負如來也。」憶丁丑之秋，寅恪別先生於燕京，及抵長沙，而金陵瓦解，乃南馳蒼梧瘴海，轉徙於滇池洱海之區，亦將三歲矣。此三歲中，天下之變無窮，先生講學著書於東北風塵之際，寅恪入城乞食於西南天地之間，南北相望，幸俱未樹新義，以負如來。今先生是書，刊印將畢，寅恪不獲躬執校讎之役於景山北海之旁，僅遠自萬里海山之外，寄以片言，藉告並世之喜讀是書者，誰實為之，孰令致之，豈非宗教與政治雖不同物，而終不能無所關涉之一例證歟！

寅恪先生序中所言，指當時二人分在南北之實況，然自後世觀之，則於援庵先生，反成讖語，寧不奇哉！

如果今天首都尚在南京，則援庵先生之最後二十二年，當有多少學術名著留傳後世！

二十六、《荀子・性惡》讀後

孟子與荀子，一主性善，一主性惡，頗不相同，以下，即就誦讀所及，取《荀子・性惡》，再加溫尋，略記心得如下。

《荀子・性惡》篇首即云：

人之性惡，其善者偽也。

《楊倞注》云：

偽，為也。凡非天性而人作為之者，皆謂之偽。

王先謙《荀子集解》引郝懿行云：

偽，作為也。偽與為古字通。

荀子所謂之「人」，在此篇之首，從語義上看，自然是一種全稱，包含世界上每一個人在內，包含世界上全部的人，也即指出世上所有之人，每一個人，本性天性都是「惡」的。因此，「人之性惡，其善者偽也」，「人」當指世上全部之「人類」，此當為荀子論人性之大前提。

《荀子・性惡》又云：

> 今人之性，生而有好利焉，故爭奪生而辭讓亡焉，順是，故殘賊生而忠信亡焉。生而有耳目之欲，有好聲色焉，順是，故淫亂生而禮義文理亡焉。然則，從人之性，順人之情，必出於爭奪，合於犯分亂理而歸於暴，故必將有師法之化，禮義之道，然後出於辭讓，合於文理，而歸於治。用此觀之，然則人之性惡明矣，其善者偽也。

世上之「人」，其天性皆惡，則性惡之人，所師法之對象，是「人」？抑不是「人」？如果師法的對象不是「人」，則如何去師法？如果師法的對象是「人」，而此人又必是性惡之人，則師法性惡之人，又如何能產生出「禮義之道」？

《荀子・性惡》又云：

> 故朽木必將隱栝烝矯然後直，鈍金必將礱厲然後利，今人之性，必將待師法然後正，得禮義然後治。

又云：

古者聖王以人之性惡，以為偏險而不正，悖亂而不治，是以為之起禮義，制法度，以矯飾人之情性而正之，以擾化人之情性而導之也，使皆出於治，合於道也。

枸木與鈍金，必待外「人」之加工，然後能「直」能「利」，人與木與金非一物，而人所師法者皆是「人」，皆是相同之「人」，皆是相同性惡之人，既是性惡之人，則又如何師法之而能擾化其情性，使皆出於治合於道呢？

《荀子．性惡》又云：

凡禮義者，是生於聖人之偽，非故生於人之性也。
故聖人化性而起偽，偽起而生禮義，禮義生而制法度。
故聖人之所以同於眾其不異於眾者性也，所以異而過眾者偽也。

「聖人」如果能夠教化眾人，使性惡之眾人，轉化其性惡之本性，使之合於禮義，則此「聖人」，自然不應是「性惡」之人，而是超越眾多性惡之一般羣眾，而為特殊本性善良不惡之特殊人物，才能稱之為「聖人」，才能教化性惡之大眾人士，使之一一轉化作為，而成為個性善良之人士。

因此，在《荀子．性惡》篇首，雖然提出「人之性惡，其善者偽也」，而其所稱之「人」，雖然可能是佔世界上絕大多數之普通人，但此「人」字，卻不能指稱世界上的所有之

「人」，在此篇首句之中，「人之性惡」，「人」應該不是全稱肯定，包含世界上所有的「人」，而是指稱世界上的絕大多數之普通人，但也保留了一些極少數不但人性不惡，而且極度善良，超級善良的「聖人」，如此，〈性惡〉篇的論述，才能繼續申述，而沒有矛盾，才能與聖人化性起偽，教導世上絕對多數的性「惡」之人，使之變為「性善」之人，成為合理之論述，合理之途徑。

「性惡」，是荀子思想中的重要觀點，但是，在〈性惡〉篇首，荀子卻未曾顧及到語言使用的周延性，這對強調語言表述時亟須「正名」的荀子而言，不免是一項重要的失誤。（《荀子・正名》云：「故王者之制名，名定而實辨，道行而志通，則慎率民而一焉。」主張名定之後，實乃隨之，人們在此共許之標準下，方能溝通情意，故立名不可不慎。）

根據梁啟雄的《荀子柬釋》一書，〈性惡〉一篇，可分為十七個段落，其中第十二至第十七段，與〈性惡〉之說，距離較遠之外，在其餘的十一個段落之中，第一段最簡略，直接提出「人之性惡，其善者偽也」，一共九個字，成為荀子性惡說的理論標準。其餘從第二至第十一個段落，每個段落，字數都達到幾十個字，每個段落的結尾，都指出「用此觀之，然則人之性惡明矣，其善者偽也」，作出結尾語。

在〈性惡〉篇的第四段中，荀子才正式提出「不可學，不可事，而在人者，（梁啟雄書引顧千里云：而，疑當作之，人，疑當作天。與「可學而能，可事而成，之在人者，謂之偽」對文）謂之性。可學而能，可事而成，之在人者，謂之偽，是性偽之分也。」荀子此篇，如果將此數句，移為全篇的第二段，緊接在第一段「人之性惡，其善者偽也」之後，作為第一段全稱肯定的附注之文，兩句配合，語義上方才無蔽。但是，荀子卻未如此安排。

孟子言性善，《孟子．告子》云：

惻隱之心，人皆有之，羞惡之心，人皆有之，恭敬之心，人皆有之，是非之心，人皆有之。惻隱之人，仁也，羞惡之心，義也，恭敬之心，禮也，是非之心，智也。仁義禮智，非由外鑠我也，我固有之也，弗思耳矣，故曰，求則得之，舍則失之。或相倍蓰，而無算者，不能盡其才者也。

孟子以為，世上的每一個人，人們在內心之中，先天都擁有仁、義、禮、智四種德性，都具備惻隱、羞惡、恭敬、是非四種能力，都可以將心中擁有的德性，應用在外在與人相處時的行為之上。即使偶有行使不足之處，也是未能充分抒發此種天然具備的本能而已。並不能影響到人人都具有的這種本能的存在。這種本能，聖人擁有，平凡人也同樣擁有，所以，孟子說，「聖人與我同類者也」（見〈告子〉第七章），也即指出，世上所有普通人都具有仁義禮智之善性，都具有「性善」之本能。世上的一般普通人，都具有仁義禮智之本心，但偶有「放其良心」者，失去其良心之作用，也只是受到外在事物的引誘，偶爾走失自己良心的判斷能力而已，只要自己不受外力的左右，一念醒悟，恢復良心自主的功能，自然能夠重新發揮良心判斷善惡是非的功能，則也不需要外來「聖人」的協助教導作為，自己就能恢復先天性善的本能。

這與荀子所主張的人性皆惡，（至少是絕大多數平常之人，而「聖人」在外）必須倚賴外來的「聖人」，助其「化性起偽」，才能祛去其人性中原本的「惡」，而轉之為「善」，是有「自力」與「他力」的不同，也有「善性」是「本有」與「外加」的不同。

孟荀論「性」，有善惡的不同，善惡之所以不同，而希望人人皆能成就為性善之善人，卻有著以上不同的途徑。

二十七、讀《墨經》

(一)引　言

今本《墨子》書中，其〈經上〉第四十、〈經下〉第四十一、〈經說上〉第四十二、〈經說下〉第四十三、〈大取〉第四十四、〈小取〉第四十五，一共六篇，皆名家論辯之言，世人稱之為《墨辯》。其中前四篇，世人亦稱之為《墨經》。

《墨經》之中，尤以〈經上〉一篇，解釋名辭，界定其意義，最為精確明晰，以下，略舉其例，以見古人對於關鍵名辭意涵之應用，一絲不為苟且。

孝，利親也。

勇，志之所以敢也。

夢，臥而以為然也。

利，所得而喜也。

害，所得而惡也。

譽，明美也。

誹，明惡也。

功，利民也。

賞，上報下之功也。

罰，上報下之罪也。

平，同高也。

圜，一中同長也。

墨子之道德標準為義與利，故以「利親」為「孝」之定義。又以追求心志之果敢實踐為「勇」之定義。睡臥之中，發生之事件，如此如此，如彼如彼，睡醒，方知適才所發生者，皆非眼前之現實，以此釋「夢」，亦頗傳神。以人之得之而喜，得之而惡，以釋「利」「害」。以稱揚他人之行事為「譽」，以譏諷他人之行事為「誹」。以有利於百姓為有「功」。以在上者回報屬下之功勞為「賞」。以在上者回應屬下之罪過為「罰」。以有高有低為不平，以高低皆同為「平」。以同一中心點，至周邊之任何一處，其距離皆相等，為「圜」。似此之類，對於某一名辭，界定其意義，皆十分精準，此即「界說」、「定義」之功能。

但是，像如此一類對於名辭義涵的界定，除了墨家與名家的一些典籍之外，在古今許多典籍文獻之中，明確使用定義，界定重要詞彙義涵的例子，並不多見。

(二)舉例

在哲學著作與文學著作之中，使用專門辭彙，關鍵術語的情形，較為繁多，但是，哲學家與文學家使用關鍵辭彙，而能自己界定其義涵者，仍然罕見。

例如《老子》一書，屬於道家，書中「道」之一字，出現多達七十餘次，但是，老子本人，在書中只敘述了「道」的各種作用，對「道」的基本義涵，卻未曾作出最簡明扼要的定義，以致後世研究《老子》的學者，需要各自歸納《老子》書中的資料，而釐訂出《老子》書中「道」的意涵，古代的注家不說，即以近代的學者研究而言，略舉三家，以見其例。

例如高亨先生《老子正詁》，分析《老子》「道」之性質，釐為十項：

> 一曰道為宇宙之母，二曰道體虛無，三曰道體為一，四曰道體至大，五曰道體長存而不變，六曰道運循環而不息，七曰道施不窮，八曰道之體用是自然，九曰道無為而無不為，十曰道不可名不可說。

又如嚴靈峯先生《老莊研究》中〈原道〉一文，分析《老子》「道」之性質，釐為四項，分別是「道體」、「道理」、「道用」、「道術」，並且解釋說：

> 「道體」者何？曰，道之本體，亦即道之所自然也。
>
> 「道理」者，乃自然之理，亦即道之所必然也。

「道用」者，因道理之必然，利而「用」之者也，即道之所當然也。
「道術」者，為道用之變相，即道之可以然者也。

又如唐君毅先生《中國哲學原論．原道篇》中分析《老子》書中之道，釐為六項，說：

《老子》書中所謂「道」之第一義，為略同於今所謂自然律則，宇宙原理，或萬物之共同之理者。
《老子》書中所謂「道」之第二義，則為明顯的指一實有之存在者，或一形而上之存在的實體或實理者。
《老子》書中第三義之「道」，乃以第二義之實體義之道之相為道。
《老子》書中所謂之第四義，為同於「德」之義者。
《老子》書中之「道」之第五義，為人欲求具有同於「道」之玄德，而求有德時，其修德積德之方，及其他生活上自處處人之術，政治軍事上之治國用兵之道。
《老子》書中所謂「道」之第六義，為指一種事物之狀態，或一種人之心境或人格狀態，而以「道」之一名，為此事物狀態或心境，人格狀態之狀辭。

《老子》書中「道」之一辭，出現七十餘次，分析起來，雖然涵義較多，但是，如果《老子》一書的作者，自己能為此書中的「道」字，先行界定其義涵，不論是一種或多種，不論是基本義或引申義、其他假借義、譬喻義等等，豈不清楚明白，勝似後世讀者的許多不同的分析，徒滋糾葛，況且，據嚴靈峯先生統計，古今中外對於《老子》一書的專著，約有一千七百多種，現存的還有八百多種，其中包括外文著作，那麼，如果一一分析那些書中的「道」之義涵，則不知道會出現多麼種不同的解釋，雖然，一個文本，各自解讀，書中義涵，愈繁愈多，探索不盡，也不妨是一種意義的闡釋，新見地的衍生，也是哲學探究的另外一種工作跟樂趣，不過那已經不是《老子》本身的問題了。

(三)結　語

鄭奠編有《中國邏輯思想史料分析》一書，蒐集了鄧析、宋鈃、尹文、彭蒙、慎到、田駢、申不害、尸佼、兒說、田巴、毛公、惠施、公孫龍、《墨辯》、孫子、鄒衍、鬼谷子、蘇秦、張儀等人有關邏輯思想的史料，對於《墨經》一書，曾經評論說，「從《墨經》的整體看來，其內容包括唯物論的認識觀點，科學概念的定義、分類、辯說的範疇法則，以及對詭辯論的批判等等優異的形式，真是一部古代中國邏輯科學的系統創制」（仰哲出版社，頁二八三），對《墨經》一書，也採取十分肯定的評論。可惜，傳統的哲學家著作與文學著作，對於《墨經》這種較為精確的界定關鍵辭彙義涵的方式，卻罕為繼承而加以實踐，更不用說是發揚光大，以至後世對於許多哲學及文學作品中重要辭彙的意涵，在掌握上，出現不少缺失，也造成作品解讀時的不少誤會。不能不說不是極為遺憾的事情。

「道」字是傳統哲學中的常用詞，但是，儒道墨法，各家哲學中的「道」字，意義都不盡相同，如果能由他們自己界定其意義，自然是最理想的方式。

另外，有些哲學家喜歡自己創造新的關鍵用詞，那就更加希望他們能夠自己也先行界定其意涵，以免讀者閱讀時造成許多不必要的誤會。

二十八、校讎與義理
——王叔岷教授《莊子校詮》讀後記

(一)引　言

簡陽王叔岷教授（一九一四—二〇〇九），為當代著名的學者，精擅校讎之學，他所校釋的古籍，無慮數十餘種，並已遍及四部，然而，先生卻常自謙，所從事者，乃糟粕之見，實際上，校讎乃是研治古籍最基本的學問，即就先生所撰各書而論，其有功於學術者，蓋已多矣。楚生平日喜誦先生《莊子校詮》一書，偶有所窺，筆諸簡端，今略事枚舉，鋪衍成篇，盼於先生書中由校讎而至義理之旨趣，稍稍能夠闡述一二，如能不失先生之用意，則是衷心所期盼者也。

(二)讀後記

1. 論〈逍遙遊〉篇中「形骸有聾盲」當作「形骸有聾瞽」

《莊子・逍遙遊第一》云：

> 肩吾問於連叔曰：「吾聞言於接輿，大而无當，往而不反。吾驚怖其言，猶河漢而无極也。大有逕庭，不近人情焉。」連叔曰：「其言謂何哉？」曰：「藐姑射之山，有神人居焉，肌膚若冰雪，淖約若處子，不食五穀，吸風飲露。乘雲氣，御飛龍，而遊乎四海之外。其神凝，使物不疵癘而年穀熟。吾以是狂而不信也。」連叔曰：「然。瞽者无以與乎文章之觀，聾者无以與乎鍾鼓之聲。豈唯形骸有聾、盲哉？夫知亦有之。」[1]

〈逍遙遊〉記載肩吾轉述接輿的話，而以為其言誇大而不足採信，本以為可以獲得連叔的共鳴，卻反而被連叔批評知識有所不足，故不能深知神人的境界。王叔岷教授《莊子校詮》云：

> 陳碧虛《闕誤》引天臺山方瀛觀《古藏》本盲作瞽。案作瞽是。聾、瞽，承上瞽者、聾者而言。《淮南子・脩務篇》：「瘖者不言，聾者不聞。豈獨形體有瘖、聾哉？心志亦有之。」即本此文，瘖、聾承上瘖者、聾者而言，與此同例。《抱朴子・名實篇》：「豈唯形器有聾、瞽哉？心神所蔽亦又如之。」亦本此文，聾、瞽之字，尚存其舊。「夫知亦有之」，《淮南子》知作「心志」，《抱朴子》作「心神」，此文知上疑脫心

1 王叔岷教授：《莊子校詮》（臺北：中央研究院歷史語言研究所，民國七十七年），頁二四。下引版本並同。

> 字，（〈人間世篇〉：「夫徇耳目內通，而外於心知。」亦本書「心志」連文之證。）「心知」猶「心志」也。知、志古通，《禮記・緇衣篇》：「為上可望而知也，為下可述而志也。」《鄭注》：「志猶知也。」本書〈繕性篇〉：「人雖有知，无所用之。」《書鈔》一五引知作志，並其證。[2]

王教授以為，〈逍遙遊〉此段敘述中，「豈唯形骸有聾、盲哉」，「盲」字應作「瞽」字，此句乃承接上文「瞽者」、「聾者」而言，上文並未提及「盲者」，又引《淮南子・脩務篇》與《抱朴子・名實篇》中相關句型文字為佐證。另外，王教授以為〈逍遙遊〉此段敘述之中，「夫知亦有之」，知上疑脫「心」字，此句宜作「夫心知亦有之」，而「心知」，猶「心志」也，「知」與「志」古時往往通用，該句作「夫心知亦有之」，語義更周全，並引〈人間世篇〉「外於心志」，以佐證《莊子》書中「心志」連文，亦有其例。王教授之說，可以憑信。

2.論〈齊物論〉篇末「莊周夢為胡蝶」的要義

《莊子・齊物論第二》云：

> 昔者莊周夢為胡蝶，栩栩然胡蝶也。自喻適志與！不知周也。俄然覺，則蘧蘧然周也。不知周之夢為胡蝶與！胡蝶之夢為周與！周與胡蝶，則必有分矣。此之謂物化。[3]

〈齊物論〉最末一段，藉由莊周夢為胡蝶，說明天地之間，萬物都在不停地變化，因而指出人生在世，物我變化，夢覺難分，生死如一的觀點，作為「齊物觀」的總結。王叔岷教授《莊子校詮》云：

《成疏》：「託夢覺於死生，寄自他於物化。生死往來，物理之變化也。」（據前後《疏》節引）案此《莊子》由夢覺體悟「物化」之理，即死生變化之理也。（王安石〈擬寒山拾得〉二〇首之三有云：「死生如覺夢，此理甚明白。」良是。）在覺適於覺，在夢適於夢，則無所謂覺夢；然則在生適於生，在死適於死，則無所謂生死。破覺夢猶外生死矣。

又云：

破覺夢之執，以明外生死之理。齊物之義，盡於此矣。[4]

王教授引述成玄英《莊子義疏》對〈齊物論〉此段的解釋，所引的四句，前面兩句，是成玄英解釋「莊周夢為胡蝶，栩栩然胡蝶也」的義涵，指出莊子藉夢覺以比喻人之生死，並寓寄物我

---

2 王叔岷教授：《莊子校詮》，頁二七。

3 王叔岷教授：《莊子校詮》，頁九五。

4 王叔岷教授：《莊子校詮》，頁九六。

之間的變化。後面兩句，是成玄英解釋「周與胡蝶，則必有分矣」的義涵，指出人生在世，生死的往來，也是一種物理自然的變化而已。王教授節取成玄英的四句義疏，確實已經掌握了莊子「物化」的義趣，也掌握了莊子「齊物」的精神，所以，王教授特別指出，「此莊子由夢覺體悟『物化』之理，即死生變化之理也」。王教授同時更進一步地闡釋〈齊物論〉的要義說：「在覺適於覺，在夢適於夢，則無所謂覺夢，然則在生適於生，在死適於死，則無所謂生死。破覺夢猶外生死矣。」破覺夢猶如外生死，更是對於〈齊物論〉要旨的精闢說明。

3. 論〈養生主〉篇中「養親」當作「養新」

《莊子・養生主第三》云：

> 吾生也有涯，而知也无涯，以有涯隨无涯，殆已。已而為知者，殆而已矣。為善无近名，為惡无近刑，緣督以為經。可以保身，可以全生，可以養親，可以盡年。[5]

《莊子・養生主》，主要是說，人生在世，生命有限，而知識無窮，只有善養我們的精神，順乎中道常理而行，才可以獲得保身、全生、養親、盡年四種效用。〈養生〉主要在說明護養人們自己的形體與精神，因此，緣督以為經，順中以為常，可以使自己得到保身、全生、盡年的效用，是可能的結果。但是，〈養生主〉以護養自身為主，卻與「養親」關係較遠。王叔岷教授《莊子校詮》云：

《郭注》：「養親以適。」案〈漁父篇〉：「事親以適。」即郭注所本。此言養生之義，忽及「養親」，與上言「保身」、「全生」、下言「盡年」，皆不類。親當借為新，《書・金縢》：「惟朕小子其新逆。」《釋文》引馬融本新作親，即二字通用之證。下文庖丁解牛十九年，而刀刃若新發於硎。正所謂「養新」也。〈達生篇〉「正平則與彼更生。」，《郭注》：「更生者，日新之謂也。付之日新，則性命盡矣。」亦可證此「養新」之義。[6]

王教授以為，〈養生主〉中「養親」應是「養新」之借字，親新二字，自古通用，並舉出《尚書・金縢》為例，因此，主張〈養生主〉中「養親」實當為「養新」之借字，所謂「養新」，即指培養自己生命的新機，使得生命的能量，新機不斷，生生不息，如此詮解，也與《莊子》此篇中「保身」、「全生」、「養新」、「盡年」，四種效用，四種層次，秩第井然有序，都是敘說「養生」的效用而言。

4. 論〈人間世〉篇中「其大蔽牛」當作「其大蔽數千牛」

《莊子・人間世第四》云：

5 王叔岷教授：《莊子校詮》，頁九九。

6 王叔岷教授：《莊子校詮》，頁一〇一。

> 匠石之齊，至乎曲轅，見櫟社樹，其大蔽牛，絜之百圍。其高，臨山十仞而後有枝。其可以為舟者旁十數。觀者如市，匠伯不顧，遂行不輟。弟子厭觀之，走及匠石曰：「自吾執斧斤以隨夫子，未嘗見材如此其美也。先生不肯視，行不輟，何邪？」曰：「已矣，勿言之矣，散木也！以為舟則沉，以為棺槨則速腐，以為器則速毀，以為門戶則液樠，以為柱則蠹。是不材之木也，无所無用，故能若是之壽。」[7]

在此則寓言中，莊子藉著櫟社樹的不材，無所可用，匠石對它不屑一顧，而此樹卻因對世人無用，才能免遭斧斤的砍伐，而成為自身的大用。王叔岷教授《莊子校詮》云：

> 《成疏》作「蔽數千牛」，云：「江南《莊》本多言『其大蔽牛』，無『數千』字，此本應錯。且商丘之木既結駟千乘，曲轅之樹豈蔽一牛！以此格量，『數千』之本是也。」《釋文》：「蔽牛，李云：牛住其旁而不見。」案陳碧虛《闕誤》引張君房、成玄英、文如海、李氏諸本，牛上並有「數千」二字，當從之。覆宋本亦作「其大蔽數千牛」。（郭氏《集釋》本、王氏《集解》本並從之）與《成疏》合。《御覽》三九九、五三二引牛上並有「千」字，但脫「數」字耳。[8]

王教授的《莊子校詮》，是以《續古逸叢書》影宋刊本為底本，在底本中，〈人間世〉此句作「其大蔽牛」，但是，櫟社的樹幹，量度一下，既然有百人牽手圍繞之大，又有像高山一般的高度，連橫枝都大得可以作為造船的材料，則此樹之大，可以推測得到，則樹蔭之下，絕不可能只可遮蔽一頭水牛，王教授在《莊子校詮》書中，先引述成玄英《莊子義疏》的版本，「其大蔽牛」作「其大蔽數千牛」，並且引述成玄英的意見，指出〈人間世〉下文之中，曾提到「南伯子綦遊乎商之丘，見大木焉有異，結駟千乘，隱將芘其所賴」，指出商丘的大樹之下，可以停留一千輛馬車在此乘涼，那才是「大木焉有異」，不同於一般小樹的情形，如果櫟社之樹，僅能蔭蔽一頭水牛，又怎能成其為大呢？王教授更引述陳碧虛《莊子闕誤》中所引用的各種版本，都作「數千牛」，而《太平御覽》兩卷中所引牛上也都有「千」字，作為佐證，因此，無論是從版本依據上，或是義理推論上，〈人間世〉中此段文字之中，作「其大蔽數千牛」，絕對是正確無誤的。

5. 論〈大宗師〉篇中三七九諸日為入道之次第

《莊子・大宗師第六》云：

> 南伯子葵問乎女偊曰：「子之年長矣，而色若孺子，何也？」曰：「吾聞道矣。」南伯子葵曰：「道可得學邪？」曰：「惡！惡可！子非其人也。……以聖人之道告聖人之

---

7 王叔岷教授：《莊子校詮》，頁一五〇。

8 王叔岷教授：《莊子校詮》，頁一五一。

才，亦易矣，吾猶守而告之。參日而後能外天下；已外天下矣，吾又守之，七日而後能外物；已外物矣，吾又守之，九日而後能外生；已外生矣，而後能朝徹；朝徹，而後能見獨；見獨，而後能无古今；无古今，而後能入於不死不生。」[9]

〈大宗師〉主要論道體的意義，以及體悟至道的歷程，經過三天、七天、九天，逐漸能將心中關懷的事物，一一置之度外，然後能使自己的心境，逐漸達到清澈澄明，體悟至道，不受時間限制，進而至於超脫生死的境界。王叔岷教授《莊子校詮》云：

宣《解》：「三、七、九，是內修家語，偶用之。」案此以三、七、九諸日論入道次第，〈達生篇〉載梓慶「齊三日，而不敢懷慶賞爵祿；齊五日，不敢懷非譽巧拙；齊七日，輒然忘吾有四枝形體也。」彼言三、五、七諸日，亦此類也。然不必為內修家語，數目字連用，習見於古書，《淮南子．道應篇》：「昔堯之佐九人，舜之佐七人，武王之佐五人。」亦其例也。[10]

王教授以為〈大宗師〉中之三、七、九諸日，是莊子敘說修道者體悟至道的次第，愈悟愈深的層次，並引述《莊子．達生篇》中魯國匠人梓慶削木作為鐘架，手藝精巧，賽似鬼斧神工的例子，以說明匠人削木作架時，也必事先調習身心，寧靜肅穆（齊與齋同），務使精神專一，用志不紛，才能作出精微入妙的鐘架，因此，〈達生篇〉中所述及的三、五、七日，也如同〈大宗師篇〉中的三、七、九日，都是指修養悟道的進程與層次而言。所以，王教授引〈達生篇〉梓慶之事而作佐證，以為與〈大宗師篇〉中所記女偊悟道之事相似，但卻不贊同宣穎《南華經解》所指的是「內修家語」。並再引《淮南子．道應篇》中堯、舜、武王所稱九、七、五人的數字為旁證，指出「數目字連用，習見於古書」，不止《莊子．大宗師》此處而已。

6. 論〈大宗師〉篇中「忘禮樂」宜在「忘仁義」之前

《莊子．大宗師第六》云：

顏回曰：「回益矣。」仲尼曰：「何謂也？」曰：「回忘仁義矣。」曰：「可矣，猶未也。」它日，復見，曰：「回益矣。」曰：「何謂也？」曰：「回忘禮樂矣。」曰：「可矣，猶未也。」它日，復見，曰：「回益矣。」曰：「何謂也？」曰：「回坐忘矣。」仲尼蹵然曰：「何謂坐忘？」顏回曰：「墮枝體，黜聰明，離形去知，同於大通，此謂坐忘。」仲尼曰：「同則無好也，化則無常也。而果其賢乎？丘也請從而後也。」[11]

9　王叔岷教授：《莊子校詮》，頁二三七。

10　王叔岷教授：《莊子校詮》，頁二三八。

11　王叔岷教授：《莊子校詮》，頁二六八。

〈大宗師〉論道體之意義，又論真人體悟至道之方法，其中有一節敘說顏回體悟至道之進程，有「忘仁義」、「忘禮樂」、「坐忘」等三重工夫。王叔岷教授《莊子校詮》云：

> 案《淮南子・道應篇》「仁義」二字與「禮樂」二字互易，當從之，《老子》三十八章云：「失道而後德，失德而後仁，失仁而後義，失義而後禮。」（《莊子・知北遊篇》亦有此文。）《淮南子・本經篇》：「知道德，然後知仁義之不足行也。知仁義，然後知禮樂之不足脩也。」（《文子・下德篇》亦有此文。）道家以禮樂為仁義之次，文可互證。禮樂，外也。仁義，內也。忘外以及內，以至於坐忘。若先言忘仁義，則乖厥旨矣。[12]

體悟至道，自然也宜由淺入深，由外至內，在道家及儒家的思想中，仁義的層次，都比禮樂來得高深，《莊子・大宗師》藉顏回與孔子的問答，說明悟道的進程，王叔岷教授以為，其中「仁義」與「禮樂」當互易，蓋顏回悟道，宜先忘禮樂，後忘仁義，並舉《淮南子・道應篇》為佐證，舉《老子》三十八章作旁證，如此，方能使得顏回悟道之進程，次第井然，義趣合符。

7. 論〈天地〉篇中「象罔」當作「罔象」

《莊子・天地第十二》云：

黃帝遊乎赤水之北，登乎崐崘之丘而南望，還歸，遺其玄珠。使知索之而不得，使離米索之而不得，使喫詬索之而不得也。乃使象罔，象罔得之。黃帝曰：「異哉！象罔乃可以得之乎？」[13]

在此一寓言中，玄珠比喻至道，知比喻知識智慧，離朱指人之眼睛，喫詬代表人們言語辯論，都是人們向外求索的能力。象罔則是指人們無所用其心智，以譬喻唯有順乎自然，明得本心，方才能夠與至道冥會。王叔岷教授《莊子校詮》云：

《成疏》：「罔象，無心之謂。」案覆宋本象罔作罔象（下同），與《成疏》合，蓋此文之舊。下文《郭注》：「罔象然，即真也。」（郭氏《集釋》本「罔象」倒作「象罔」。）並可證。《御覽》八〇三引此亦作罔象。李白〈大獵賦〉：「使罔象掇玄珠于赤水。」〈金門答蘇秀才詩〉：「玄珠寄罔象。」白居易〈求玄珠賦〉：「與罔象而同歸。」《雲笈七籤》五六：「黃帝求玄珠，罔象乃獲。」皆同此文，咸作罔象。《淮南子．人間篇》作忽怳，云：「於是使忽怳而後能得之。」蓋以「忽怳」說罔象。《高注》：「忽怳，善忘之人。」善忘，與《成疏》釋「罔象」為「無心」，義亦相應。

12 王叔岷教授：《莊子校詮》，頁二六八。

13 王叔岷教授：《莊子校詮》，頁四二四。

又云：

> 《郭注》：「明得真者，非用心也。」案得真，即得道也。[14]

王教授以為，〈天地〉篇中「象罔」一辭，當作「罔象」，罔象之義，指人們順乎自然，不用心智，方能會悟至道，故王教授以為，「無心乃可以得道」。並引成玄英《莊子疏》，覆宋本《莊子》，《太平御覽》所引《莊子》，並作「罔象」為證，至於以李白、白居易、《雲笈七籤》等詩文為佐證，也以為彼等所見《莊子》，皆當作「罔象」，而不作「象罔」也，故以為體悟至真，「無心乃可以得道」。

8. 論〈達生〉篇中「凝」當作「疑」，「疑」猶「擬」也。

《莊子．達生第十九》云：

> 仲尼適楚，出於林中，見痀僂者承蜩，猶掇之也。仲尼曰：「子巧乎！有道邪？」曰：「我有道也。五六月累丸二而不墜，則失者錙銖；累三而不墜，則失者十一；累五而不墜，猶掇之也。吾處身也，若橛株拘；吾執臂也，若槁木之枝。雖天地之大，萬物之多，而唯蜩翼之知。吾不反不側，不以萬物易蜩之翼，何為而不得！」孔子顧謂弟子曰：「用志不分，乃凝於神，其痀僂丈人之謂乎？」[15]

〈達生〉篇敘述痀僂丈人捕蜩之道，除了在技術上需要多加鍛練之外，在心靈上尤其需要精神貫注，專心一志，聚精會神，集中在目標之上，別無二念，故能捕取秋蜩，如同探囊取物一樣，手到取來，便捷之至。王叔岷教授《莊子校詮》云：

> 郭氏《集釋》引俞樾曰：「凝當作疑，下文：『梓慶削木為鐻，鐻成，見者驚猶鬼神。』即此所謂『乃疑於神』也。《列子・黃帝篇》正作疑。《張湛注》曰：「意專則與神相似者也。」可據以訂正。馬氏《故》引蘇軾曰：「凝當作疑。」案林希逸已云：「凝當作疑，後削鐻章可照。」蘇軾謂蜀本作疑。（《道藏》羅勉道《循本》本、焦竑《翼》本、宣穎《解》本皆改從疑，《天中記》五七引同。）疑猶擬也。〈天地篇〉：「子非夫博學以擬聖。」《淮南子・俶真篇》作疑，即其比。《鶡冠子・王鈇篇》：「耳目不營，用心不分，不見異物而遷。」《抱朴子・對俗篇》：「掇蜩之薄術，而傴僂有入神之巧，在乎其人由於至精也。」[16]

俞樾、蘇軾、林希逸等人都以為「凝當作疑」，羅勉道、焦竑、宣穎的解《莊》之書，也已改

14 王叔岷教授：《莊子校詮》，頁四二五。

15 王叔岷教授：《莊子校詮》，頁六七七。

16 王叔岷教授：《莊子校詮》，頁六八〇。

「凝」作「疑」，王教授也以為，「凝當作疑」，但是，王教授更進一步指出，「疑猶擬也」，「疑」是「擬」的通用字，本字應作「擬」，「擬」是「比擬」、「相似」之義，以為〈達生篇〉中「乃凝於神」，謂孔子指痀僂丈人捕蟬，神乎其技，其捕蟬時的精神專注，紋風不動，不以外界萬物的變動而稍為分散其專注之心靈，真與神人相似一般，他人視之，「等同於神人」，方是痀僂丈人，「乃凝（擬）於神」的意義。否則，「乃凝於神」，如指凝聚精神，則「於」字勢必解作為「其」，語義方合。

9. 論〈達生〉篇中「雞已乎」雞下當有「可鬭」二字

《莊子．達生第十九》云：

> 紀渻子為王養鬬雞，十日而問：「雞已乎？」曰：「未也，方虛憍而恃氣。」十日又問，曰：「未也，猶應嚮景。」十日又問，曰：「未也，猶疾視而盛氣。」十日又問，曰：「幾矣！雞雖有鳴者，已无變矣！望之似木雞矣！其德全矣！異雞无敢應者，反走矣！」[17]

〈達生〉篇此則寓言，以紀渻子為王養鬪雞為喻，說明人生修德養神之重要，故養雞也在去除其外在的虛憍之氣，轉而漸至內在安靜沉著，內德充實，其外形有似木雞，他人之雞，見之而驚駭遁走，無有敢於應戰者。王叔岷教授《莊子校詮》云：

> 《成疏》：「養經十日，堪鬬乎？」褚伯秀云：「雞已乎？當從《列子》作『雞可鬬已乎？』此脫略耳。」案《北山錄》六〈譏異說〉第十《注》引問下有「之曰」二字。《韻府群玉》一六引問下有曰字，「雞已乎？」作「雞可鬬乎？」（卷三引作「可鬬乎？」可上蓋脫雞字。）雞下有「可鬬」二字，與《列子》合。《成疏》云云，所見本似亦有「可鬬」二字，釋可為堪與？[18]

《列子》書中，有許多與《莊子》相同的記載，《列子・黃帝第二》同樣記載了「紀渻子為周宣王養鬬雞」的寓言，在「十日而問：雞可鬬已乎？」比較《莊子・達生》所記，卻多出「可鬬」二字，王叔岷教授以此為本，再參酌成玄英、褚伯秀等人的看法，認為〈達生篇〉此文，如作「紀渻子為王養鬬雞，十日而問：雞可鬬已乎」，則語義完整清晰，較之無「可鬬」二字者為勝。

10. 論〈山木〉篇「莊周遊乎雕陵之樊」一節兩「真」字皆當作「身」

《莊子・山木第二十》云：

> 莊周遊乎雕陵之樊，覩一異鵲，自南方來者，翼廣七尺，目大運寸，感周之顙而集於栗

17 王叔岷教授：《莊子校詮》，頁七〇〇。

18 王叔岷教授：《莊子校詮》，頁七〇〇。

林。莊周曰：「此何鳥哉？翼殷不逝，目大不睹。」蹇裳躩步，執彈而留之。覩一蟬，方得美蔭而忘其身；螳蜋執翳而搏之，見得而忘其形；異鵲從而利之，見得而忘其真。莊周怵然曰：「噫！物固相累，二類相召也！」捐彈而反走，虞人逐而誶之。莊周反入，三月不庭。藺且從而問之：「夫子何為頃間甚不庭乎？」莊周曰：「吾守形而忘身，觀於濁水而迷於清淵，且吾聞諸夫子曰：『入其俗，從其俗。』今吾遊於雕陵而忘吾身，異鵲感吾顙；遊於栗林而忘真，栗林虞人以吾為戮，吾所以不庭也。」[19]

〈山木〉篇中此則寓言，就是成語「螳蜋捕蟬，黃雀在後」的出處，主要指出人們處在世間，處處陷阱，步步危機，故而應該戒慎恐懼，小心謹慎，以免墮入危險的境地。王叔岷教授《莊子校詮》云：

《釋文》：「司馬云：真，身也。」案《劉子・利害篇》：「異鵲以見利而忘身。」即本此文，真正作身。下文「遊於栗林而忘真。」《成疏》真亦作身。《淮南子・本經篇》：「精神反至真。」《高注》：「真，身也。」亦訓真為身之例也。又案此節所述，《韓詩外傳》一〇。《說苑・正諫篇》、《吳越春秋・夫差內傳》皆有類似之文，所謂「此皆務欲得其前利而不顧其後之有患也。」（本《說苑》）[20]

王教授以為，〈山木〉篇「見得而忘其真」、「遊於栗林而忘真」，兩句中之「真」字，皆當作「身」，前句指異鵲，後句指莊周，所指雖然不同，但皆指異鵲之身與莊周之身而言，作「身」字，則文從字順，作「真」字，則語義曲折難解。

11. 論〈外物〉篇中所言「無用之用」

《莊子．外物第二十六》云：

惠子謂莊子曰：「子言无用。」莊子曰：「知无用而始可與言用矣。夫地非不廣且大也，人之所用容足耳。然則廁足而墊之致黃泉，人尚有用乎？」惠子曰：「无用。」莊子曰：「然則无用之為用也亦明矣。」[21]

在這篇寓言中，藉惠子與莊子的對話，說明無用之為用的道理，天地廣大，但人所立足之處，則僅需容納雙腳而已。雙腳所站立之地，此外則似乎於人，毫無用處，但是，如於其人立足之地以外，周圍之處，下掘千丈，則人於立足之地，必將戰慄不敢行走，而尚能心平氣和，舉步安然，一如身在廣闊的平地之處嗎？因此，表面無用之事物，往往反而能成就人們的大用，人們只是習而不察而已。王叔岷教授《莊子校詮》云：

19　王叔岷教授：《莊子校詮》，頁七五八。
20　王叔岷教授：《莊子校詮》，頁七六一。
21　王叔岷教授：《莊子校詮》，頁一〇七一。

洪邁云：「此義本起於《老子》『三十輻，共一轂，當其無，有車之用』一章。」（《容齋續筆》一二。帛書乙本《老子》「三十輻共一轂」作「卅楅同一轂」，甲本僅存「卅」一字。）車柱環云：「此章可謂〈徐無鬼〉：『足之於地也淺。雖淺，恃其所不蹍而後善博也』之敷衍。」案〈人間世篇〉：「人皆知有用之用，而莫知无用之用也。」〈知北遊篇〉：「是用之者，假不用者也。」《淮南子・俶真篇》：「其用之也以不用，其不用也而後能用之。」[22]

王教授先引述洪邁之言，以說明莊子此語，實本之於老子，又據韓國學者車柱環之言，引述《莊子》中〈徐無鬼〉以至〈人間世〉、〈知北遊〉等篇之說，以及《淮南子・俶真篇》之說，其用意，皆在說明無用之用，反為大用也。

12. 論〈寓言〉篇中舍上脫「煬者與之爭竈」六字

《莊子・寓言第二十七》云：

陽子居南之沛，老聃西遊於秦，邀於郊，至於梁而遇老子，老子中道仰天而歎曰：「始以汝為可教，今不可也。」陽子居不答。至舍，進盥漱巾櫛，脫屨戶外，膝行而前曰：「向者弟子欲請夫子，夫子行不閒，是以不敢。今閒矣，請問其過。」老子曰：「而睢睢盱盱，而誰與居！大白若辱，盛德若不足。」陽子居蹵然變容曰：「敬聞命矣！」其

> 往也，舍者迎將，其家公執席，妻執巾櫛，舍者避席，煬者避竈。其反也，舍者與之爭席矣。[23]

在此則寓言中，藉老子與陽子居的對話，說明人生處世應該去其驕泰自大，虛心受教，才能有所進益。王叔岷教授《莊子校詮》云：

> 《郭注》：「去其矜夸故也。」《成疏》：「遣其矜夸，和光順俗。」案《列子》與此文同。《御覽》七〇九引《列子》作「其來也，煬者與之爭竈、席。」疑《莊》、《列》此文本作「煬者與之爭竈，舍者與之爭席矣。」乃承上文「舍者避席，煬者避竈。」而言。《御覽》所引，竈下蓋脫「舍者與之爭」五字，席下略「矣」字。今本《莊》、《列》舍上似脫「煬者與之爭竈」六字，可據《御覽》所引補。（《列子補正》亦有說，此說似較勝。）[24]

《列子．黃帝篇》所記的一則寓言，與《莊子》此篇內容相同，「其反也，舍者與之爭席矣」二句，文字也相同，但是，王教授依據《太平御覽》卷七〇九所引用的《列子》，此二句卻作

---

22 王叔岷教授：《莊子校詮》，頁一〇七二。

23 王叔岷教授：《莊子校詮》，頁一一〇九。

24 王叔岷教授：《莊子校詮》，頁一一一三。

「其來也，煬者與之爭席矣」，王教授因而據此加以推斷，懷疑《莊子》、《列子》此文原本應作「煬者與之爭竈，舍者與之爭席矣」，此兩句，乃分別承應上文「舍者避席，煬者避竈」而發，因為，煬者的工作是炊火烹飪，地點在竈爐之旁，舍者是旅店的客人，安坐的座位在坐薦之上，如果照今本的《莊子》、《列子》，文作「舍者與之爭席矣」，僅言舍者，不言煬者，則與前文「舍者避席，煬者避竈」，不相呼應印合，王教授據《太平御覽》所引《列子》，進而改正今本《莊子》、《列子》的訛誤，其見解是極為正確的判斷。

(三) 結語

王教授早年畢業於四川大學，在民國三十年（一九四一）時，考進北京大學研究所，師從傅孟真先生，專治《莊子》，歷經三年，撰成《莊子校釋》五卷，於民國三十三年，由中央研究院歷史語言研究所列入專刊之二十六，加以出版，出版之後，極受學界重視。

民國三十八年（一九四九），王教授在國立臺灣大學，開始講授《莊子》，受到學子們的熱烈歡迎，造成了校園中極大的轟動。

王教授於教學之餘，仍然研究不輟，廣泛校釋各種古籍，如《呂氏春秋》、《淮南子》、《列子》、《劉子》等書，同時，王教授不僅自己校釋古籍，同時，他還綜合自己校書的經驗，撰成了《斠讎學》一書[25]，此書分為釋名、探原、示要、申難、方法、態度、通例七章，共計約二十萬言，其中通例一章，推尋古籍致誤的原因，共計為一百二十二種現象或原因，這一百二十二種現象或原因，不僅是王教授平素校書時所獲取的甘苦經驗，也正是可以嘉惠後學的度人金針，彌為珍貴。

王教授所校釋的古籍，論其篇幅之大，費力之久，自然要以《史記斠證》為代表[26]，《史記》一百二十卷，王教授一一為之細加斠訂博證，從民國五十四年（一九六五）開始，一直到民國七十年（一九八一），整整花費了十七個年頭，《史記斠證》方才脫稿，這種毅力和工夫，確使我們欽佩不已。

在經過十七年的斠證《史記》之後，王教授又將他的研究工作，回復到《莊子》之上，因為，他早年所撰寫的《莊子校釋》，只是針對《莊子》書中需要校勘的部分，訂正其訛誤，因此，《莊子校釋》書中，只錄出條校的部分，卻並未錄出《莊子》的全文，這對讀者而言，閱覽起來，較不方便，因此，王教授早已想到，若干年來，擬將《莊子校釋》改寫，錄出全部《莊子》正文，使讀者可以讀到全貌，因此，在完成了《史記斠證》的巨大工程之後，王教授立即展開了他那《莊子校詮》的新工作。經過四年的時間，到了民國七十四年（一九八五），《莊子校詮》正式脫稿，當然，《莊子校詮》吸收了《莊子校釋》的舊成果，但也開拓了更多的新內容、新成果。

25　王叔岷教授：《斠讎學》，中央研究院歷史語言研究所專刊之三十七，民國四十八年出版。

26　王叔岷教授：《史記斠證》，中央研究院歷史語言研究所專刊之七十八，民國七十二年出版。

王教授在他所寫的一篇文章〈校書的甘苦〉之中，曾經指出：「（一）校勘古書，是一種小學問，可以幫助研究大學問。（二）校勘古書，是一種支離破碎的小工作，可以幫助通大義，有系統的工作。（三）校勘古書，是一種綉花針的工作，可以幫助大刀闊斧的工作。（四）校勘古書，是枯燥無味的工作，卻有一種無味之味！有味之味是有限度的，無味之味是無窮盡的。」[27]王教授的這番話，帶給我們許多啟示，使我們了解到，校讎與義理之間，絕不是毫無關係的，有時候，細密的校讎工作，卻能夠解決義理上的大問題，王教授的《莊子校詮》，本身就已提供了許多重要的證明。

王教授從事校勘古籍，是從校釋《莊子》開始，地點是在四川南溪之李莊，等到校詮《莊子》，地點是在臺灣南港之舊莊，兩地地名上都有一個「莊」字，也都有一個「南」字，（《莊子》在唐朝時被稱為《南華真經》）所以，王教授自己也說：「岷一生好讀《莊子》，亦所謂宿緣邪！」[28]這在學術界，也早已成為一段佳話！

（此文曾刊載於《王叔岷先生百歲冥誕國際學術研討會論文集》，國立臺灣大學中國文學系編印）

---

27 王叔岷教授：〈校書的甘苦〉，載所著《校讎別錄》（臺北：華正書局，民國七十六年），頁二三。

28 王叔岷教授：〈莊子校詮序論〉，載所著《莊子校詮》卷首。

二十九、「鳥驚」與「魚樂」

《列子．黃帝第二》云：

海上之人有好漚鳥者，每旦至海上，從漚鳥游，漚鳥之至者，百住而不止。其父曰：「吾聞漚鳥皆從汝游，汝取來，吾玩之。」明日至海上，漚鳥舞而不下也。故曰：至言去言，至為無為，齊智之所知，則淺矣。（楊伯峻《列子集釋》頁四十一）

張湛注云：

心動於內，形變於外，禽鳥猶覺，人理豈可詐哉？

錢鍾書《管錐篇》第二冊於〈列子張湛注〉云：

《三國志．魏書．高柔傳》裴註：「孫盛曰：機心內萌，則歐鳥不下。」（頁四八六）

人之思慮情感，發於內心，自然形之於外貌，他人心思細密者，察言觀色，可以覺察而知，動物鳥獸，同樣具有這種本能，能夠察覺人類的「心動於內，形變於外」，因此，當人類一有機詐詭謀之念萌生，鷗鳥也有能力觀察感覺得知，所以才高飛不下，以避禍害。現代心理學中，有意識一名，指人類一切精神覺察之狀態，此意識之中，有一種平時潛伏於心中之作用，並不顯然表現，但當特殊情況下，此種意識也能特別彰顯，產生認知功能，心理學家名此種情況為潛意識，此種潛意識，不僅人類擁有，一般動物也能擁有，而成為一種先天具有的本能，因此，海鷗也能覺察人類的機心，受到驚恐，而高飛不下，以避禍害。推之於其他動物，也莫不如此，其間差別，則在此本能的或多或少，或強或弱之差異而已。

《莊子．秋水》云：

> 莊子與惠子遊於濠梁之上，莊子曰：「儵魚出游從容，是魚樂也。」惠子曰：「子非魚，安知魚之樂？」莊子曰：「子非我，安知我不知魚之樂？」惠子曰：「我非子，固不知子矣，子固非魚也，子之不知魚之樂，全矣。」莊子曰：「請循其本。子曰『女安知魚樂』云者，既已知吾知之而問我，我知之濠上也。」

這是一則著名的寓言，歷來的學者們，往往從各個不同的角度去作解釋，筆者也曾撰有〈「濠梁之辯」窺疑〉一文，載於拙著《老莊研究》（一九九二年學生書局初版）之中，只是，回到此文的立場，筆者則以為，《莊子》此則寓言，可以由「從容」二字去再作探索，《禮記・

中庸》云：「從容中道。」孔穎達《正義》云：「從容閒暇而自中乎道。」王念孫《廣雅疏證》卷六〈釋訓〉「從容，舉動也」條下云：「案從容有二義，一訓為舒緩，一訓為舉動。」是從容有舉止舒緩不迫之義。

莊子與惠子遊於濠梁之上，見儵魚出游，舒緩自然，悠然自在，莊子見此，故斷之曰：「是魚樂也。」因此，不僅人可以從外表舉止動作神情態度去察知他人內心的情感，（如孟子所云「觀其眸子，人焉廋哉」）同樣也可以察知其他動物的內心情感，像家畜貓狗牛馬之類的動物，其喜樂，其恐懼，其憤怒等等情感，都可以由其外表的行為舉止，聲音表情、態度動作，或多或少，加以了解。因此，莊子由儵魚出游的舉動從容，自然可以了解魚樂的大略情形，反之，如果是魚游的情況，是匆促、急迫、亂竄、蹦跳，則不免是受到驚嚇而有所恐懼。因此，由「從容」看魚樂，畢竟也有幾分可能。因此，鳥能感知人意，人能感知魚樂，只是成分的多少而已。此於濠梁觀魚，或亦可備一說。

三十、「機器人」與「換心術」

(一) 引言

科學的發生，往往由於偶然事務的啟迪，科學的成就，則需要有持續不斷的努力。許多原始的觀念，都非常簡單，經過人們不斷地探索與發展，科學的成就，才越發精深，可以造福人類。

反之，如果原始的觀念已經足資啟迪，而人們乃漠視不顧，則不免是極為可惜的事情。下面，是兩個粗淺的例子。

(二) 古例

《列子・湯問第五》云：

周穆王西巡狩，越崑崙，（不）至弇山，未及中國，道有獻工人名偃師，穆王薦之，問曰：「若有何能？」偃師曰：「臣唯命所試。然臣已有所造，願王先觀之。」穆王曰：「日以俱來，吾與若俱觀之。」越日，偃師謁見王，王薦之，曰：「若與偕來者何人邪？」對曰：「臣之所造能倡者。」穆王驚視之，趣步俯仰，信人也，巧夫顉其頤，則歌合律；捧其手，則舞應節。千變萬化，惟意所適。王以為實人也，與盛姬內御並觀之。技將終，倡者瞬其目而招王之左右侍妾。王大怒，立欲誅偃師，偃師大慴，立剖散倡者以示王，皆傅會革、木、膠、漆、白、黑、丹、青之所為。王諦料之，內則肝、膽、心、肺、脾、腸、胃，外則筋、骨、支、節、皮、毛、齒、髮，皆假物也，而無不畢具者。合會如初見，王試廢其心，則口不能言；廢其肝，則目不能視；廢其腎，則足不能步。穆王始悅而歎曰：「人之巧乃可與造化者同功乎？」詔貳車載之以歸。夫班輸之雲梯，墨翟之飛鳶，自謂能之極也。弟子東門賈、禽滑釐聞偃師之巧，以告二子，二子終身不敢語藝，而時執規矩。

晉張湛注云：「班輸作雲梯，可以凌虛仰攻，墨子作木鳶，飛三日不集。」可是，「機器人」的理念，在《列子》中，已足資啟發，中國人自己不加重視，不能發揚光大，卻要等到二十世紀，才由西洋人製造出機器人來。

《列子．湯問第五》又云：

魯公扈趙齊嬰二人有疾，同請扁鵲求治，扁鵲治之。既同愈，謂公扈齊嬰曰：「汝曩之所疾，自外而干府藏者，固藥石之所已。今有偕生之疾，與體偕長，今為汝攻之，何如？」二人曰：「願先聞其驗。」扁鵲謂公扈曰：「汝志彊而氣弱，故足於謀而寡於斷。齊嬰志弱而氣彊，故少於慮而傷於專。若換汝之心，則均於善矣。」扁鵲遂飲二人毒酒，迷死三日，剖胸探心，易而置之，投以神藥，既悟如初。二人辭歸，於是公扈反齊嬰之室，而有其妻子，妻子弗識。齊嬰亦反公扈之室，有其妻子，妻子亦弗識。二室因相與訟，求助於扁鵲。扁鵲辨其所由，訟乃已。

唐盧重玄解云：「明心為情主，形實為知耳。」故二人換心，則情亦隨之。

在《列子》中，「換心術」的理念，已經十分清晰，中國人自己未能發揚光大，卻要等到二十世紀，才由西洋人開創出「換心術」來。

(三)結　語

科學的發明，在原始的時候，往往由於簡單事物的啟發，因而獲得，像牛頓因為看見蘋果落地，而悟出了地心引力的原理，像直升機的原理，由竹蜻蜓而悟出，像計算機的原理，由中國算盤而悟得，為什麼有些科學家那麼聰明，那麼偉大？

《列子》中的故事，對於「機器人」與「換心術」，不是在很久很久以前，已經給予我們「啟示」了嗎？為什麼我們自己發展不出偉大的科學技術來？

用陳之藩先生在〈祖宗的遺產〉中的話來說，應該便是，「問題在努力的祖宗與不肖的子孫上」吧！

三十一、朱陸「鵝湖詩」讀後

(一)引　言

儒學發展至南宋時期，有朱熹理學與陸九淵心學的不同，朱子主張「性即理」，以為人性之中，心雖然能思考，但只有人的稟性才能具有對是非善惡的判斷能力。陸象山主張「心即理」，以為心具眾理，人心之中，自然具有道德價值的判斷能力。

為了調和朱陸見解之不同，呂祖謙因而倡議，於宋孝宗淳熙二年（西元一一七五年），邀約朱陸兩方約三十人，會於江西信州之鵝湖寺，雙方各抒己見，希望能夠化異為同，有所調和，而其主角，實為朱子與陸九齡、陸九淵兄弟二人。

有關鵝湖之會的情形，《象山年譜》於三十七歲有較詳細的記載，而《象山全集》卷三十四〈語錄〉中，也有敘述，主要是記錄了陸九齡與陸九淵兩首論學言志的詩歌，由這兩首詩歌之中，可以顯現二陸兄弟論學的宗旨。

在鵝湖之會中，朱子並未如二陸兄弟，留下論學言志的詩歌，而是在三年之後，朱子經過鉛山，九齡前往相見，朱子方才留下了對二陸詩作的和詩，由這首和詩之中，也顯現了一些朱子論學的意見。

(二) 二陸之詩

以下，先針對二陸兄弟之詩，抒發一些讀後的意見。九齡的詩作如下：

> 孩提知愛長知欽，古聖相傳只此心。

首二句是直接緊扣孟子人皆有「良知」、「良能」而言，故人於孩提之時，也能知所愛知所欽。言「古聖相傳只此心」，此句為全詩重點，山石成岑之基礎在此，人能成聖成賢之根本在此，故全詩之得力處也在此，古聖先賢相傳，使人不失本心宗旨，只緣能把握此「本心」之故。

> 大抵有基方築室，未聞無址忽成岑。

本心為人之基石，有此基石，然後可逐漸發展擴大而成聖成賢。

> 留情傳注翻榛塞，著意精微轉陸沉。

「傳注」自指典冊載籍，眾說紛紜，「精微」指用心於文字記載上求取勝出，反入於「榛塞」

迷途之徑中。

珍重友朋勤切磋，須知至樂在於今。

朋友切磋本源，本心當下呈現，為至樂究竟之境。

九淵的詩作如下：

墟墓興哀宗廟欽，斯人千古不磨心。

詩中言人見墟墓荒涼則悲哀，見宗廟莊嚴則欽敬，人之所以有此悲哀及欽敬之感情，乃由於人皆具有相同之道德本心，在此兩句詩中，人所同具之道德本心，「心」之作用，表顯尚不明朗。

涓流積至滄溟水，拳石崇成泰華岑。

此二句詩，雖本於《中庸》：「今夫山，一卷石之多，及其廣大，草木生之，禽獸居之，寶藏興焉。今夫水，一勺之多，及其不測，黿鼉蛟龍魚生焉，貨財殖焉。」但取譬之義，不甚恰當，《中庸》之義，與孟子及此詩之義，也不全然相同。蓋人心只有一個，以此為根本，可以「發展」「擴充」出無限的生機。此與石頭不止一個，需要「累積」眾多不同的石頭，才能成為泰山華嶽，水也不止一滴，需要「累積」眾多不同的水，方能成為大河大海，並不一樣，以此作為譬喻，彼此之間，就有了差異。

易簡工夫終久大，支離事業竟浮沈。

象山的詩，雖說與《易．繫辭傳》有關，「乾知大始，坤作成物，乾以易知，坤以簡能，易則易知，簡則易從，易知則有親，易從則有功，有親則可久，有功則可大，可久則賢人之德，可大則賢人之業，易簡而天下之理得矣」，取義高遠，但是，象山詩中也明言「工夫」二字，仍然不離於下學的方法而言。

欲知自下升高處，真偽先須辨只今。

自下升高，明言希聖希賢，仍當有先後層級，自卑而高之進程，唯需先識取人心中之道德根本而已，並非全然一超頓悟，否則，便成自說自話。

(三) 朱子之詩

鵝湖之會，陸氏兄弟賦詩以明志，朱子在當場，雖然心中不懌，卻並未賦詩以對，會後三年，朱子過江西鉛山，陸九齡前往訪見，朱子返回福建，方作和詩，以寄二陸，朱子的和詩如下：

德義風流夙所欽，別離三載更關心，偶扶藜杖出寒谷，又枉藍輿度遠岑。

朱子詩，前四句，只是問候語，應酬語，並未作學術異同上之宣宗或爭辯。

舊學商量加邃密，新知涵養轉深沉。

此兩句，舊學新知並舉，溫故而知新，兩者不廢，仍是向外求知，向內涵泳，皆是讀書用力工夫，並未言及「發明本心」，直透本原。

卻愁說到無言處，不信人間有古今。

無言，以心印心，較不立文字，更進一籌，此處亦為朱子日後批評象山「近禪」，埋下機緣。

(四)結　語

人生在世，智愚雖有不同，但是，知識與德性的追求，兩者卻不可偏廢，從入之途，雖有先後，也不可以拋棄其餘，較理想者，為學能發明本心之良知良能，先立其大，然後輔以知識之吸取，博學多聞，由此而言，尊德性為主，道問學繼之，先懂得堂堂正正地做個人，然後從事知識的增進。要之，朱陸之學，可以互補，而不必相爭相非也。

三十二、道統觀之演進與檢討

儒家「道統觀」的形成，由孟子肇始，經過韓愈的奠基，到程朱的弘揚，方始完成。但是，這三次「道統觀」的內容，卻不盡相同，也值得去加以檢討。

《孟子．盡心下》云：

孟子曰：「由堯舜至於湯，五百有餘歲，若禹皋陶，則見而知之，若湯，則聞而知之。由湯至於文王，五百有餘歲，若伊尹萊朱，則見而知之，若文王，則聞而知之。由文王至於孔子，五百有餘歲，若太公望散宜生，則見而知之，若孔子，則聞而知之。由孔子而來，至於今，百有餘歲，去聖人之世，固此其未遠也，近聖人之居，若此其甚也，然而無有乎爾！則亦無有乎爾。」

孟子觀察歷史上的幾位聖人，像堯、舜、商湯、文王，在悠久的時間中，都有人們去接觸過他們，有人們去聽說過他們，但是，孟子卻也感歎，聖人孔子，在時間和空間上，距離自己都非常鄰近，然而，不但自己未曾親自見過孔子，甚至也很少聽到人們談論過孔子，如此，對於孔子這樣一位聖人而言，未免是太忽略了他的價值和地位。

在孟子的敘說中，雖然不曾正式提出「道統」的名字，但是，由於他對孔子的尊崇，加上孟子自己，「乃所願，則願學孔子」，則他隱然將自己視為是繼承孔子的志業，將自己列入自堯舜以至孔子的理想系統之中，一脈相承，則是自然顯現的想法。

孟子所提到的聖人，從堯舜禹湯至文王，以至孔子，我們如果從《尚書》中去考察他們的勳業，就會發現，在教化方面，主要是教導百姓，仁義禮智，孝悌人倫，在政治方面，主要是要求慎選明良，輔弼君王，重農厚生，安邦定國，這些，都是在歷史上可以見諸行事的功業表現。至於孔子，根據《論語》的記述，則是彰顯在道德教化方面。

到了唐代，韓愈在〈原道〉中說：

> 曰，斯道也，何道也？曰，斯吾所謂道也，非向所謂老與佛之道也，堯以是傳之舜，舜以是傳之禹，禹以是傳之湯，湯以是傳之文武周公，文武周公傳之孔子，孔子傳之孟軻，軻之死，不得其傳焉。

這是歷史上最明確的提出了「道統」之說，由堯舜禹湯、文武周公，一直到孔子、孟子，是所謂的最正規的道統論。韓愈的這一道統的觀念，無疑是受到孟子的影響。韓愈是一位古文家，也是一位儒學家，他看到從魏晉六朝以下，文風頹靡，崇尚駢偶，因此，積極提倡古文運動，加以挽救，同時，唐代社會，佛教與道教，十分盛行，民眾普遍加以崇拜，儒學的力量，已逐漸衰退，因此，他提出「文以載道」的方法，倡導以古文推動儒學的復興，以維護孔孟思想的正統地位，也因而推動了儒學「道統觀」的精神。

到了宋代。朱熹在《四書集注》中注解《孟子．盡心下》末章時，針對孟子所敘述的先聖先賢時，特別強調了「道統」的觀念，他說：

愚案此言雖若不敢自謂已得其傳，而憂後世遂失其傳，然乃所以自見其有不得辭者，而又以見夫天理民彝，不可泯滅，百世之下，必將有神會而心得之者耳，故於篇終，歷序群聖之統而終之以此，所以明其傳之有在，而又以俟後聖於無窮也，其旨深哉！

又云：

有宋元豐八年，河南程顥伯淳卒，潞公文彥博題其墓曰，明道先生。而其弟頤正叔序之曰：周公沒，聖人之道不行，孟軻死，聖人之學不傳，道不行，百世無善治，學不傳，千載無真儒，無善治，士猶得以明夫善治之道，以淑諸人，以傳諸後，無真儒，則天下貿貿焉莫知所之，人欲肆而天理滅矣。先生生乎千四百年之後，得不傳之學於遺經，以興起斯文為己任，辨異端，闢邪說，使聖人之道，煥然復明於世，蓋自孟子之後，一人而已，然學者於道，不知所向，則孰知斯人之為功，不知所至，則孰知斯名之稱情也哉。

朱熹以為，孟子之所以要以道統自任，主要在於，古聖先賢所肩負的道統之中，蘊涵了天理民彝，人生宇宙的常規常則，亟待加以傳承而發揚光大，因此才挺身而出，勇於承擔而不加推辭。

另外，朱熹又引述程頤所題程顥墓表的文字，用以說明自孟子之後，一千四百多年以來，只有程顥一人能上繼孟子的心思志業，排斥異端邪說，朱熹的說法，不僅肯定了程朱理學在「道統」上的地位，肯定了「存天理去人欲」為儒學道統的中心意旨，同時也排斥了韓愈在儒學道統上的地位。

朱熹在所撰的〈中庸章句序〉一文中，引述偽古文《尚書．大禹謨》中「人心惟危，道心惟微，惟精惟一，允執厥中」十六字，以為是大舜與大禹等聖人之傳授心法，而及至後世，也唯有二程兄弟程顥、程頤才能承續其緒，才能直接孟子的「心傳」，朱熹的這番話語，借用偽古文《尚書》之言，而又另賦新義，同樣也加強了程朱學派在儒學「道統」上的地位。

儒學「道統觀」的形成，經過三次的演變，內容都不盡相同，也各有得失，在此，也可以試加檢討。

1.孟子的「道統觀」，其內容，主要是仁心仁政，造福百姓。韓愈的「道統觀」，其內容主要是文以載道，施政行仁。程朱的「道統觀」，其內容，主要是天理人欲，斷制分明。

2.孟子所見，代表原始儒家，其學以外王為主。韓愈所見，代表過渡儒家，其學以文學為主。程朱所見，代表心性儒家，其學以內聖為主。

3.儒學的「道統觀」，主要在於標舉出儒學中明顯的宗旨，使得儒學的義趣，更加明確，使後學者有所遵循，把握方向。

4.儒學的「道統觀」，也不免峻設門戶，嚴加局限，自陷狹窄，學欠宏通，以致孤芳自賞，難於開展新局。

5.陳澧《東塾讀書記》卷三云：「程伊川為明道先生墓表云，孟軻死，聖人之學不傳，千載無真儒，人欲肆而天理滅，先生生於千四百年之後，得不傳之學於遺經。」又引王順渠文錄云：「孟子後，千載無真儒，宋儒有是言，余每讀之戚然，姑就漢一代言之，董、賈，兼文學政事之科，蕭、曹、丙、魏，皆有政事之才，至於孔明，則兼四科而有之矣，黃叔度，不言而化，如愚之流輩也，管幼安，龍德而隱，陳太丘、郭有道、徐孺子，皆德行科人，至晉及唐，代不乏人，今一舉而空之，曰無真儒，嗚呼，悠悠千載，向誰晤語。」陳澧又言：「澧謂漢唐人且不論，而先無以處濂溪也。」王順渠所言，猶是遠就孔門四科而立論，陳澧之言，則是尅就理學家濂洛關閩而立說，指程頤之言，特崇明道，則於周張二人，又如何安排其地位？豈不畏人譏其私諛其兄長乎？

三十三、《近思錄・聖賢氣象》與朱子「道統論」

(一)引　言

宋孝宗淳熙二年（西元一一七五年），朱熹與呂祖謙共同編訂《近思錄》，淳熙十六年（西元一一八九年），朱熹撰定〈中庸章句序〉。

《近思錄》選錄周敦頤、程顥、程頤、張載四人之言論，分為道體、為學、致知、存養、克己、家道、出處、治體、治法、政事、教學、警戒、異端、聖賢等十四卷，其中〈聖賢〉一卷，或稱〈聖賢氣象〉，與朱子於十四年後所撰〈中庸章句序〉中所標舉之「道統論」，極有關係，本文則試作分析，試作探索。

(二)分　析

《近思錄》卷十四〈聖賢氣象〉之中，列舉自上古至宋代共計二十一位「聖賢」（？）人物，而引述周敦頤、張載、程顥、程頤四人的言論，對於這些「聖賢」作出評述，以衡論這些聖賢人物所具有的「氣象」。

所謂「聖賢」，這裡只能就《近思錄》中所枚舉出來的人物，去加以歸納其行事之特徵，而得到其意義，所謂「氣象」，應該只是一種抽象化的象徵意義以及境界層次，也只能從書中所枚舉出來的聖賢人物之特質中去體會。

《近思錄》卷十四「聖賢氣象」一卷中所列舉的二十一位「聖賢人物」，依時代先後是唐、堯、虞、舜、商湯、周文王、大禹、孔子、顏回、曾子、子思、孟子、荀子、董仲舒、楊雄、毛萇、諸葛亮、王通、韓愈、周敦頤、程顥、程頤、張載。一共是二十一人，被朱熹和呂祖謙列為「聖賢」，或是具有「聖賢氣象」的人物。而引述了對這二十一位具有「聖賢氣象」的人物，所作的評論或贊語，共有二十五條或長或短的評語。

首先，使我們感覺到的是，從唐堯（西元前二三五七年生）以至程頤（西元一〇三三），前後長達三千多年的時間中，中國歷史上，只出現了二十一位具有「聖賢氣象」的人物，數量未免太過稀少，標準未免太高。

其次，是在對具有「聖賢氣象」的人物，負面的評論，不在少數。只有對於孔子、顏回、孟子，有最高的評價，也最符合「聖賢氣象」的標準，像在第二條中引述程顥的話說：

仲尼，元氣也。顏子，春生也。孟子，並秋殺盡見。仲尼無所不包，顏子示不違如愚之學於後世，有自然之和氣，不言而化者也。孟子則露其材，蓋亦時然而已。仲尼，天地也。顏子，和風慶雲也。孟子，泰山巖巖之氣象也。

至於其他人，則負面的評論較多，例如在第六條中引述程顥之語評論荀子說：

荀卿，極偏駁，只一句性惡，大本已失。

又如第十條引程頤之語評論諸葛亮說：

孔明有王佐之心，道則未盡。王者如天地之無私心焉。行一不義而得天下不為。孔明必求有成而取劉璋。聖人寧無成耳，此不可為也。若劉表子琮將為曹公所併，取而興劉氏可也。

又如第十五條引程頤之語評論韓愈說：

學本是修德。有德然後有言。退之卻倒學了。因學文日求所未至，遂有所得。如曰「軻之死，不得其傳」，似此言語，非是蹈襲前人，又非鑿空撰得出，必有所見，若無所見，不知言者所傳何事？

這些評語，都有負面的意義，也必然影響被評論者在世人心目中所具含的「聖賢氣象」成分的相對減低。

其三，朱熹與呂祖謙既然已經引述周敦頤、張載、程顥、程頤四人之言語，去評論歷史人物在「聖賢氣象」上的成就及表現，又將周、張、二程四人列入《近思錄》的「聖賢氣象」一篇之中，而且，也更引述四人之言，去評論周、張、二程四人在「聖賢氣象」上的成就和表現，豈不是讓周、張、二程對於自己人有著不為迴避，不嫌阿附的嫌疑？雖然，這項責任，不在周、張、二程，而在朱熹與呂祖謙二人。

(三) 探　索

在《近思錄‧聖賢氣象》一卷之中，朱熹和呂祖謙除了引述周、張、二程之言，對孔子、顏回、孟子表示了最高的稱贊之意，同時，也引述了周、張、二程之言，對於周敦頤、張載、程顥、程頤表達了稱譽之意，例如第十六條引述《周子全書》所記關於周敦頤之贊語說道：

周茂叔胸中灑落，如光風霽月。甚為政，精密嚴恕，務盡道理。

又如第十七條引述程頤所撰〈明道先生行狀〉對於程顥之評論云：

先生資稟既異，而充養有道，純粹如精金，溫潤如良玉。……辨異端似是之罪，開百代未明之惑。秦漢而下，未有臻斯理也。謂孟子沒而聖學不傳，以興起斯文為己任。

又如第十九條引述張載《張子遺書》所記云：

張子厚聞生皇子，喜甚。見餓莩者，食便不美。

又如第二十二條引述《二程外書》所記之言云：

游（酢）楊（時）初見伊川，伊川瞑目而坐。二子侍立，既覺，顧謂曰：「賢輩尚在此乎？日既晚，且休矣。」及出門，門外之雪深一尺。

由這些引述的語言中，可以見到朱熹與呂祖謙對於周、張、二程的推崇。

到了淳熙十六年，朱熹撰寫〈中庸章句序〉，正式提出了「道統」的說法，他說：

蓋自上古聖神，斷天立極，而道統之傳，有自來矣，其見於經，則「允執厥中」者，堯之所以授舜也，「人心惟危，道心惟微，惟精惟一，允執厥中」者，舜之所以授禹也。堯之一言至矣盡矣，而舜復益之以三言者，所以明夫堯之一言，必如是而後可庶幾也。……自是以來，聖聖相承，若成湯文武之為君，皐陶伊傳之為臣，既皆以此而接夫道統之傳，若吾夫子，則雖不得其位，而所以繼往聖開來學，其功反有賢於堯舜者，然當是時，見而知之者，惟顏氏曾氏之傳得其宗，及曾氏之再傳，而復得夫子之孫子思……自是而又再傳，以得孟氏，為能推明是學，以承先聖之統，……而微程夫子，則亦莫能因其語而得其心也。

朱熹在〈中庸章句序〉中，推崇程顥，因讀子思《中庸》，而能領悟古聖先賢以心相傳之「道統」，其功厥偉，因此，朱熹對於二程以及周敦頤、張載，都衷心欽佩推崇，而將四人列入「道統」之中，而相對的，在《近思錄》中，帶有負面貶謫之語的荀子、董仲舒、毛萇、楊雄、王通、韓愈等人，則很自然地不列入「道統」的行列之中了。這也是朱熹從淳熙二年到淳熙十六年，也是朱熹從四十六歲到六十歲，十四年之間，觀念有所改變的重要事項。

(四)結　語

陳榮捷教授〈朱子之近思錄〉云：「《近思錄》之編排與內容，均以朱子本人之哲學與其道統觀念為根據。全書以周子〈太極圖說〉為首，蓋由太極而陰陽五行以至于萬物化生與聖人之立人極，為朱子哲學之輪廓，亦成為數百年後理學一貫之哲學輪廓。每卷以周子始，二程次子，張子為後。張子比二程年長，應居先，而朱子之次序如彼者，乃以周子為理學之開端，以二程為理學之成立，張子為理學之補充，于禮教鬼神等說，貢獻更大。」（載陳教授《朱學論集》）宋代儒學有理學與心學兩派，朱熹屬於理學一派，故《近思錄》中，不收金谿陸九淵心學一派之著作，而於理學一派之中，「二程思想，為朱子哲學之根據」（陳榮捷教授〈朱子與道統〉，載陳教授《新儒學論集》），故於《近思錄》中，引述二程之著作，為數最多，於「道統論」中，也極為推崇二程之貢獻。

由《近思錄》之編定，到〈中庸章句序〉中「道統論」之提出，相隔十四年，我們可以說，《近思錄》中〈聖賢氣象〉一卷，是朱熹〈道統論〉的初稿，而〈中庸章句序〉一篇，是朱熹「道統論」的定稿，初稿包容寬泛，定稿審核謹嚴，而定稿強調以周張二程直接孔孟之心傳，尤為朱熹最為重要的主張。

三十四、論王陽明「心即理」

「心即理」、「致良知」、「知行合一」，是王陽明哲學的三大綱領，對於「心即理」的義涵，《傳習錄》卷一說：

徐愛問：「至善只求諸心，恐於天下事理有不能盡。」先生曰：「心即理也。天下又有心外之事，心外之理乎？」愛曰：「如事父之孝，事君之忠，交友之信，治民之仁，其間有許多理在。恐亦不可不察。」先生嘆曰：「此說之蔽久矣。豈一語所能悟？今姑就所問者言之。且如事父，不成去父上求箇孝的理。事君，不成去君上求箇忠的理。交友治民，不成去友上民上求箇信與仁的理。都只在此心。心即理也。此心無私欲之蔽，即是天理。不須外面添一分。以此純乎天理之心，發之事父便是孝。發之事君便是忠。發之交友治民便是信與仁。只在此心去人欲存天理上用功便是。」

心是人的根本，離心而求理，斷無是理，只是，上述陽明所言，都是針對人倫道德的範圍而立論。而且，事父事君，具備純乎天理之心，自是根本，自是「有個頭腦」（陽明語），存天理去人欲，自是用功得力之處，此於事君事父，只可說是建立大本，但事父事君，仍有其他不可忽略之事，否則，但能存天理去人欲，即可目為孝子忠臣，人事恐也不盡如此。

其實，在人們的心中，先天就已具備了至少兩種成分，一種是道德良知，可以使人當下分辨是非善惡，以立根本，（姑且稱之為是心的第一種功能）。另一種是分析推理，主要使人用於向外覓取新知，以求善用，（姑且稱之為是心的第二種功能）。

勞思光先生在所著的《中國哲學史》中針對「心即理」說：

陽明所說之「理」，本非「認知意義」之「理」，而是「德性意義」之「理」。

因此，勞先生也以為，「陽明則緊扣德性言理」，要之，陽明先生所說的「心即理」，主要的著眼點，是施用在人們的道德良知方面，而不是施用在人們對於外在事物的理解方面。但是，陽明先生在前引徐愛所問的那一條記載中說：「心即理也，天下又有心外之事，心外之理乎？」將「心外之理」擴大到「心外之事」。又在〈與王純甫書〉中說：「心外無物，心外無事，心外無理，心外無義，心外無善。」（見《王陽明全集》卷四）則已將「心」的功能（第一種功能），擴大到第二種功能之中，依照陽明先生的意思，則心不僅具備道德良知，當下可以分辨人們的是非善惡，同時，就此道德良知，也可以去明瞭外在客觀世界的事務物理，而不需要向外就事上物上去分析推知其理。如此，則是以心的第一種功能，兼攝心的第二種功能。要之，就人的內心即可彰明人情物理，而不需要有向外的工夫努力，認為只要返求己心，即可以眾理來集，諸事無誤，彰明理則，這樣，未免是將「心」的第一種功能，引申得過遠，無限地擴大。

陽明先生又說：「聖人之心如明鏡。」又說：「只怕鏡不明，不怕物來不能照。」（陳榮捷《王陽明傳習錄詳註集評》頁五十九）徐愛也說：「心猶鏡也，聖人心如明鏡，常人心如昏鏡。」又說：「先生（指陽明）之格物，如磨鏡使之明，磨上用功。明了後，亦未嘗廢照。」（陳榮捷書頁九十四）人心如鏡，即使聖人之心如明鏡，可以清澈照見外物，但也需要有外物可照，心中之鏡才可以照見此物。因此，人心之中，除了道德良知，可以當下在內心之中，即可以明辨人情的是非善惡。其他外在世界客觀存在之事理、物理，必需有事有物前來相照，才能映照在心鏡之中，經過分析綜合，實驗考察，才能夠彰明其真相。

心之功能，本來向內向外，各適其用，各明其理，如果一味向內，而欲兼明外在之事理及物理，則其事甚難。

陽明「心即理」、「致良知」，其「理」字、「知」字、「良知」字，意義皆必指「德性」而言，方才無弊，一涉及外在知識層面，便不易相應。

三十五、陽明論「無心外之物」

王陽明《傳習錄》卷三下記曰：

先生遊南鎮，一友指岩中花樹，問曰：「天下無心外之物。如此花樹，在深山中自開自落，於我心亦何相關？」先生曰：「你未看此花時，此花與汝心同歸於寂。你來看此花時，則此花顏色一時明白起來。便知此花不在你的心外。」（陳榮捷書頁三三二）

陽明先生以為，「天下無心外之物」，但是，友人以為「如此花樹，在深山中自開自落，於我心亦何相關」，於我心並無關係。

陽明先生因而指出兩點。第一，「你未看此花時，此花與汝心同歸於寂。」第二，「你來看此花時，則此花顏色一時明白起來。」由於以上兩點，陽明先生遂據以斷定，「便知此花不在你的心外」。

就陽明先生第一點而言，則「你未看此花時」，花自然與汝心無關，花自然不在你的心中，但是，你未看此花時，花仍然存在於此客觀的世界中，並未與汝心一樣，「同歸於寂」，此時，只是花不在你心中而已，你心中無花，你心中自歸於寂，花與汝心並無關係，花也並未與汝心同時而「寂」，「寂」的只是「汝心」而已。

關於第二點，陽明先生以為，「你來看此花時，則此花顏色一時明白起來，便知此花不在你的心外」，你來看此花時，此花的顏色仍然一如往昔，並未特別「一時明白起來」，陽明先生以為，這時，「此花顏色一時明白起來」，也只是「人」在自己心中主觀地自以為是如此，自以為花是「一時明白起來」，覺得此花顏色一時為我而明白，方才格外覺得自己之重要，其實，這又與「花」本身何關？花並未一時特別明白起來，人之有那種感覺，也只是人在觀物時的心理作用而已。

三十六、王陽明〈大學問〉讀後

(一)引 言

王陽明之大弟子錢德洪曾說：「〈大學問〉者，師門之教典也。學者初及門，必先以此意授。」又說：「吾師接初見之士，必借《學》、《庸》首章，以指示聖學之全功，使知從入之路。師征思田將發，先授〈大學問〉，德洪受而錄之。」

《傳習錄》及〈大學問〉，皆記錄陽明先生講學之精要，〈大學問〉一篇，主要在於闡發《大學》三綱八目之義趣，指點修習大人之學之途轍，重要自不待言。

(二)分 析

〈大學問〉篇中，以闡釋《大學》三綱中之「明明德」一義，指點成聖成賢之工夫，尤為重要，茲謹分析如下。陽明先生〈大學問〉云：

《大學》者，昔儒以為大人之學矣，敢問大人之學，何以在於「明明德」乎？

陽明子曰：大人者，以天地萬物為一體者也。其視天下猶一家，中國猶一人焉。若夫間形骸而分爾我者，小人矣。大人之能以天地萬物為一體也，非意之也。其心之仁本若是其與天地萬物而為一也。豈惟大人，雖小人之心，亦莫不然，彼顧自小之耳。是故見孺子之入井，而必有怵惕惻隱之心焉，是其仁之與孺子而為一體也。孺子猶同類者也，見鳥獸之哀鳴觳觫，而必有不忍之心焉，是其仁之與鳥獸而為一體也。鳥獸猶有知覺者也，見草木之摧折，而必有憫恤之心焉，是其仁之與草木而為一體也。草木猶有生意者也，見瓦石之毀壞，而必有顧惜之心焉，是其仁之與瓦石而為一體也。是其一體之仁也，雖小人之心亦必有之。是乃根於天命之性，而自然靈昭不昧者也。是故謂之明德。小人之心，既已分隔隘陋矣，而其一體之仁，猶能不昧若此者，是其未動於欲，而未蔽於私之時也。及動於欲，蔽於私，而利害相攻，忿怒相激，則將戕物圮類，無所不為，甚至有骨肉相殘者，而一體之仁亡矣。……故夫為大人之學者，亦惟去其私欲之蔽，自明其明德，後其天地萬物一體之本然而已耳，非能於本體之外，而有所增益之也。

陽明先生解釋《大學》首章「明明德」之意蘊，以為大人之學，當視「天下猶一家，中國猶一人」，「以天地萬物為一體」，以為人「心之本若是其與天地萬物而為一也」，又分別舉出人心之仁，與孺子、鳥獸、草木、瓦石等等皆同具「一體之仁」，乃是同樣「根於天命之性，而自然靈昭不昧者也，是故謂之明德」，所以，陽明先生才說，「為大人之學者，亦惟去其私欲之蔽，自明其明德，復其天地萬物一體之本然而已耳，非能於本體之外而有所增益之也」。

陽明先生之規設、之闡發，其理想，是否過為高遠？以余所見，明人黃綰的評論意見，足可參考，黃綰《明道編》卷一云：

今之君子，每言「仁者以天地萬物為一體」，以為大人之事如此，而究其說，則以吾之父子，及人之父子，及天下人之父子為一體；吾之兄弟，及人之兄弟，及天下人之兄弟為一體；吾之夫婦，及人之夫婦，及天下之夫婦為一體；吾之朋友，及人之朋友，及天下人之朋友為一體；乃至以山川、鬼神、及鳥獸、草木、瓦石皆為一體，皆同其愛，皆同其親，以為一體之仁如此。審如此言，則聖人之所謂親親而仁民，仁民而愛物，情有親疏，愛有差等者，皆非矣。實不知其說已墮於墨氏之兼愛，流於空虛，蕩無涯涘。由是好名急功利之徒，因藉其說以為是，而得以行其欲；殘忍刻薄者，因反其言以為非，而得以騁其私，而大人之道之學於此亡矣。（北京，中華書局，一九五九年）

黃綰的話，頗為切中〈大學問〉的流弊，〈大學問〉之說，標舉「仁者以天地萬物為一體」，但是，吾之父，與人之父，吾之子，與人之子，以及天下人之父之子，在實際的行為上，很難成為等量齊觀的一體，推之於吾之兄弟，以及人之兄弟，以至天下人之兄弟，以至於吾之夫婦，與人之夫婦，以至天下人之夫婦，以至於吾之朋友，以及人之朋友，以至天下人之朋友，也很難成為等量齊觀的一體，更不用說什麼鳥獸、草木、瓦石了，又如何能夠成為等量齊觀的一體？這種號召，陳義甚高，容易流為空洞的口號，使有心求道的人們自嘆企及不上，也容易使虛偽之徒假之以自我標榜以行偽，這種號召，與墨子所主張的「視人之國，若視其國，視人之家，若視其家，視人之身，若視其身。」（《墨子・兼愛》中），不但極其相似，而且更有過之而無不及之處。黃綰《明道編》又云：

> 吾嘗觀第五倫，己子病，一夕一起，心猶不安，兄子病，一夕十起，而心安。論者以其非天性人情之真。蓋兄子固當愛，然視己子則有差等。其十起一起者，乃其私心，由好名急功利而來。其安不安者，乃其本心，此天性人情之真。大人之學，皆由其真者，因其差等，處之各不失其道，此所謂仁，此所謂大人之道也。失此不由，則皆非矣，而末流之弊，何莫不至哉！

黃綰所舉出的第五倫的例子，最重要的是，「人情之真」，在真正的人情之中，對於仁愛親疏的表現，確實是有著差等之分別，這是人情之真確情況，這也是人性的自然流露，自然分際，無法勉強、做作，如果一定要一視同仁，彼此等量齊觀，那只是違反人性，違悖人情的作法，聖人所提倡的仁者之道，也絕非是如此地境地，如此地不合人情，不合人性。

(三)結　語

其實，筆者以為，踐行仁道，應該直接從孟學入手，《孟子》書中許多提示，都親切有味，使人易於接受，易於實踐，也易於逐漸提升人們的修養層次，逐漸而躋登較高的「仁」之境地。

《孟子．梁惠王》云：

老吾老，以及人之老，幼吾幼，以及人之幼。

《孟子．盡心》云：

君子之於物也，愛之而弗仁。於民也，仁之而弗親。親親而仁民，仁民而愛物。

這兩章的記載，是孟子實踐仁德的基本立場，推行仁德，孟子主張由近及遠，愛有等差，而不是像陽明所主張的，一視同仁，不分人我，不分族群，不分生物與無生物。

《孟子．滕文公》云：

孟子道性善，言必稱堯舜。

《孟子．告子》云：

堯舜之道，孝弟而已矣，子服堯之服，誦堯之言，行堯之行，是堯而已矣。子服桀之服，誦桀之言，行桀之行，是桀而已矣。

堯舜是孟子「道統觀」中最高的聖賢代表，也是能夠實踐仁德的代表人物。至於一般世俗的凡人，如果想實踐仁德，提升自己的人生境界，則孟子提出的方法是，「堯舜之道，孝弟而已矣」，一般普通的世人，只要自己效法堯舜的行為，以堯舜為榜樣，努力學習，自然就能逐漸成為堯舜一樣的聖賢，這是多麼直接簡捷的實踐仁德的方法。

《孟子．盡心》又云：

桃應問曰：「舜為天子，皐陶為士，瞽叟殺人，則如之何？」孟子曰：「執之而已矣。」「然則舜不禁與？」曰：「夫舜，惡得而禁之。夫有所受之也。」「然則舜如之何？」曰：「舜視棄天下，猶棄敝蹝也。竊負而逃，遵海濱而處，終身訢然，樂而忘天下。」

在〈盡心篇〉中，桃應則提出了舜為天子，其父瞽叟殺人，舜應該如何處理的兩難問題，請孟子回答，孟子的回答是，大舜應該會是自己拋棄帝位，背負父親，逃往深山大澤去躲避，這才是大舜在兩難之間，應該選擇實行的方式，這種方式，既避免了徇私之名，又避免了不孝之罪，這是萬不得已中的一種勉強可行的方法。從孟子的回答中，我們也可以觀察到大舜和孟子不好高騖遠，不為虛聲虛名，而更加切近人情，符合人性的作法。這也使我們聯想到黃綰在

《明道編》中所引述第五倫的故事，兩者都具有在人間世界中的真實性、可行性。

在〈大學問〉中，陽明先生在「明明德」之外，還提出了「去其私欲」之說，作為「明明德」的一種輔助作用，因此，「自明其明德」，是陽明先生倡導希聖希賢的積極工夫，而「去其私欲」則是輔助性的消極工夫。只是，如果「明明德」的理想陳義過高的話，「去其私欲」的效果，恐怕也更不容易達成。

三十七、王陽明論蒯聵父子爭國及其化解之道

(一)引　言

春秋魯定公十四年（西元前四九六年，衛靈公三十九年），衛靈公夫人南子，與宋朝私通，世子蒯聵深以為恥，令其家臣戲陽速刺殺其母南子，戲陽速猶豫未決，事為南子所覺，乃啼訴於靈公，靈公大怒，蒯聵乃出奔於宋。

魯哀公二年（西元前四九三年），衛靈公卒，卒前，欲立少子郢繼位，郢推辭，以為世子蒯聵雖已出亡，但蒯聵之子輒，仍在國內，應當繼立。衛靈公卒後，衛國乃推輒為君，是為衛出公。

魯哀公二年，晉國趙鞅帥師納衛世子蒯聵於戚，戚是衛邑，衛出君拒之，於是衛國形成了蒯聵與輒二人，父子爭為國君的難堪局面。

《春秋》三《傳》對於蒯聵父子爭為國君之事，雖有記述，但是，重點卻在解經，在於解釋《春秋》的義蘊，對於如何化解蒯聵父子爭為國君之事，卻很少提出解決的方法。王陽明雖然遠在明代，卻提出了化解蒯聵父子爭為國君的方案，雖然，他的方案，不能改變春秋時代衛國的歷史，但是，如能確切有效，也不失為是益人神智的卓見。以下，即就陽明先生之見解，加以疏通說明。

(二)

王陽明《傳習錄》卷一云：

問：「孔子正名，先儒說上告天子，下告方伯，廢輒立郢。此意如何？」先生曰：「恐難如此？①豈有一人致敬盡禮，待我而為政，我就去廢他，豈人情天理？孔子既與輒為政，必已是他能傾心委國而聽，聖人聖德至誠，必已感化衛輒，使知無父之不可以為人，必將痛哭奔走，往迎其父。②父子之愛，本於天性，輒能悔痛真切如此，蒯聵豈不感動底豫？蒯聵既還，輒乃致國請戮。聵已見化於子，又有夫子至誠，調和其間，當亦不肯受，仍以命輒，群臣百姓，又必欲得輒為君。③輒乃自暴其罪惡，請於天子，告於方伯，諸侯，而必欲致國於父。④聵與群臣百姓，亦皆表輒悔悟仁孝之美，請於天子，告於方伯諸侯，必欲得輒而為之君。於是集命於輒，使之復君衛國。⑤輒之不得已，乃如後世上皇故事，率羣臣百姓，尊聵為太公，修物致養，而始退復其位焉。⑥則君君臣臣，父父子子，名正言順，一舉而可為政於天下矣。⑦孔子正名，或是如此。」（《傳習錄》所記陽明先生這一段意見，文字較長，文義也轉折較多，故加標號碼，略分段落，以便於說明。）

①衛靈公時，嘗迎孔子施政，《論語．子路》記曰：「子路曰，衛君待子而為政，子將奚先？子曰，必也正名乎！子路曰，有是哉，子之迂也！奚其正？子曰，野哉由也！君子於其所不知，蓋闕如也。名不正則言不順，言不順則事不成，事不成則禮樂不興，禮樂不興則刑罰不中，刑罰不中則民無所措手足，故君子名之必可言也，言之必可行也，君子於其言，無所苟而已矣。」故《傳習錄》先引陽明弟子之言，以廢輒立郢為問，衛出公（輒）時，孔子又至衛國，故陽明先生以為，「孔子既與輒為政，必已是他能傾心委國而聽。聖人（孔子）盛德至誠，必已感化衛輒，使知無父之不可為人，必將痛哭奔走，往迎其父」也。

②在第二節中，陽明先生強調，「父子之愛，本於天性」，加以聖人之德，已經感化衛輒，衛輒既已痛哭懺悔，迎接父親回國，作為父親的蒯聵，自然也應該深受感動，等到衛輒懇切地將國君之位，交還予蒯聵，敬請父親接受君位，父子之間，既已坦誠相對，則作為父親的蒯聵，無不深愛其子，自然也不肯奪取兒子衛輒的君位，而是堅持將君位還予衛輒，命衛輒繼續擔任國君。同時，衛輒既已為君，也深受群臣和百姓的擁戴，民意的表現，也使得衛

輒不得不再加深思考慮。

③於是衛輒乃深自反省自己拒父的罪過，自行請命於周天子，遍告關心的諸侯，仍然想要將國君之位，還予父親，請蒯聵擔任衛國之國君，也表示自己衷心誠懇的祈望之意。

④此時，蒯聵與羣臣百姓，也必然感受到衛輒心中仁孝的美德，也便同時請命於周天子，遍告關心的諸侯，表達大家一致期望衛輒繼續擔任國君的心願。

⑤在衛國民眾的一致擁戴下，也在父親蒯聵的諒解與期望之下，衛輒不得已，只好尊崇父親蒯聵為「太公」，（有如後世帝王退位為「太上皇」一般）而自己則繼續擔任衛國的國君。

⑥在這種理想的「安排」之下，則很自然地達到君如其君，臣如其臣，父似其父，子似其子的理想境界，衛國國君由此也可以名正言順地為政於天下各國之中，而無所愧疚了。

⑦回到《傳習錄》此節開始時弟子問「孔子正名」的問題，也回到《論語・子路》篇中子路所問的「為政奚先」的問題，陽明先生以為，蒯聵與衛輒父子爭為國君的化解之道，解決方式，便是孔子「正名」理想的實踐案例了。

(三) 結語

依據《左傳》與《史記・衛康叔世家》的記載，魯定公十四年，衛靈公之世子蒯聵，得罪南子，出亡在外，衛靈公卒後，蒯聵之子輒繼位，是為衛出公。

衛出公在位十二年，衛國亂，出公出奔晉。在外四年，然後回國。

魯哀公十五年，衛國大臣立蒯聵為君，是為衛莊公，在位三年，趙簡子帥兵圍衛，莊公蒯聵出亡。

魯哀公二十六年，衛出公（公子輒）自齊返衛，復為國君，立二十一年後，卒。

以上的記述，是春秋末葉，衛國世子蒯聵與其子輒，父子二人，在衛國先後爭為國君的情況，但也是歷史上確有其事的史實記錄。回顧這一段歷史的事實，我們再取陽明先生解決蒯聵父子爭國的方案，作一印證，看看陽明先生所提出的化解爭端之道，是否可行？

陽明先生化解爭端的基本立場，是性善論，是人人皆有善性，是良知論，是人人皆有良知，這仍然是陽明先生以「致良知」立論的根本立場。

人人皆具有良知，人們如果能夠致其良知，則人人皆可成為聖人。但是，人們的內心深處，也都隱藏著「利己」的一些幽暗意識，因此，在人們的內心深處，也不時地進行著「天人交戰」的行為。其勝負時常左右著人們的行為。

陽明先生化解蒯聵父子爭國的方案，誠然是聖人層面的構想，十分理想，十分可貴。但是，從另一個方面去看，也許，作此論者，「他們還未嚐到權利的滋味」吧！

三十八、讀王陽明《朱子晚年定論》

(一)引　言

《王陽明全集》卷四，於《傳習錄》下，附有《朱子晚年定論》一卷，乃明武宗正德五年（一五一〇），陽明先生年三十九歲，陞任南京刑部四川清吏司主事，以至正德九年（一五一四），陽明先生年四十三歲，陞南京鴻臚寺卿之時，節取朱子文集中三十四封書信，以為乃朱子晚年之定論。

《朱子晚年定論》之前，有陽明先生弟子錢德洪之序，序中說道：

《定論》首刻於南贛，朱子病目，經久忽悟聖學之淵微，乃大悔中年註述誤己誤人，遍告同志。師閱之，喜己學與晦翁同，手錄一卷，門人刻行之。自是為朱子論異同者寡矣。師曰：「無意中得此一助。」隆慶壬申，虬峯謝君廷傑，刻師全書，命刻《定論》附《全書》後，見師之學與朱子無相繆戾，則千古正學同一源矣。并師首敘與袁慶麟跋，凡若干條，洪僭引其說。

根據《王陽明年譜》，《朱子晚年定論》始刻於明武宗正德十三年（一五一八），其實陽明已平定江西動亂，但尚未離開江西，故錢序說是該書最初在南贛刻行。錢序又說，朱子晚年病目，不能看書，靜養既久，忽然領悟聖學精微之處，深悔自己中年時期的務於遍注經籍，為誤己誤人之事，於是乃「遍告同志」，以彰明己過。錢序又說，陽明先生閱讀朱子此書之後，心中欣喜自己的學說與朱子之說相同，乃親自鈔錄一卷，門人也將之刊行於世。

《朱子晚年定論》中的三十四封書信，如果當初在南宋時，是由朱子自己「錄為一卷」，普遍分寄友人門人，才可謂之為「遍告同志」，用以說明自己悔恨中年時期的為學工作，才可以謂之為「師閱之」，謂陽明先生閱讀該已輯成一卷之三十四通書信。「手錄一卷」，也應是其書在朱子時已經完成為一卷之書，然後，陽明先生才得以「手錄一卷」。

但是，《朱子晚年定論》中三十四封書信，既然是朱子個別寫給友人弟子的書信，也是分藏在友人弟子手中的書信，後世才由弟子收集編入文集之中，則朱子生前，《朱子晚年定論》既未編成，朱子又如何可以將之去「遍告同志」？如果說，是朱子就自己一千六百餘通書信之中，選出了這三十四通書信，則以朱子一代大儒，門人友人，為數之多，（陳榮捷教授在所著《朱子門人》一書之中，考訂朱子門人，其里居可知者，已達三百七十八人），又如何可能去一一「遍告同志」呢？

錢序中所謂「師閱之，喜己學與晦翁同，手錄一卷」，並不是陽明先生自己從朱子的一卷書中，另錄一卷，而是陽明先生自己，從朱子文集之中，選擇性地節抄了三十四通書信，錄成一卷而已，又如何可以說是，喜己學與晦翁同，「無意中得此一助」？其實應該是陽明先生「有意中得此一助」而已。

錢德洪序《朱子晚年定論》，故意說得恍惚神似，極易誤導讀者，造成錯覺，以為《朱子晚年定論》，乃是朱子所著，反不如袁慶麟在《朱子晚年定論跋》中所說：「《朱子晚年定論》，我陽明先生在留都時所採集者也。」來得真實無誤。

陽明先生在為《朱子晚年定論》所寫的序文中說：

> 獨於朱子之說有相牴牾，恆疚於心。

又說：

> 及官留都，復取朱子之書而檢求之，然後知其晚歲固已大悟舊說之非，痛悔極艾。

又說：

> 予既自幸其說之不謬於朱子，又喜朱子之先得我心之同然。且慨夫世之學者，徒守朱子中年未定之說，而不復知求其晚歲既悟之論，競相呶呶以亂正學，不自知其已入於異

端。

這才是陽明先生採集朱子之書信，以為即是朱子晚年的定論與正學，凡世間學說，與此不同者，則皆已入於異端，而陽明先生自己的學說，不僅「不繆於朱子」，而且，更是「朱子先得我心之同然」，以見己學之適為「正學」與「聖學」。

(二)分析

中國思想史上，有所謂「理學」與「心學」之分，「理學」以宋儒周敦頤、張載、程顥、程頤、朱熹為代表，「心學」以宋儒陸象山，明儒王陽明為代表。

如果我們以朱熹與陸象山二人作為「理學」與「心學」的代表，作一比較，則可以看出，朱熹主張「性即理」，陸象山主張「心即理」。

在朱熹的思想中，「理」是客觀存在的實體，它在人們心中所顯現的，則為「性」，因此，他主張「性即理」，性是人們心中之理。

在陸象山的思想中，「心」是人人所具有者，「理」也是上天所賦予人們所本有者，故人皆有此心，心也皆有此理。

由於主張「性即理」，因此，朱熹也特別重視「格物」，重視知識，因此，他也遍注經籍，以充實學理。

由於主張「心即理」，因此，陸象山也主張「一己之心」、「吾友之心」，以至「聖人之心」，皆具其理，主張「若能盡我之心，便與天同」，故主張「萬物皆備於我，有何欠闕」，主張「先立其大」，以便「收拾精神，自作主宰」，而不重視向外在事物上去求取知識。

大略而言，思想史上之朱陸異同，或擴而以至程朱與陸王之異同，也有如此之大略分別。

以下，即針對《朱子晚年定論》中的三十四封書信，略作分析，分析它們那些是屬於「理學家言」，那些是傾向於「心學家言」，分析的標準，在「理學家」方面，可以參考朱熹所編定的《近思錄》與錢穆先生所著的《朱子新學案》，《近思錄》反映周敦頤、張載、程顥、程頤的思想，《朱子新學案》反映朱熹的思想。在「心學家」方面，可以參考《陸象山集》與《傳習錄》。

《朱子晚年定論》中三十四通書信，經過分析，大約可以區分為三類，第一，屬於「理學家」尋常修省工夫者，共有二十封，依次為1、3、5、8、9、11、13、15、16、17、20、21、23、25、26、27、30、31、33、34等。

第二，稍近於「心學家」一般意見者，共有十一封，依次為2、4、6、10、12、14、18、22、28、29、31等。

第三，明確討論朱陸異同之見者，共計有三封，依次為8、19、24等。

以下，即對於此三類書信，分別舉出五、四、三封書信，作為說明。

第一類，屬於「理學家」尋常修省工夫者，如：

朱熹〈答黃直卿書〉（1）云：

為學直是先要立本，文義卻可且與說出正意，令其寬心玩味，未可便令考校同異，研究纖密，恐其意思促迫，難得長進。將來見得大意，略舉一二節目，漸次理會，蓋未晚也。

為學先要立本，立本，指經籍之根本要旨，先須理會，此意人人可知，非立本心為先也，故又言，「文義卻可且與說出正意，令其寬心玩味」，明指「文義」為說，此乃朱子教學之基本要旨。朱熹〈答潘叔度〉（5）云：

熹衰病，今歲幸不至劇，但精力益衰，目力全短，看文字不得。冥目靜坐，卻得收拾放心，覺得日前外面走作不少，頗恨盲廢之不早也。

朱子讀書多，向外用力不少，但其為學，也不廢向內自省功夫，年事日長，目力漸衰，看文字不得，冥目靜坐，體會昔日用功所得，是理學家尋常工夫，收拾放心，不必心學家為然。朱熹〈與周叔謹〉（7）云：

熹近日亦覺向來說話有大支離處，反身以求，正坐自己用功亦未切耳。因此減去文字功夫，覺得閒中氣象甚適。每勸學者亦且看《孟子》「道性善」、「求放心」兩章，著實體察收拾為要。其餘文字，且大概諷誦涵養，未須大段著力考索也。

朱子為學，不廢講論功夫，久之，馳騖既久，覺其支離，乃反身以求，減去文字功夫，乃覺閒中氣象之適，乃勸學者不務博求，但取《孟子》「道性善」、「求放心」兩章，著實體察，專意守約，反能收拾精神，自得於己，此所敘說，亦理學家為學之常課也。朱熹〈答竇文卿〉（15）云：

> 為學之要，只在著實操存，密切體認，自己身心上理會。切忌輕自表襮，引惹外人辯論，枉費酬應，分卻向裡功夫。

操存體認，皆是自行向裡處用功，在自己身心行事上理會，尤忌輕易顯露，招引妬嫉，徒費應酬，減卻自己向內身心處之得益。朱熹〈答吳德夫〉（32）云：

> 承喻仁字之說，足見用力之深。熹意不欲如此坐談，但直以孔子、程子所示求仁之方，擇其一二切於吾身者，篤志而力行之，於動靜語默間，勿令間斷，則久久自當知味矣。去人欲存天理，且據所見去之存之。功夫既深，則所謂似天理而實人欲者次第可見。今大體未正，而便察及細微，恐有放飯流歠，而問無齒決之譏也。如何如何？

在這封書信中，朱子不想與吳德夫一樣，對「仁」字作考證其意義演變的研究，他以為，那樣只是文字上口耳間的考證，與自己的身心，毫無關係，他以為，應如孔子、程子教人的方式，選擇仁字關切於自己身心行為之要旨，實踐力行，在言行舉動之際，隨時體察反省，行之既久，自然親切有味，轉化成為自己親切的德性，而須臾不能離去。同時，存天理與去人欲，是朱熹思想學說的重心，對於存天理去人欲，應該如何去存之去之，朱子也主張必須切實力行，返求自己的身心行為，等到實踐的功夫既深，則其功效自然可見，其「似天理而實人欲」之真偽，也自然可以分判。故朱子言「仁」，言「天理之欲」，皆不離開身心行為，而自力行實踐處作起，方才親切有味，不徒在語言空虛處講論炫耀也。

第二類，稍近於「心學家」一般意見者，如：

朱熹〈答呂子約〉（2）云：

> 日用功夫，比復何如？文字雖不可廢，然涵養本原而察於天理人欲之判，此是日用動靜之間，不可頃刻間斷底事。若於此處見得分明，自然不到得流入世俗功利權謀裡去矣。熹近日方實見得向日支離之病，雖與彼中證候不同，然忘己逐物，貪外虛內之失，則一而已。程子說「不得以天下萬物撓己，己立後自能了得天下萬物」，今自家一個身心不知安頓去處，而談王說伯，將經世事業別作一個伎倆商量講究，不亦誤乎！

存天理去人欲，是朱子學說思想的重心，也是陽明時時勉勵學人的言語，陽明有見於此，可以自悟，不必受朱子之影響，由此可見兩家關注之所同者，理學家自有此向內功夫，亦不必即受陸氏心學之影響。而朱子自省「近日方實見得向日支離之病」，凡為修己立己之學者，皆能體悟「忘己逐物，貪外虛內」之過失，理學家自能知此，不必即須取法心學家而後始能覺悟也。

朱熹〈答潘叔〉（4）云：

> 示喻「天上無不識字底神仙」，此論甚中一偏之弊。然亦恐只學得識字，卻不曾學上天，即不如學上天耳。上得天了，卻學上天人，亦不妨也。中年以後，氣血精神能有幾何？不是記故事時節。熹以目昏，不敢著力讀書，閒中靜坐，收斂身心，頗覺得力。閒起看書，聊復遮眼，遇有會心處，時一喟然耳。

孟子云：「博學而詳說之，將以反說約也。」朱子讀書多，向外用力不少，但其為學，也不廢自省向內功夫，年紀漸長，精力漸衰，向裡用功多些，自是常情，但也不致盡悔向外功夫，博覽書冊，此書明言「中年以後」，是朱子也非必定至晚年，乃始轉向內，以求「收斂身心」也。朱熹〈與呂子約〉（6）云：

> 孟子言「學問之道，惟在求其放心」，而程子亦言，「心要在腔子裡」。今一向耽著文字，令此心全體都奔在冊子上，更不知有己，便是個無知覺不識痛癢之人。雖讀得書，亦何益於吾事耶！

《孟子．告子上》云：「學問之道無他，求其放心而已矣。」朱熹注：「學問之事，固非一端，然其道則在於求其放心而已，蓋能如是，則志氣清明，義理昭著，而可以上達，不然，則昏昧放逸，雖從事於學，而終不能發明矣。故程子曰，聖賢千言萬語，只是欲人將已放之心，約之使反復入身來，自能尋向上去，下學而上達也。此乃孟子開示之言，程子又發明之，曲盡其指，學者宜服膺而勿失也。」陸象山、王陽明，皆發揮孟學之旨者，《近思錄》卷四〈存養〉引程子云：「心要在腔子裡。」《朱子語類》卷九十六云：「或問，心要在腔子裡。如何得在腔子裡？曰，敬便在腔子裡。」凡此所言，皆與陸王心學相近。故朱子亦以為學者為學，耽著文字，令其心全體皆奔往冊子上，不知有己心在，自不恰當，然此心有悟，也不妨與冊子上文字相印證。朱熹〈答呂子約〉（10）云：

日用功夫，不敢以老病而自懈。覺得此心操存舍亡，只在反掌之間。向來誠是太涉支離，蓋無本以自立，則事事皆病耳。又聞講授亦頗勤勞，此恐或有未便。今日正要清源正本，以察事變之幾微，豈可一向汩溺於故紙堆中，使精神昏弊，失後忘前，而可以謂之學乎！

汩溺於故紙堆中，自是向外覓取知識，久之，易使人精神昏弊，誠乃是太涉支離之病。若能先立其本，在此心上操之存之，反而向裡，則自無此等病痛。

第三類，明顯趨向於陸氏心學者，如：

朱熹〈答陸象山〉（8）云：

熹衰病日侵，去年災患亦不少，比來病軀方似略可支吾。然精神耗減日甚一日，恐終非能久於世者。所幸邇來日用功夫頗覺有力，無復向來友離之病。甚恨未得從容面論，未知異時相見，尚復有異同否耳？

宋孝宗淳熙二年（一一七五），呂祖謙邀約陸九齡（復齋）、陸九淵（象山）與朱熹、劉清之等人相會於信州之鵝湖寺，是時朱熹四十六歲，陸象山三十九歲，相會之時，陸九齡先舉一詩云：「孩提知愛長知欽，古聖相傳只此心，大抵有基方築室，未聞無址忽成岑。留情傳注翻榛塞，著意精微轉陸沉，珍重友朋相切琢，須知至樂在於今。」陸九淵亦舉一和詩云：「墟墓興哀宗廟欽，斯人千古不磨心，涓流積至滄溟水，拳石崇成泰華岑。易簡工夫終久大，支離事業竟浮沉，欲知自下升高處，真偽先須辨只今。」朱熹聞之，大為不懌。

宋孝宗淳熙六年（一一七九）陸九齡訪朱熹於鉛山觀音寺，朱熹乃作和九齡當年鵝湖寺韻詩云：「德義風流夙所欽，別離三載更關心，偶扶藜杖出寒谷，又枉藍輿度遠岑。舊學商量加邃密，新知培養轉深沉，卻愁說到無言處，不信人間有古今。」針對陸氏兄弟的意見，提出自己的主張。

《陸象山年譜》引朱亨道之言云：「鵝湖之會，論及教人，元晦之意，欲令人泛觀博覽，而後歸之約。二陸之意，欲先發明人之本心，而後使之博覽。朱以陸之教人為太簡，陸以朱之教人為支離，此頗不合。」象山以朱子為學趨於支離，工夫難於久大，朱子以象山為學過簡，舊學新知難以相融，此實兩家為學工夫歧異之處，前引朱子〈答陸象山〉書，朱子自言「所幸邇來日用功夫頗覺有力」，強調「無復支離之病」，自是踐行有得之處，也是趨向於「心學」用功得力之處。

朱熹〈答梁文叔〉（19）云：

近看孟子見人即道性善，稱堯舜，此是第一義。若於此看得透，信得及，直下便是聖賢，便無一毫人欲之私做得病痛。若信不及孟子，又說個第二節功夫，又只引成覸、顏淵、公明儀三段說話，教人如此，發憤勇猛向前，日用之間，不得存留一毫人欲之私在這裡，此外更無別法。若於此有個奮迅興起處，方有田地可下功夫。不然，即是畫脂鏤冰，無真實得力處也。近日見得如此，與前日不同，故此奉報。

《孟子．滕文公上》云：「滕文公為世子，將之楚，過宋而見孟子。孟子道性善，言必稱堯舜。世子自楚反，復見孟子，孟子曰：世子疑吾言乎？夫道，一而已矣。成覸謂齊景公曰：『彼，丈夫也，我，丈夫也，吾何畏彼哉？』顏淵曰：『舜何人也？予何人也？有為者亦若是。』公明儀曰：『文王我師也，周公豈欺我哉？』」朱子《集注》云：「道，言也。性者，人所稟於天，以生之理也，渾然至善，未嘗有惡，人與堯舜，初無少異，但眾人汨於私欲而失之，堯舜則無私欲之蔽，而能充其性爾，故孟子與世子言，每道性善，而必稱堯舜以實之，欲其知仁義不假外求，聖人可學而至，而不懈於用力也。」朱子在〈答梁文叔〉書信中指出，人性稟自上天，堯舜之性，純乎至善，故得為聖賢，此是最上等之稟賦，世人如能於此等處效法堯舜，人性純乎至善，便已躋身於聖賢之境域。如不能效法堯舜，退而求其次，以成覸、顏淵、公明儀為仿效之對象，以學習聖賢為自我策勵之功，已是致力多而功效少，落於第二義。故朱子在書信中，勉勵人們勇猛向前，日用之間，不得存留一毫人欲之私，方才有得力之處，而能漸近於性善之境。

朱熹〈又答何叔京〉（24）云：

向來妄論「持敬」之說，亦不自記其云何。但因其良心發現之微，猛省提撕，使心不昧，則是做功夫底本領。本領既立，自然「下學而上達」矣。若不察良心發見處，即渺渺茫茫，恐無下手處也。中間一書論「必有事焉」之說，卻儘有病。殊不蒙辨詰，何邪？所喻多識前言往行，固君子之所急。熹向來所見亦是如此。近因反求未得個安穩處，卻始知此未免支離，如所謂因諸公以求程氏，因程氏以求聖人，是隔幾重公案，曷若默會諸心，以立其本，而其言之得失，自不能逃吾之鑒邪？欽夫之學所以超脫自在，見得分明，不為言句所桎梏，只為合下入處親切。今日說話，雖未能絕無滲漏，終是本領是當。非吾輩所及，但詳觀所論，自可見矣。

「涵養須用敬，進學則在致知」（《二程遺書》卷十八），為程朱用功得力之處，朱子論「敬」與「持氣」之說，見於《語類》者極多，此書所謂「因其良心發現之微，猛省提撕，使心不昧，則是做功夫底本領，自然下學而上達矣。若不察良心發現處，即渺渺茫茫，恐無下手處也」，自是親切體會之語，不僅在口耳之間也。故朱子也以為，「如所謂因諸公以求程氏，因程氏以求聖人，是隔幾重公案」，未免支離過遠，「曷若默會諸心，以立其本」，為簡易直接也，此處自是近於心學家言。

(三) 結語

王陽明《朱子晚年定論》刊行之後，引起學界非常強烈反應，顧璘、羅欽順，首先致書陽明，指出《朱子晚年定論》中所收朱子書信，或非晚年所作，其後，陳建著《學蔀通辨》、馮柯著《求是編》、孫承澤著《考正晚年定論》，專門討論《朱子晚年定論》，大體仍以《定論》中所取朱子書信，或非晚年之作為議論。（參陳榮捷〈從朱子晚年定論看陽明之于朱子〉，附於陳氏所著《王陽明傳習錄詳注集評》之末）。

本文試從分析《朱子晚年定論》中三十四通書信之內容入手，將三十四通書信，依其所論之內容，分為三類，第一類為屬於「理學家」尋常修省工夫者，共有二十封。第二類為稍近於「心學家」一般意見者，共有十一封。第三類為確討論朱陸異同之見者，共有三封。並自此三類之中，各舉出五、四、三封書信作為代表，試加分析，說明其內容之重點。雖然，在《朱子晚年定論》三十四封書信之中，僅只舉出了十二封書信，作為疏釋說明的例證，但是，就此也可以大略窺知《朱子晚年定論》中內容之趨向，據此三類書信分析而言，或就此十二封書信內容之分析而言，欲由此書而論定朱子晚年已經由「理學」而轉入「心學」，則仍然難令讀者心服也。

陽明先生在為《朱子晚年定論》所撰的序言中，曾經說道，「朱子之先得我心之同然」，以見自己之學適為「正學」與「聖學」，其實，陽明先生一生，光明磊落，創新學說，肇建事功，此在儒學史上，已經是優入聖賢之境域，如其僅僅為了峻標宗旨，而乃為此議論朱子學說，則不免使人對於一位標舉良知之學的哲人，感到有所遺憾。

陳榮捷教授〈從朱子晚年定論看陽明之于朱子〉（載陳教授《王陽明傳習錄詳註集評》之末）一文云：「（〈朱子晚年定論〉）所採三十四書，實只代表二十三人。朱子與通訊者，所所知者約四百三十人。今所取幾不及二十分之一。即此可見其所謂晚年定論，分毫無代表性。朱子致書所存者約一千六百餘通。以朱子思想之淵博，若謂選三數十書便可斷其定論，則任何言說，均可謂為定論矣。」陳教授的評論，深可玩味。

三十九、呂坤之修身儒學

(一)引　言

呂坤字叔簡，號心吾，河南寧陵人，明穆宗隆慶五年進士，曾任山西按察使，陝西布政使，刑部右侍郎，《明儒學案》卷五十四有傳。

呂坤一生講學，多所自得，所著之書，以《呻吟語》最為重要。陳宏謀序該書云：「先生以為人非聖賢，其身心常在病中，故于省察克己治人修己之要旨，從人情物理中推勘而出，眼前指點，怵目劌心。」洪亮吉序該書云：「吾願世之受病淺及未病者，三復是編，身體而力行之，將見一世盡起沉痾，而斯民並登仁壽。」並可切中呂心吾先生撰寫《呻吟語》一書之用意。

(二)舉　要

《呻吟語》共有六卷。卷一內篇，禮集，計有性命、存心、倫理、談道四目。卷二內篇，樂集，計有修身、問學二目。卷三內篇，射集，計有應務、養生二目。卷四外篇，御集，計有天地、世道、聖賢、品藻四目。卷五外篇，書集，僅治道一目。卷六外篇，數集，計有人情、物理、應喻，詞章四目，另附有拾遺一卷。

《呻吟語》之內容，較為繁富，茲篇為狹義所謂「修身」之義，擇取其書中尤為簡要之語，略加編次，以供閱覽，以求切己修身之用。

1. 呂坤《呻吟語》云：

多記先正格言，胸中方有主宰；閒看他人行事，眼前即是規箴。（河洛圖書出版社影印本，下引並同。）

按古今格言，愈淺近者，愈有益於人，所謂老生常談，實富至理，如自幼年深記心中，作人處事，必有分寸，不致漫無主張。

猶憶唸小學時，課室旁廊柱上，多釘有木條，上寫格言，如「戶樞不蠹，流水不腐」，如「學如逆水行舟，不進則退」，如「學如逆水行舟，一篙不能放鬆」，迄今記憶猶新，而亦深悔未能切實體會其意義，實踐其教訓也。

至於多觀察他人行為，取為鑑戒，自可避免重蹈同樣過失，受益亦多。

2. 呂坤《呻吟語》云：

心能辨是非，處事方能決斷；人不忘廉恥，立身自不卑污。

按人能辨別他人的行為，孰是孰非，進而以之作為自己行為的準則，則不致臨事狐疑，難於定奪。

禮義廉恥，恥最重要，也最難處理，顧亭林先生強調，「人之不廉，而至於悖禮犯義，其原皆生於無恥也」，故人能判別廉恥，其人品自然日趨高尚。

3. 呂坤《呻吟語》云：

知往日所行之非，則學日之進矣；見世人可取者多，則德日進矣。

按人往往多見他人之過，罕見自己之錯，人如能常見自己之錯，則進步之基石在此。人如能常見別人之優點，自然能夠反省自己的缺點，進而學習他人之優點，自然品德日益進步，所可畏者，只見他人為錯，不見自己有過，則其人難有進益矣。

4. 呂坤《呻吟語》云：

孔子何以惡鄉愿，只為他似忠似廉，無非假面孔；孔子何以棄鄙夫，只因他患得患失，盡是俗心腸。

按鄉愿所反映者，只是一個「假」字，樣樣做作，無一毫真意。鄙夫，則只是投機取巧，全為自己打算，並無一點高遠理想。

5.呂坤《呻吟語》云：

博學篤志，切問近思，此八字，是收放心的工夫；神閒氣靜，智勇深沉，此八字，是幹大事的本領。

按欲收放失之心，當先於學問上切實用功，反思己過。欲幹大事業，當先求心思寧靜，意態沉著，不輕顯露。

6.呂坤《呻吟語》云：

氣性不和平，則文章事功，俱無足取；語言多矯飾，則人品心術，盡屬可疑。

按文章事功，成於人心，心中所持，務求和平二字，而必戒張揚。反之，觀人之語言矯飾，則可知其人之心術所在。

7.呂坤《呻吟語》云：

心術以光明篤實為第一，容貌以正大老成為第一，言語以簡重真切為第一。

按心地光明，容貌肅正，言語簡切，為修身之根本。

8.呂坤《呻吟語》云：

大事難事看擔當，逆境順境看襟度，臨喜臨怒看涵養，羣行羣止看識見。

按處理大事難事，方能見出其人有無擔當能力，身在逆境之中。方能見出其人胸襟之大小。面臨大喜大怒，方可顯見其人涵養之高低。處理羣眾事務，方可顯現其人見識之遠近。

9. 呂坤《呻吟語》云

當可怨、可怒、可辯、可訴、可喜、可愕之際，其氣甚平，這是多大涵養。

按涵養身心，必求之於種種世事之上，一一考驗，皆能得一「平」字，方才見得涵養工夫之高低。

10. 呂坤《呻吟語》云：

深沉厚重，是第一等資質；磊落豪雄，是第二等資質；聰明才辯，是第三等資質。

按如今世俗之人，於此三種氣象，多反其次序而求之，而加以稱譽，自是平凡人之看法。

11. 呂坤《呻吟語》云：

身要嚴重，意要安定，色要溫雅，氣要和平，語要簡切，心要慈祥，志要果毅，機要縝密。

按身體、意態、顏色、氣度、語言、心意、志向、機括，此八者，立身之節目，處世之要旨，人能於此八者，多加體味，則成大事業之關鍵，盡在此也。

12. 呂坤《呻吟語》云：

愁煩中具瀟灑襟懷，滿抱皆春風和氣；暗昧處見光明世界，此心即白日青天。

按世上不如意事，常十之八九，居愁中煩中，能具有瀟灑襟懷，需要多大修養，多大定力。於幽處暗處，能窺見遠處光明，心田中自有無限希望。

(三) 結 語

《大學》一書，有所謂三綱領八條目之說，而總結一句，則曰，「自天子以至於庶人，壹是皆以修身為本」，故修身之道，於人之一生，其重要可知。

《大學》之外，傳統修身之書，流行於社會民間者，如朱柏盧之〈朱子治家格言〉、洪自誠之《菜根談》、張潮之《幽夢影》，都是鼓勵人們進德修身的重要書籍。

但是，以書籍內容之精要，份量之眾多而言，則仍以呂坤之《呻吟語》，較為重要。

當代儒學，或以《孟子》一書，為心性儒學之代表，以《公羊傳》一書，為政治儒學之代表，如以《呻吟語》一書，為修身儒學之代表，或亦可以為世人所許可否？

四十、顧亭林與呂留良

(一)引　言

顧炎武，江蘇崑山人，學者稱為亭林先生，生於明萬曆四十一年，卒於清康熙二十一年（西元一六一三—一六八二年），年七十歲。

呂留良，號晚村，浙江石門人，生於明崇禎二年，卒於清康熙二十二年（西元一六二九—一六八三年），年五十五歲。

亭林先生與晚村先生，都生當明末清初之際，遭逢亡國之禍，二人生平為學，立身行事，有極為相似之處。

張舜徽先生《清人文集別錄》卷二於《呂晚村先生文集八卷附錄一卷》云：「留良學術行事，與顧炎武有絕相似者，學宗朱子，力闢陽明，一也。恥事異姓，致謹於出處去就辭受之辨，二也。啟釁端於鄉里，致改易名字，僅乃獲免，三也。」又云：「留良身遭亡國之痛，失志不食清祿，故於學者出處、去就、辭受之際，言之尤競，於許衡、吳澄之仕元，視之蔑如，與顧炎武所揭櫫行己有恥之義，若合符契，視夫康雍以下士大夫仰承朝廷意旨，以尊朱為榮進之階者，固不可同日語也。」又云：「獨於江西頓悟，永嘉事功，眉山權術，目為三大患，闢之不遺餘力。」所論呂留良先生學術指要及其與亭林先生學術行事，有絕相似之處，皆極為精當。

閱讀舜徽先生所論呂留良與亭林先生學術行事所舉三項「絕相似者」之餘，覺其仍然有可資補充之處，論之如下。

(二)補 充

張舜徽先生指出，呂留良的學術行事，與顧亭林有絕相似者，「學宗朱子，力闢陽明，一也」，是說明呂留良的學術宗旨。「恥事異姓，致謹於出處去就辭受之辨，二也」，是說明呂留良的立身氣節。「啟釁端於鄉里，致改易名字，僅乃獲免，三也」，是說明顧亭林與呂留良二人，皆曾受陷於家中惡僕，而性格剛直之處理行為。

舜徽先生所指出的三件行事之外，筆者以為，尚有一事，為顧呂二人行事中極相類似者，則為「申張民族大義」，也應加以敘說。

例如《論語・憲問》云：

子路曰，桓公殺公子糾，召忽死之，管仲不死，曰，未仁乎？子曰，桓公九合諸侯，不以兵車，管仲之力也，如其仁，如其仁。

又云：

子貢曰，管仲非仁者與？殺公子糾，不能死，又相之。子曰，管仲相桓公，霸諸侯，一匡天下，民到於今受其賜，微管仲，吾其被髮左衽矣。豈若匹夫匹婦之為諒也，自經於溝瀆，而莫之知也。

在《論語》中，記載子貢子路二人所問，對於管仲的立身行事，有所置疑，置疑管仲未能達到仁者的標準，顧亭林《日知錄》卷九〈管仲不死子糾〉云：

君臣之分，所關者在一身，夷夏之防，所繫者在天下，故夫子於管仲，略其不死子糾之罪，而取其一匡九合之功，蓋權於大小之間，而以天下為心也，夫以君臣之分，猶不敵夷夏之防，《春秋》之志，可知矣。……夫子之意，以被髮左衽之禍，尤重於忘君事讐也。論至於尊周室攘夷狄之大功，則公子與其臣，區區一身之名分小矣。雖然，其君臣之分，故在也。遂謂之無罪，非也。

呂留良《四書講義》卷十七云：

聖人此章，義旨甚大，君臣之義，域中第一事，人倫之至大，此節一失，雖有動業作為，無足以贖其罪者，……看微管仲句，一部《春秋》大義，尤有大于君臣之倫為域中第一事者，故管仲可以不死耳。

又云：

子貢以君臣之義，言，已到至處，無可置辨，夫子謂義更有大于此者，此《春秋》之旨。

又云：

管仲之功，非猶夫霸佐之功也，齊桓之霸，非猶夫盟主之霸也。

又云：

子路子貢兩章發問，皆責其失節，而夫子兩答，皆只稱許其功，而未嘗出脫其不死之罪，以其罪原無可解也。

又云：

管仲之功，非猶夫霸佐之功也，齊桓之霸，非猶夫各盟主之霸也。

管仲之功，主要在於尊王攘夷，尊重華夏民族的周天子，而攘拒四夷外族對中夏的窺視之舉。顧亭林與呂留良，針對《論語》兩章，同樣頌揚管仲能張大《春秋》之義，能強調華夷之辨，也同樣指出管仲不死子糾之難，其罪原無可解，只是，在有功於民族大義之前提下，其不殉子糾之難，其其罪也相對地顯得較輕而已。

(三)結　語

張舜徽先生討論呂留良之學術行事，指出與顧亭林有絕相似者，計有三項，其中第二項，「恥事異姓，致謹於出處去就辭受之辨」，論其內容，本亦與此文所討論所補充者有關，只是，「致謹於出處去就辭受之辨」，似太過消極，而此處所補充之「申張民族大義」，則較能顯現顧呂二人所共具之積極精神耳。

《呂晚村文集》卷二有〈復王山史書〉一通，書中有云：「而質性又僻戾不可近，亦不樂與人遊，故友朋絕少，如寧人兄，南中之士，其志節學問文章，馳譽遠近，心甚企羨，而從未得見，其他可知已。」今案《顧亭林文集》中，也未見有涉及晚村先生之事者，是顧呂二人，終生未嘗晤面也。

四十一、章炳麟《訄書・王學》讀後

(一)引　言

王陽明是著名的哲學家，他的哲學，以「心即理」、「致良知」、「知行合一」為三大綱領，組成一套自成系統的思想。

章炳麟在所撰寫的《訄書・王學第十》之中，卻指出王陽明的一些主要思想，並非自行創造，而是因襲前人的思想而來，本文針對此一問題，依據章氏所枚舉的事項，依次加以討論如下。

(二)討　論

章炳麟《訄書・王學第十》云：

> 王守仁南昌桶岡之功，職其才氣過人，而不本於學術。

又云：

嘗試最觀守仁諸說，獨致良知為自得，其佗皆采自舊聞，工為集合，而無組織經緯。

章氏指出王陽明的各種學說，只有「致良知」是出於自己的心得，其他的一些重要學說，則是「皆采自舊聞，工為集合」，況且，「而無組織經緯」。以下，即針對章氏所指責的兩點，試加討論。

關於所指王陽明「皆采自舊聞，工為集合」方面。

1. 章炳麟《訄書・王學第十》云：

夫其曰人性無善無惡，此本諸胡宏，而類者也。

章氏自注云：

胡宏曰：「凡人之生，粹然天地之心，道義完具，無適無莫，不可以善惡辨，不可以是非分。」又曰：「性者，善不足以言之，況惡邪。」

明世宗嘉靖六年（西元一五二七年），王陽明奉命出征廣西思恩、田州一帶的叛亂，陽明的兩位弟子錢德洪與王畿，在錢塘江舟中，討論陽明先生的講學宗旨，舉出陽明的四句教言，「無善無惡是心之體，有善有惡是意之動，知善知惡是良知，為善去惡是格物」，加以討論。錢德洪以為，「心體是天命之性，原是無善無惡的。但人有習性，意念上見有善惡在。格、致、誠、正，修此；正是復那性體功夫，若原無善惡功夫，亦不消說矣。」王畿以為，「若悟得心是無善無惡之心，意即是無善無惡之意，知即是無善無惡之知，物即是無善無惡之物」。二人之見解不同，乃一同往見陽明。

陽明先生乃移帝天泉橋上，對錢王二人之見，加以折中，說道：「二君之見，正好相資為用，不可各執一邊。」又云：「利根之人，一悟本體，即是功夫，……其次不免有習心在，本體受蔽，……汝中（王畿）之見，是我接利根人的，德洪之見，是我這裡為其次立法的。」

關於人性無善無惡的討論，陽明先生與他的兩位弟子，討論得如此細密深刻，如果直指陽明先生之說，是「本諸胡宏而類者也」，恐怕也並不妥當。

2.章炳麟《訄書．王學第十》云：

> 其曰知行合一，此本諸程頤，而紊者也。

章氏自注云：

> 程頤曰：「人必真心了知，始發於行，如人嘗噬於虎，聞虎即神色乍變，其未噬者，雖亦知虎之可畏，聞之則神色自若也。又人人皆知膾炙為美味，然貴人聞其名而有好之之色，野人則否。學者真知亦然，若彊合於道，雖行之，必不能持久。人性本善，以循理

而行為順，故獨理明則自樂行。」案此即知行合一之說所始。

《傳習錄》曾經記錄陽明先生的話說：「知是行的主意，行是知的功夫。知是行之始，行是知之成。」又說：「真知即所以為行，不行不足謂之知。」又說：「知之真切篤實處，即是行，行之明覺精察處，即是知。」又說：「就如稱某人知孝，某人知弟，必是某人已曾行孝行弟，方可稱他知孝知弟。不成只是曉得說些孝弟的話，便可稱為知孝弟？又如知痛，必已自痛了，方知痛；知寒，必已自寒了；知饑，必已自饑了；知行如何分得開？此便是知行的本體，不曾有私意隔斷的。聖人教人必要如此，方可謂之知，不然，只是不曾知，此卻是何等緊切著實的工夫。」

今案程頤虎噬之例，只是說明凡事親身經歷者，易於有切膚之痛，感受特為深切而已。至於事例，可舉者至多，人之際遇感受，也各有特例存在。陽明知行合一之旨，如果鎖定程頤虎噬之說，為唯一之源頭，則似有刻舟求劍之嫌。

3. 章炳麟《訄書・王學第十一》云：

即言堯舜如黃金萬鎰，孔子如黃金九千鎰，則變形於孔融者，融為〈聖人優劣論〉曰：「金之優者名曰紫磨，猶人之有聖也。」（《御覽》八百十一引）

《傳習錄》曾經記載，希淵問：「聖人可學而至，然伯夷伊尹於孔子，才力終不同。其同謂之聖者安在？」先生曰：「聖人之所以為聖，只是其心純乎天理，而無人欲之雜。猶精金之所以為精，但以其成色足而無銅鉛之雜也。人到純乎天理方是聖，金到足色方是精。然聖人之才力，亦有大小不同，猶金之分兩有輕重。堯舜猶萬鎰，文王孔子猶九千鎰，禹湯武王猶七八千鎰，伯夷叔齊猶四五千鎰。才力不同，而純乎天理則同，皆可謂之聖人。猶分量雖不同，而足色則同，皆可謂之精金。以五千鎰者而入於萬鎰之中，其足色同也，以夷尹而廁之堯孔之間，其純乎天理同也。蓋所以為精金者，在足色，而不在分兩，所以為聖者，在純乎天理，而不在才力也。故雖凡人，而肯為學，使此心純乎天理，則亦可以為聖人。猶一兩之金，比之萬鎰，分量雖懸絕，而其到足色處，可以無愧，故曰人皆可以為堯舜者，以此。學者學聖人，不過是去人欲而存天理耳。」

《傳習錄》又曾記載，德章曰，「聞先生以精金喻聖，以分兩喻聖人之分量，以煅鍊喻學者之工夫，最為深切，惟謂堯舜為萬鎰，孔子為九千鎰，疑未安。」先生曰：「此又是軀殼上起念，故替聖人爭分兩。若不從軀殼上起念，則堯舜萬鎰不為多，孔子九千鎰不為少，堯舜萬鎰，只是孔子的，孔子九千鎰，只是堯舜的，原無彼我。所以謂之聖，只論精一，不論多寡，只要此心純乎天理處同，便同謂之聖。若是力量氣魄，如何盡同得？」

今案孔融之言極簡，陽明之言極繁，孔融論聖人優劣，點到而已，陽明論聖人所以為聖，暢發其旨，孔融之〈聖人優劣論〉，僅存於《太平御覽》，陽明不必定能見及。今指陽明以黃金多少比喻聖人之說，「變形」於孔融，難於使人信服。《太平御覽》卷帙龐大，孔融〈聖人優劣論〉之說，陽明未必曾經寓目。

4. 章炳麟《訄書・王學第十》云：

即言人心亡時而不求樂，雖親喪者，蓄悲則不快，哭泣擗踊，所以發舒其哀，且自寧也。則變形於阮籍者。籍為〈樂論〉曰：「漢順帝上恭陵，過樊濯，聞鳥鳴而悲，泣下橫流，曰，善哉鳥鳴，使左右吟聲，若是，豈不佳乎。此謂以悲為樂也。」（《御覽》三百九十二引）

《傳習錄》記載，陽明弟子陸澄曾經修書請示陽明，關於內心悅樂的觀念，陸澄云：「昔周茂叔每令伯淳尋仲尼顏子樂處，敢問是樂也，與七情之樂，同乎否乎？若同，則常人之一遂所欲，皆能樂矣。何必聖賢？若別有真樂，則聖賢之遇大憂大怒大驚大懼之事，此樂亦在否乎？且君子之心，常存戒懼，是蓋終身之憂也，惡得樂？澄平生多悶，未嘗見真樂之趣，今切願尋之。」陸澄自言一生多愁悶，未嘗見真樂，以此切身的問題，向其師陽明先生請教，請求指示。

陽明先生的回答是，「樂是心之本體，雖不同於七情之樂，而亦不外於七情之樂。雖則聖賢別有真樂，而亦常人之所同有，但常人有之而不自知。反自求許多憂苦，自加迷棄。雖在憂苦迷棄之中，而此樂又未嘗不在。但一念開明，反身而誠，則即此而在矣。每與原靜論，無非此意。而原靜尚有何道可得之問，是猶未免於騎驢覓驢之蔽也。」陽明先生以為，「樂是心之本體」，人能以樂存心，自然心存喜樂，面對人生宇宙，自然會樂觀奮鬥，走向充滿希望的人生大道。

章炳麟以為陽明所言「人心亡時而不求樂」，乃「變形於阮籍」〈樂論〉之說，恐未必如是。《太平御覽》卷帙浩繁，所收引阮籍〈樂論〉之說，陽明未必曾加寓目。

(三)結　語

王陽明為明孝宗弘治十二年進士，曾上疏彈劾劉瑾，遭廷杖四十，謫為貴州龍場驛丞，及劉瑾伏誅，始得陞為吏部主事，率軍討平江西福建一帶之叛亂，又曾討伐寧王宸濠之反叛，擒宸濠，綜計陽明先生一生，文治武功，學問道德，集於一身。

王陽明之為學，其始，泛濫於辭章，繼而偏讀朱子之書，又出入於佛老，及至居夷處困，動心忍性，因念聖人處此，更有何道，乃悟格物致知之旨，聖人之道，吾性自足，不假外求，故「其學凡三變而始得其門」（《明儒學案》語），而於晚歲，尤重視「致良知」之學說。

陽明先生之學，以「心即理」、「致良知」、「知行合一」為三大綱領，組成一套心學之系統，凡有所發，皆得自於百苦千辛之中，自行體悟，然後乃有所獲。

章太炎先生撰《訄書》，乃言陽明先生之學，「獨致良知為自得，其佗皆采自舊聞」，而指陽明先生之學，某說也，「本諸」某人，某說也，「變形於」某人，恐皆未必如是也。又指陽明先生之學，「工為集合，而無組織經緯」，則是忽略哲學家之思考，重在思想之體系明確，不必一一如織錦般之組織經緯，燦爛奪目。至於說陽明先生「以良知自貴，不務誦習，乃者觀其因襲孔阮，其文籍已秘逸矣，將鉤沈捃嘖，以得若說，而自諱其讀書邪！夫不讀書以為學，學不可久，為是陰務誦習，而陽匿藏之」，則又不免有含沙射影之嫌矣。

四十二、陶淵明詠史詩三首探微

(一)引言

詠史詩以評論史事為主旨，詠懷詩以抒寫個人情懷為目的，兩者並不相同。[1] 然而，古代的詩人們，有時卻假藉詠史之詩，去寄託他們的胸懷抱負，身世之感，因此，詠史之詩，也往往具有了詠懷的成份在內。

陶淵明的詠史詩三首，表面上是歌詠二疏、三良、與荊軻的史事，實際上，卻在詠史之際，兼也抒發了他自己不少的感懷，因此，陶淵明的詠史之詩，在某種程度上，也可以視為是他個人的詠懷之作。[2]

本文寫作的目的，即在探索陶淵明詠史詩三首中所隱藏的心情懷抱，因此，徵引史實，並參證相關的資料，以推測陶淵明內心的用意所在。

(二)〈詠二疏〉詩中的寓意

《靖節先生集》[3]卷四中有〈詠二疏〉、〈詠三良〉、〈詠荊軻〉等三首詠史之詩。〈詠二疏〉是歌詠漢代疏廣、疏受叔侄二人的事跡，二疏的事跡，見於《漢書》卷七十一，〈疏廣傳〉記載：

> 疏廣字仲翁，東海蘭陵人也，少好學，明《春秋》，家居教授，學者自遠方至。徵為博士太中大夫，地節三年，立皇太子，還丙吉為太傅，廣為少傅，數月，吉遷御史大夫，廣徙為太傅，廣兄子受字公子，亦以賢良舉為太子家令，受好禮恭謹，敏而有辭，宣帝幸太子宮，受迎謁應對，及置酒宴，奉觴上壽，辭禮閑雅，上基歡說，頃之，拜受為少傅。……太子每朝，因進見，太傅在前，少傅在後，父子並為師傅，朝廷以為榮。在位五歲，皇太子年十二，通《論語》、《孝經》，廣謂受曰：「吾聞『知止不辱，知足不殆』，『功遂身退，天之道也』，今仕官至二千石，宦成名立，如此不去，懼有後悔，豈如父子相隨出關，歸老故鄉，以壽命終，不亦善乎！」受叩頭曰：「從大人議。」即日父子俱移病，滿三月賜告，廣遂稱篤，上疏乞骸骨，上以其年篤老，皆許之，加賜黃

1 《昭明文選》卷二十一有「詠史」詩，卷二十三有「詠懷」詩，華正書局影印胡克家校刊李善注本。

2 陶淵明另有〈詠貧士〉七首，歌詠黔婁、袁安等人，〈讀史述〉九章，歌詠伯夷、叔齊、箕子等人，也可視為是「詠史」之作，此處則不在本文討論之列。

3 此據《四部備要》本，下引陶潛作品並同。

金二十斤，皇太子賜以五十斤，公卿大夫故人邑子設祖道，供張東都門外，送者車數百兩，辭決而去，及道路觀者皆曰：「賢哉二大夫！」或歎息為之下泣。廣既歸鄉里，日令家共具設酒食，請族人故舊賓客，與相娛樂，數問其家金餘尚有幾所，趣賣以共具，居歲餘，廣子孫謂其昆弟老人廣所愛信者曰：「子孫幾及君時，頗立產業基阯，今日飲食費且盡，宜從丈人所，勸說君買田宅。」老人即以閒暇時為廣言此計，廣曰：「吾豈老誖不念子孫哉？顧自有舊田廬，令子孫勤力其中，足以共衣食，與凡人齊。今復增益之以為贏餘，但教子孫怠墮耳。賢而多財，則損其志，愚而多財，則益其過。且夫富者，眾人之怨也，吾既亡以教化子孫，不欲益其過而生怨。又此金者，聖主所以惠養老臣也，故樂與鄉黨宗族共饗其食，以盡吾餘日，不亦可乎！」於是族人說服，皆以壽終。[4]

陶淵明〈詠二疏〉的詩，內容依據《漢書．疏廣傳》而作，〈詠二疏〉詩說道：

大象轉四時，功成者自去。借問衰周來，幾人得其趣。游目漢廷中，二疏復此舉，高嘯返舊居，長揖儲君傳，餞送傾皇朝，華軒盈道路，離別情所悲，餘榮何足顧，事勝感行人，賢哉豈常譽。厭厭閭里歡，所營非近務，促席延故老，揮觴道平素，問金終寄心，清言曉未悟。放意樂餘年，遑恤身後慮，誰云其人亡，久而道彌著。

〈疏廣傳〉中大部分的重要內容，陶公詩歌中都曾經加以抒寫，不過，仔細探索，〈詠二疏〉

詩中，也有特別加以強調的地方，首先，「功遂身退天之道」，是疏廣所引用的老子之言，但是，功成身退的深趣，真能領會的人，為數卻不多見，陶淵明為彭澤令時，「督郵至縣，吏白應束帶見之，潛歎曰，我不能為五斗米折腰，拳拳事鄉里小人邪，義熙二年，解印去縣職」5，棄官賦歸的心情感受，親身深刻地體會了解，因此，陶公在〈詠二疏〉詩中，首先強調了「功成者自去」，自周代以來，「幾人得其趣」，這也顯現了陶淵明在選擇二疏作為自己歌詠的對象時，已經對於二疏的行事，有了深切的共鳴和認同之感。而在晉代，張協也有歌詠二疏事跡的〈詠史〉詩一首，我們可以取來，與陶公的詩，作一比較，也許能夠幫助我們，對於陶公詩中的心意，有更多的了解，張協的〈詠史〉詩說：

> 昔在西京時，朝野解歡娛，藹藹東部門，群公祖二疏，朱軒曜金城，供帳臨長衢，達人知止足，遺榮忽如無，抽簪解朝衣，散髮歸海隅，行人為隕涕，賢哉此丈夫。揮金樂當年，歲暮不留儲，顧謂四坐賓，多財為累愚，咄此蟬冕客，君紳宜見書。6

張協的這首〈詠史〉詩，我們細加誦讀，就會發現，此詩切入的重點，在於「朝野多歡娛」，

4 此據《四部備要》本。
5 見《晉書・隱逸傳》，《四部備要》本。
6 見《昭明文選》卷二十一。

以及「群公祖二疏」時餞行飲宴的繁華排場之上，然後才點出了「達人知止足，遺榮忽如無」，人生知足，拋棄榮利的旨意，卻並未能像陶公的詩一般，強調了真正能夠體會到急流勇退的深趣，當然，張協「少有儁才」，「辟公府掾，轉秘書郎，補華陰令，征北大將軍從事郎中，遷中書侍郎，轉河間內史，在郡，清簡寡欲，于時天下已亂，所在寇盜，協遂棄絕人事，屏居草澤，守道不競，以屬詠自娛」，「永嘉初，復徵為黃門侍郎，託疾不就」[7]，他也曾有過仕宦途中，退居田園的經歷，只是，他與陶公二人，對照著二疏引退的事跡，就可發現，張陶二人，與二疏類似的程度，並不相同，對於二疏，在感受上自然也就有了差異，因此，詩中所敘述的重點，也不免有所差別。陶淵明在〈歸園田居〉詩第一首中寫道：「少無適俗韻，性本愛邱山，誤落塵網中，一去三十年，羈鳥戀舊林，池魚思故淵，開荒南野際，守拙歸園田……久在樊籠裡，復得返自然。」他以性愛邱山，返回自然，為自己的心願本色，以官宦出仕，視為是自己的誤落塵網，有著這種襟懷看法，對於功成身退的真趣，自然要比張協意在躲避亂世盜賊的被動引退，體會得要更加深切。因此，陶公在〈詠二疏〉的最末，也特別強調了「誰云其人亡，久而道彌著」的景仰之意，這與張協詩中所說的「咄此蟬冕客，君紳宜見書」，完全站在第三者客觀的立場去作議論，陶張二人內心的感受，是不大相同的。

另外，〈疏廣傳〉中，所記疏廣教子之言，如「賢而多財，則損其志，愚而多財，則益其過」的一些話語，張協詩中只以「顧謂四坐賓，多財為累愚」帶過，似乎並未特別加以強調，而在陶公詩中，則特別指出了「問金終寄心，清言曉未悟」的用意，特別提出了「放意樂餘年，遑恤身後慮」的通達之言，〈疏廣傳〉記疏廣「數問其家金餘尚有幾所」，仍是寄心於餘金，及至老人勸廣買田宅以貽子孫，廣方以清明之言，曉喻未能了悟其心意的老人，以表明自己不貽子孫田宅錢財之用意，是在免於連累子孫，增加他們在心志方面的困擾與負擔。

其實，陶淵明有子五人，分別命名為儼、俟、份、佚、佟。他曾有〈命子〉詩十章，前半敘述陶氏祖先的來源，後半敘述生子命名的喜悅，像「卜云嘉日，占亦良時，名汝曰儼，字汝求思」，是寫長子出生後命名取字的謹慎情形，像「厲夜生子，遽而求火，凡百有心，奚特於我」，是寫孩子出生時急迫焦慮的心情，像「日居月諸，漸免於孩」，「夙興夜寐，願爾斯才」，是寫自己對於孩子逐漸長大後的深切期望，陶淵明又有〈和郭主簿詩〉，說到「弱子戲我側，學語未成音，此事真復樂，聊用忘華簪」，這些，都表現了陶淵明天性仁慈，熱愛家庭的一面。

陶淵明又有〈責子〉詩，提到自己「白髮被兩鬢，肌膚不復實，雖有五男兒，總不好紙筆，阿舒已二八，懶惰故無匹，阿宣行志學，而不愛文術，雍端年十三，不識六與七，通子垂九齡，但覓梨與栗，天運苟如此，且進杯中物」，詩中雖然說到孩子們不好讀書，自己不免有所感歎，但是，愛護子女之心，盼望子女之意，卻自然地流露出來。

陶淵明在五十歲時，作有〈雜詩〉十二首，其中第六首中也曾提到「有子不留金，何用身

7　亦見《晉書》卷五十五〈張協傳〉，《四部備要》本。

後置」，一方面，是感覺到五十之年，忽忽已至，「去去轉欲速，此生豈再值」，另一方面，自然也是感覺到雖有五子，不好讀書，因而從疏廣疏受的事跡中，悟出了雖「有子」而「不留金」的道理，所以才心有所感，有見諸文字的詩篇出現。

陶淵明晚年，撰有〈與子儼等疏〉，自以「年過五十（或當作三十），少而窮苦」，「病患以來，漸就衰損」，「自恐大分將有限也」，而念及孩子們「稚小家貧，每役柴水之勞，何時可免」，從這些文句之中，可以看出陶淵明貧困終生，既不能如疏廣疏受般輦金以歸，又不能免於為子女生活困苦而憂心如焚，因此，他才勉勵五個孩子，並當效法古人，「兄弟同居，至於沒齒」。

從陶淵明的〈詠二疏〉詩來看，他對於疏廣疏受，確實存有相當程度的敬意，他對於二疏急流勇退以及不貽子孫錢財的行徑，也有著相當的認同之感。可是，從〈與子儼等疏〉來看，他對於自己貧困終生，使孩子們「幼而飢寒」，也經常「抱茲苦心，良獨內愧」。因此，就陶淵明本身的天性而言，退歸田園，樂享自然，雖「有子」而「不留金」，確實是他的希望，可是，就關切五子年幼，「稚小家貧」而言，則「有子」五人而無金可留，恐怕也是他「念之在心，若何可言」的繫掛之情，因此，徘徊在理想與現實之間，「貧富常交戰」（〈詠貧士〉詩第五首），恐怕陶公也避免不了許多矛盾的心結。

(三)〈詠三良〉詩中的寓意

陶淵明的〈詠三良〉，是歌詠秦穆公時三良殉葬的事跡，《左傳》文公六年記載：

秦係任好卒，以子車氏之三子奄息、仲行、鍼虎為殉，皆秦之良也，國人哀之，為之賦〈黃鳥〉。

《史記・秦本記》也記載：

（秦繆公）三十九年，繆公卒，從死者百七十七人，秦之良臣子輿氏三人，名曰奄息、仲行、鍼虎，亦在從死之中，秦人哀之，為作歌（黃鳥）之詩。

〈黃鳥〉之詩，今見《詩經・秦風》，所謂「交交黃鳥，止于棘，誰從穆公，子車奄息」，「臨其穴，惴惴其慄」，「如可贖兮，人百其身」等等是也，陶淵明的〈詠三良〉詩說道：

彈冠乘通津，但懼時我遺，服勤盡歲月，常恐功愈微。忠情謬獲露，遂為君所私，出則陪文輿，入必侍丹帷，箴規嚮已從，計議初無虧。一朝長逝後，願言同此歸，厚恩固難忘，君命安可違，臨穴罔惟疑，投義志攸希。荊棘籠高墳，黃鳥聲正悲，良人不可贖，泫然霑我衣。

陶公此詩，首先，敘說了秦穆公與良臣之間的遇合，穆公優渥良臣，良臣及時服勤，君臣相得，言聽計從，彼此之間，情誼深厚的情形，其次，述及穆公去世之後，良臣願言同歸，一則是穆公厚恩難忘，一則是國君先有教命，因此，陶公詩中，雖然也曾說到，臨葬同殉，良臣心中，不無所疑，不無所懼，但也肯定三良從殉穆公，是義無反顧的正確行為，詩中最末，則表示了一般世人對於三良殉君的悲傷之情，也表示了陶公自己的感傷之意，也應合了〈秦風．黃鳥〉詩中的歌詠之旨。

在陶淵明以前，王粲、曹植與阮瑀，也曾撰有歌詠三良殉君的詩篇，王粲的〈詠史詩〉說：

自古無殉死，達人共所知，秦穆殺三良，惜哉空瘝為，結變事明君，受恩良不訾，臨歿要之死，焉得不相隨，妻子當門泣，兄弟哭路垂，臨穴呼蒼天，泣下如綆縻，人生各有志，終不為此移，同知埋身劇，心亦有所施，生為百夫雄，死為壯士規，黃鳥作悲詩，至今聲不虧。[8]

王粲在此詩之中，雖然表示了「自古無殉死」，「秦穆殺三良」的批評意見，也表示了「妻子當門泣，兄弟哭路垂，臨穴呼蒼天，泣下如綆縻」的哀傷之意，但卻肯定了「結髮事明君，受恩良不訾，臨歿要之死，焉得不相隨」的意義，甚至還以「生為百夫雄，死為壯士規」，作為讚賞三良之語。曹植在〈三良詩〉中說道：

功名不可為，忠義我所安，秦穆先下世，三臣皆自殘，生時等榮樂，既沒同憂患，誰言捐軀易，殺身誠獨難，攬涕登君墓，臨穴仰天歎，長夜何冥冥，一往不復還，黃鳥為悲鳴，哀哉傷肺肝。[9]

曹植在此詩之中，雖然表示了「攬涕登君墓，臨穴仰天歎，長夜何冥冥，一往不復還」的哀痛之感，卻也肯定了「生時等榮樂，既沒同憂患」，是「忠義我所安」的適當行為。阮瑀的〈詠史詩〉說：

誤哉秦穆公，身沒從三良，忠臣不遵命，隨軀就死亡，低頭窺壙戶，仰視日月光，誰謂此可處，恩義不可忘，路人為流涕，黃鳥鳴高桑。[10]

阮瑀在此詩之中，雖然批評了秦穆公以三良為殉的錯誤，但也肯定了忠臣的順從君命，報答人君恩義的行為。

在王粲的〈詠史詩〉中，所表示的，主要是一種大臣對君王「受恩」願報，「臨歿」之時，理當「相隨」的心情。在曹植的〈三良詩〉中，所表示的，主要是一種大臣不違君命、不忘君恩的情感。而在陶淵明的〈詠三良〉詩中，所表示的，主要是一種大臣對於君主「厚恩難

8 見《昭明文選》卷二十一。
9 見《昭明文選》卷二十一。
10 見《藝文類聚》卷五十五，新興書局影印本。

忘」，「志希」「投義」的感懷之情。另外，陶詩與其他三人之詩所不同的，還有一點，就是敘說「三良」在殉君之時，並無其他三人詩中所描繪的那種恐懼、畏慄、無奈及被動的情形。總之，四首詩的主旨，雖相去不遠，卻都或多或少關切著作者們自身的際遇和心情。

《文選》五臣注引呂向對於王粲〈詠史詩〉的評語是：「曹公好以己事誅殺賢良，粲故託言秦穆公殺三良自殉以諷之。」而曹植也因魏文帝曹丕的屢次迫害，而想要表達自己「忠義我所安」的情懷，甚至欲從魏武帝於地下的心意。《三國志．魏書．武帝紀》記載建安十六年，阮瑀從曹操西征馬操至於長安，觀覽三良冢，游秦王故迹，因作此詩，憑弔古人，也有表白自己心志之意存在。至於陶淵明的〈詠三良〉詩，則陶澍在《集註靖節先生集》卷四中，卻提示了一條史事背景的線索，他說：「此悼張禕之不忍進毒，而自飲先死也。」順著這一條線索，我們可以多加考察，《晉書．隱逸傳》記陶淵明說：

自以曾祖（侃），晉世宰輔，恥復屈身異代，自高祖（劉裕）王業漸隆，不復肯仕，所著文章，皆題其年月，義熙以前，則書晉氏年號，自永初以來，唯云甲子而已。

這一段文章的敘述，蕭統的〈陶淵明傳〉、《南史．隱逸傳》的記載，也都相同，都是說到陶淵明的曾祖父陶侃，曾任晉朝的大司馬，因此，晉安帝義熙（當西元四〇五年至四一八年）以前，陶淵明的作品，都題晉朝年號，而自劉裕篡晉，自號為宋，自稱武帝，年號永初（當西元四二〇年至四二二年）以後，陶淵明的作品，則只記甲子而已，以表明陶公的「恥復屈身異代」，按陶淵明生於晉簡文帝咸安二年（西元三七二年），卒於宋文帝元嘉四年（西元四二七年），享年五十六歲，[11]而〈詠二疏〉、〈詠三良〉、〈詠荊軻〉等三首詠史之詩，則大致作於宋武帝永初二年（西元四二一年），陶公五十歲以後，[12]《晉書・恭帝記》曰：

（元熙）二年，夏六月壬戌，劉裕至于京師，傅亮承裕密旨，諷帝禪位，草詔請帝書之，帝欣然謂左右曰：「晉氏久已失之，今復何恨。」乃書赤紙為詔，甲子，遂遜于瑯邪第，劉裕以帝為零陵王，居于秣陵……宋永初二年九月丁丑，裕使后兄叔度請后，有間，兵人踰垣而入，弒帝于內房，時年三十歲，謚恭皇帝。

這是劉裕篡晉弒殺恭帝的事跡，《晉書・忠義・張禕傳》記載：

張禕，吳郡人也，少有操行，恭帝為瑯邪王，以禕為郎中令，及帝踐阼，劉裕以禕，帝之故吏，素所親信，封藥酒一甖，付禕，密令鴆帝，禕既受命而歎曰：「鴆君而求生，何面目視息世間哉！不如死也。」

張禕不肯鴆弒恭帝而飲酒自殺，史臣稱贊他的行為是「重義輕生，亡軀殉節」，是「道光振

11 陶淵明的年歲問題，異說頗多，梁啟超《陶淵明年譜》之說，臺灣中華書局印行本。

12 參方祖桑《新訂陶淵明年譜》。

古，芳流來哲」，劉裕篡晉，對於陶淵明心靈的衝擊，當甚巨大，而張禕仗義殉節的事跡，陶公當也知之甚詳，因此，對於劉裕篡晉的悲憤之情，在詩篇之中，也自然隱約地表示出來，吳澄在為詹若麟《淵明集補注》所撰之序文中說道：

子嘗謂楚之屈大夫，韓之張司徒，漢之諸葛丞相，晉之陶徵士，是四君子者，其制行也不同，其遭時也不同，而其心一也，一者何？明君臣之義而已……靈均逆睹讒臣之喪國，淵明坐視強臣之移國，而俱莫如之何也……莫如之何者，將沒世而莫之知，則不得不託之空言，以洩忠憤，此予所以每讀屈辭陶詩，而為之流涕太息也。[13]

湯漢《靖節詩注．自序》曾說：

陶公詩精深高妙，測之愈遠，不可漫觀也，不事異代之節，與子房五世相韓之義同……先生危行言遜，至〈述酒〉之作，始直吐忠憤，然猶亂以庾詞。[14]

吳澄以為晉亡之後，陶公曾在詩中，宣洩其忠憤之情，而湯漢以為，陶公忠憤之情，在〈述酒〉一詩之中，表現得尤為深沈。〈述酒〉詩說：

重離照南陸，鳴鳥聲相聞，秋草雖未黃，融風久已分。素礫晶修渚，南嶽無餘雲。豫章抗高門，重華固靈墳，流淚抱中歎，傾耳聽司農。神州獻嘉粟，西靈為我馴，諸梁董師旅，芊勝喪其身，山陽歸下國，成名猶不勤。卜生善斯牧，安樂不為君，平王去舊京，峽中納遺薰，雙陵甫云育，三趾顯奇文。三子愛清吹，日中翔河汾，朱公練九齒，閒居離世紛，峨峨西嶺內，偃意常所親，天容自永固，彭殤非等倫。

陶公這首〈述酒〉詩，令人質疑的是，首先，詩題述酒，卻不見飲酒之詞，其次，詞語內容，多不可解，一般說來，容或是陶公在想到歷史上不少的君主，因酒而誤國，以致遭貶遭弒的例子，是以追述往事，用以寄託感慨之作，因為劉裕當權，陶公不得不故意隱晦其詞，不過，詩中像「山陽歸下國」，「平王去舊京」，「流淚抱中歎」，「安樂不為君」等語，追懷晉帝之意，而以周平王以及劉禪作為比喻，已彷彿可見，而「豫章抗高門，重華固靈墳」，「神州獻嘉粟，西靈為我馴」等語，似乎也若有所措，故黃文煥《陶詩析義》，便直指為劉裕逼迫恭帝禪位，張褘自飲毒酒等件事。如果這些推測，大體可信，是〈述酒〉詩中，已有陶公的心意寄託存在，則〈詠三良〉詩中，陶公藉著三良殉節穆公是「投義」之舉，而暗中寄寓了張褘殉節恭帝也為「重義」之事，以穆公喻恭帝，以三良喻張褘，因此，「一朝長逝後，願言同此歸」，「臨穴罔惟疑，投義志攸希」，所詠雖是古人，其實卻另有所指，這種情形，自然是極有可能的事。

13 轉引自《陶淵明詩文彙評》，臺灣中華書局印行本，下引並同。

14 轉引自《陶淵明詩文彙評》。

(四)〈詠荊軻〉詩中的寓意

陶淵明的〈詠荊軻〉詩，是歌詠荊軻行刺秦王的英勇事跡，荊軻的事跡，見於《戰國策．燕策三》及《史記．刺客列傳》，都是人們耳熟能詳的記載，陶公〈詠荊軻〉詩則說：

燕丹善養士，志在報強嬴，招集百夫良，歲暮得荊卿，君子死知己，提劍出燕京，素驥鳴廣陌，慷慨送我行，雄髮指危冠，猛氣衝長纓，飲餞易水上，四座列群英，漸離擊悲筑，宋意唱高聲，蕭蕭哀風逝，淡淡寒波生，商音更流涕，羽奏壯士驚，心知去不歸，且有後世名，登車何時顧，飛蓋入秦庭，凌厲越萬里，逶迤過千城，圖窮事自至，豪主正怔營，惜哉劍術疏，奇功遂不成，其人雖已沒，千載有餘情。

陶淵明本性真率，愛好自然，秉賦仁厚，待人溫和，因此，在他的詩中，所歌詠的，也多半都是田園鄉土的樂趣，親朋友善的情懷，因此，像以荊軻刺秦王這種慷慨激昂的素材，寫入詩中，這在陶淵明來說，確是十分罕見的現象，朱熹曾經說道：「淵明詩，人皆說平淡，余看他自豪放，但豪放得來不覺耳，其露出本相者，是〈詠荊軻〉一篇，平淡底人，如何說得出這樣言語出來。」[15]平淡，是人們對於陶淵明的性格為人及其詩文作品所作的評論，至於詩人在平淡之外，另有其豪放的一面，而其豪放的一面，又是在何種情形之下，才會適時地顯露出來呢？元人劉履在《選詩補註》卷五中說：「此靖節憤宋武弒奪之變，思欲為晉求得如荊軻者往報焉，故為是詠，觀其首尾句意可見。」清人陳沆在《詩比興箋》卷二中說：「匹夫而欲報國仇，舍荊卿、豫讓、子房之事無由也，故特詠之。」清人溫汝能在《陶詩彙評》卷四中也說：「荊卿刺秦不中，千古恨事，先生目擊禪代，時具滿腔熱血，觀此篇可以知其志矣。」清人馬墣在《陶詩本義》卷四中也說：「〈三良〉則以殉君者對照弒君，〈荊軻〉則以報秦者感懷報宋，故其辭多慷慨。」清人蔣熏在所評《陶淵明詩集》卷四中也說：「摹寫荊軻出燕入秦，悲壯淋漓，知潯陽之隱，未嘗無意奇功，奈不逢會耳，先生心事逼露如此。」[16] 這些意見，都在推測陶淵明是感懷劉裕弒君篡晉，因而才以荊軻刺秦作為自己企盼的希望，作為自我期許的心願。當然，從這一角度來看，則〈詠荊軻〉中的詩句，像「燕丹善養士，志在報強嬴」，「君子死知己，提劍出燕京」，「雄髮指危冠，猛氣衝長纓」，像「心知去不歸，且有後世名」，「其人雖已沒，千載有餘情」等，便格外顯得意味深長，而別有感興與寄託之意在了，這也難怪明人黃文煥對於陶公的〈詠荊軻〉詩，要作出「以弔古之懷，併作傷今之淚」（見《陶詩析義》）的評論了。

在陶淵明以前，阮瑀和左思，也都有歌詠荊軻的詩篇，我們也可以拿來，與陶公的詩，作一比較，也許可以增加我們對於陶詩的了解。阮瑀的〈詠史詩〉說：

---

15 見《朱子語類》卷一百三十六，正中書局影印黎靖德刊行。

16 此節用引各書，皆轉引自《陶淵明詩文彙評》。

燕丹養勇士，荊軻為上賓，圖擢盡匕首，長驅西入秦，素車駕白馬，相送易水津，漸離擊筑歌，悲聲感路人，舉坐同咨嗟，嘆氣若青雲。[17]

阮瑀在此詩之中，對於荊軻仗義輕身的悲壯舉動，作了一些平鋪直敘的陳述，似乎沒有太多用以自勉的意味。此外，左思的〈詠史〉詩之六說：

荊軻歌燕市，酒酣氣益震，哀歌和漸離，謂若旁無人，雖無壯士節，與世亦殊倫，高眄邈四海，豪右何足陳，貴者雖自貴，視之若埃塵，賤者雖自賤，重之若千鈞。[18]

左思這首詠荊軻的詩，並不特別強調易水送別的悲情，也不特別強調秦庭奮擊的勇武，他將重點放在描繪荊軻是一位旁若無人，酒酣高歌，睥睨四海，蔑視豪門的壯士，因而才引出了「貴者雖自貴」，而壯士卻可以「視之若埃塵」，「賤者雖自賤」，而壯士卻可以「重之若千鈞」的「與世殊倫」的價值判斷。《晉書．文苑傳》記載，左思字太沖，臨淄人，其先世為齊之公族，至其父祖之時，已淪為小吏，左思不好交遊，唯以閒居為事，嘗求為秘書郎，齊王冏嘗辟為記事督，辭疾不就，因此，左思在詩篇之中，對於當時豪門權貴壟斷仕途、貧困儒生無法進用的情形，極感不平，也特別加以抨擊，因此，才有了貴者自以為貴，而有識者卻賤之如塵土的看法，這種情緒，藉著歌詠史事，而宣洩出來，何焯《義門讀書記》說：「左太沖詠史詩，題云詠史，其實乃詠懷也。」沈德潛《古詩源》也說：「太沖詠史，不必專指一人，專詠一事，詠古人而已之性情俱見。」可以說明左思的詩篇，名雖詠史，主旨卻仍然回到自己身上。

同樣是詠史，同樣是歌詠荊軻，左思與陶淵明二人的作品，內容主旨，卻相差頗巨，然而，卻都分別關涉著兩人各自的身世情懷，這種情形，是非常明顯的。

(五) 結語

心理學上有所謂的「投射作用」（projection），主要是指，人們在某種特殊的情況下，將自己主觀的心緒、情感、欲望或動機，外射而轉嫁到他人或其他的事物上去，這種由人們內在的心境，而影響到對外界的認知，將人們本身一部分的衝動，轉移為他人所有的情形，便是「投射作用」。[19]

詩人在撰寫「詠史」的作品時，詩篇中所描述所評論的雖然是古人和古事，而在另一方面，他卻可能藉著古人的形象，去投射自己的身影，藉著古人的行事，去寄寓自己的理想，因此，詩篇在文字表層上所抒寫的雖然是古人的事跡，文字的背後，卻往往潛藏了自己的心意，這種在歷史事件中去尋覓自我的情形，也是詩人在心靈上的一種慰藉和補償。

17 見馮惟訥《古詩紀》卷二十六。

18 見《昭明文選》卷二十一。

19 參余昭《人格心理學》第六章〈人格測驗〉，三民書局民國七十四年七月七版。

朱自清先生在《詩言志辨》[20]一書中，討論到〈比興〉時，他提出了「比體詩」的名稱，他以為「比體詩」可以分為詠史，游仙、艷情、詠物等四種，「詠史」是以古比今，「游仙」是以仙比俗，「艷情」是以南女比君臣，「詠物」是以物比人。他所說的「詠史」之詩，以古人比喻今人，以古事比喻今事，正是「詠史」詩人投射自我心意的方法。

因此，這種將古人的事跡，引歸到詩人自己身上，而又將自己的情感，投射到古人身上，使古史和現實之間，相互關聯的情形，便正是「詠史詩」的特色，因此，「詠史詩」中所著重的，不止是在詩中所敘說的歷史人物或歷史事件，更重要的，是在詩中所反映出來的詩人本身的思想和感情。

朱光潛先生在〈談李白詩三首〉一文中曾經說道：「古人和古事，可以引起詩人歌詠的，一定是詩人所同情的，體現了詩人的人生理想的。或是詩人所不同情的，詩人在譏諷之中，也表現了他自己的人生態度。」[21]因此，詠史詩的作者，所以會選擇某一古人某一古事，去做為他歌詠的對象，往往是由於那一古人或古事，與作詩者本人在某些行為或心情上，有著相似或相同的成份，那一古人或古事，才會引起詩人的同情之心，共鳴之感，因而才創作了詠史的詩篇。

詩人在撰作「詠史詩」時，不能不對古人古事，表示自己的看法，但是，在敘述古人古事、評論古人古事之際，也往往不自覺地透露了詩人內心深處的某些感情，這種隱秘的感情，平時潛藏在作者的內心深處，在撰作「詠史詩」時，藉由古人古事的觸發，因而才附帶地不自覺地顯現出來，因此，詩篇中所敘說的，言雖在彼，而詩人在內心中想要傳達的，卻可能是意在於此。因此，這一類的詩歌，「詠史」往往只是手段，「詠懷」也許才是真正的目的。

陶澍在《靖節先生集集註》卷四中說：「古人詠史，皆是詠懷，未有泛作史論者。」這一說法，也許過於肯定，不免以偏概全，因為，並不是所有的詠史詩都是詠懷詩，但是，詠史詩中，或多或少，關涉到作者本人的心情行為，卻是非常可能的現象。尤其是對於陶淵明詠史詩三首而言，陶澍的那幾句話，似乎到是頗為適合的評論意見。

以上，對於陶淵明的詠史詩三首，作出了一些探索，我們從陶淵明的生平、個性、際遇、感情、懷抱等角度，進行了一些「以意逆志」的推測，我們覺得，陶公在撰寫詠史詩時，並不只是純粹地在評論古人古事，我們覺得，陶公的詠史詩中，寄託了不少抒發自己情懷的成份，這種情形，應該是可以被接受的事實。

（此文曾刊載於《興大中文學報》第十期，以及南京大學《魏晉南北朝文學論集》，一九九七年出版）

20　臺灣開明書局民國七十一年六月臺四版。

21　見《語文學習》一九五八年二月號。

四十三、〈桃花源記〉探原

(一)引　言

一九三六年，陳寅恪先生發表〈桃花源記旁證〉一文，文載《清華學報》十一卷一期，以為〈桃花源記〉既是寓意之文，也是紀實之作，其紀實的部分，來自北方弘農上洛一帶之塢堡，由於西晉末年，天下混亂，中原人民無力遠徙者，乃修建塢堡，以策安全，而塢堡建築之處，必求可以耕種，更有泉水之飲，方能聚眾據險，自給自足。

陳先生該文發表之後，傳誦甚廣，贊成者極多，但也引起了一些讀者的質疑，主要是質疑桃花源的背景，不應該是在北方的地理環境之中產生，像唐長孺的〈讀桃花源記旁證質疑〉（載《魏晉南北朝史論叢續編》）勞榦教授的〈桃花源記偶記〉（載一九六九年十一月十三、十四日之《中央日報》副刊）、逯耀東教授的〈何處是桃源？〉等，多是持著懷疑的態度。

本文寫作的重點，則是希望探索一下陶淵明在寫作〈桃花源記〉時，究竟是純粹的創意之作，抑或是意有所本，推陳出新的作品。

(二) 比較

《列子・湯問》篇中，其第五段文字，所記載的事件，閱讀之後，極其眼熟，似可取來與〈桃花源記〉，作一對照。

以下，即取《列子・湯問第五》之第五段，與〈桃花源記〉，試作比較。（所據版本，則依楊伯峻《列子校釋》與袁行霈《陶淵明集箋注》。）

1. 時間

《列子・湯問》云：

禹之治水土也，迷而失塗，謬之一國。

〈桃花源記〉云：

晉太元中，武陵人，捕魚為業。

按《列子》所述，乃夏禹時代之事，陶潛所記，則為晉孝武帝太元年（西元三七六年至三九六年）間之事。

2. 主角

《列子・湯問》云：

禹之治水土也，迷而失塗，謬之一國。

〈桃花源記〉云：

晉太元中，武陵人，捕魚為業，緣溪行，忘路之遠近，忽逢桃花林。

按《列子》所記之主角為夏禹，陶潛所記之主角為捕魚之漁夫。

3. 地點

《列子・湯問》云：

濱海之北，不知距齊州幾千萬里，其國名曰終北，不知際畔之所齊限。

〈桃花源記〉云：

晉太元中武陵人，捕魚為業。

按《列子》所敘之地點，在極遙遠之北方海濱，所謂「終北」，乃泛指最北邊之地域。而〈桃花源記〉中之武陵，則在今湖南省之常德縣。

4. 印象

《列子・湯問》云：

無風雨霜露，不生鳥獸、蟲魚、草木之類，四方悉平，周以喬陟。

〈桃花源記〉云：

緣溪行，忘路之遠近，忽逢桃花林，夾岸數百步，中無雜樹，芳草鮮美，落英繽紛。

按既至其地，予人初步之印象，《列子》所記，該處既無風雨霜露，也不生長飛禽走獸，昆蟲游魚，青翠草木，皆不可見。而〈桃花源記〉所記載者，則以桃花盛開，芳草遍佈，滿地錯雜落花，為其特色。

5. 景觀

《列子．湯問》云：

當國之中有山，山名壺領，狀若甔甀，頂有口，狀若員環，名曰滋穴。有水湧出，名曰神瀵，臭過蘭椒，味過醪醴，一源分為四埒，注於山下，經營一國，亡不悉徧。

〈桃花源記〉云：

漁人甚異之，復前行，欲窮其林，林盡水源，便得一山，山有小口，髣髴若有光，便捨船，從口入，初極狹，纔通人，復行數十步，豁然開朗，土地平曠，屋舍儼然，有良田美池，桑竹之屬，阡陌交通，鷄犬相聞。

按《列子》所敘說之景緻，有山有水，山有缺口，形似圓環，有水自其中湧出，名曰神瀵，香味特濃，水源流出，分為四條支流，流向全國，供應各地民眾飲用。而〈桃花源記〉所描繪者，則為山林盡處，突現一洞口，洞中似有光線，漁人乃捨舟而逕入洞中，慢行至數十步之後，眼前突然出現開闊嶄新之另一景觀，有整齊之房屋，美麗之池沼，翠綠之桑樹，襯托在一片稻田之中，而道路縱橫，屋舍錯落，鷄犬之聲，此起彼落。

6. 民衆

《列子．湯問》云：

> 土氣和，亡札厲，人性婉而從物，不競不爭，柔心而弱骨，不驕不忌，長幼儕居，不君不臣，男女雜游，不媒不聘，緣水而居，不耕不稼，土氣溫適，不織不衣，百年而死，不夭不病。其民孳阜亡數，有喜樂，亡衰老哀苦。

〈桃花源記〉云：

> 其中往來種作，男女衣著，悉如外人，黃髮垂髫，並怡然自樂，見漁人，乃大驚，問所從來，具答之，便要還家，為設酒殺鷄作食。

按《列子》所記述之該處，因土氣溫和，疾病稀少，人民居住其中，性格因而溫順和婉，極少爭鬥之事發生，長幼和睦，也不需要官員的管理，男女自然結合，不需要有形的婚嫁儀式，水土肥沃，食物極易生長，不需太多人力耕耘，人民處於其中，自然而生，極少病痛，長壽而死，自然而亡。而〈桃花源記〉中所記之人民生活，則與外間世上一般人民無異，但生活歡樂，鮮少疾病痛苦，及見外來漁人，則爭相邀約，治酒食款待，倍感親切。

7. 傾訴

《列子・湯問》云：

其俗好聲，相攜而迭謠，終日不輟音。飢惓則飲神瀵，力志和平，過則醉，經旬乃醒，沐浴神瀵，膚色脂澤，香氣經旬乃歇。

〈桃花源記〉云：

村中聞有此人，咸來問訊，自云先世避秦時亂，率妻子邑人來此絕境，不復出焉，遂與外人間隔，問今是何世，乃不知有漢，無論魏晉。此人一一為具言，所聞皆歎惋。餘人各復延至其家，皆出酒食。

按《列子》所述，其地之人，多能歌謠，聲音此起彼落，終日不輟，而神瀵之水，可飲之寧謐之志，可浴之光澤膚色，瀰漫清香之氣。而陶潛所述，則桃花源中居民，聞有外人來此，皆來探尋消息，自言避秦亂而居此，世世代代，已不復知曉外在世界之種種事件矣。

8. 叮嚀

《列子・湯問》云：

周穆王北遊過其國，三年忘歸。既反周室，慕其國，惝然自失，不進酒肉，不召嬪御者，數月乃復。

〈桃花源記〉云：

停數日，辭去，此中人語云，不足為外人道也。

按《列子》此節所述，於先前所敘大禹王之外，復引出周穆王，以增強所謂「終北國」之奇異處。而〈桃花源記〉於此處，則以叮嚀之語，以強調桃花源中之神秘性，所敘雖異，用意則同。

9. 尋覓

《列子・湯問》云：

管仲勉齊桓公因遊遼口，俱之其國，幾尅舉，隰朋諫曰，君舍齊國之廣，人民之眾，山川之觀，殖物之阜，禮義之盛，章服之美，妖靡盈庭，忠良滿朝，肆咤則徒卒百萬，視撝則諸侯從命，亦奚羨於彼而棄齊國之社稷，從戎夷之國乎？此仲父之耄，奈何從之？桓公乃止。

〈桃花源記〉云：

既出，得其船，便扶向路，處處誌之。及郡下，詣太守，說如此，太守即遣人隨其往，尋向所誌，遂迷，不復得路。

按《列子》此節所述，更於周穆王之外，更引出齊桓公，綜前三位名王，以增強其事件之可信度。而〈桃花源記〉則更增加於漁人所經歷者，以增益其神秘感。

10. 恍惚

《列子．湯問》云：

以隰朋之言告管仲，仲曰，此固非朋之所及也，臣恐彼國之不可知之也。齊國之富奚戀？隰朋之言奚顧？

〈桃花源記〉云：

南陽劉子驥，高尚士也，聞之，欣然規往，未果，尋病終，後遂無問津者。

按以劉子驥與隰朋對舉，皆增加其事件之恍惚性與未了性也。

(三) 結語

以《列子・湯問》中的一章，與〈桃花源記〉試作對照，仍然有一些相關的問題，寫在下面，兼作此文之結語。

1.今存《列子》一書，論者或以為應是偽書，但是，東漢劉向〈列子新書目錄〉，西晉張湛《列子注》，具存於今，則今本《列子》，不盡而為偽書，其事甚明。劉張二人，均在陶潛之前，今傳《列子》，陶潛亦必能見及其書。

2.陶潛生於東晉末年，其詩文集中，頗多忠君愛國思想，故有人以儒者視之，有隱逸思想，故有人以道家視之，有形影神之詩作，以駁慧遠，故有人以釋家視之。實則，陶潛於三家之書，並多觀覽，博學不倦，其思想中，兼具三家之要義，兼受三家之影響，應屬事實。

3.朱自清先生昔年曾有〈陶詩的深度〉一文。認為陶潛的思想，主要是屬於道家，他分析陶潛詩歌中所使用的典故，加以統計，說道：「陶公用事，《莊子》最多，共四十九次。《論語》第二，共三十七次。《列子》第三，共二十一次。」詩歌作品如此，文章也應與之相距不遠，何況，〈桃花源記〉之後，本來就附有「詩」作。

4.今取〈桃花源記〉與《列子・湯問》中之一章，就其內容，作一比對，而將比對作品，釐為十點，則可顯現，兩者之寫作方式，內容表達，相似者多，相異者少。

5.作家寫作，靈感產生，往往由於外來事物的啟迪，經此啟迪之後，新產生之作品，其寫作方式，其內容表達，推陳出新之餘，也往往勝過「原型」之舊作品，則是自然之現象。

四十四、杜詩〈義鶻行〉讀後

在《杜工部集》中，〈義鶻行〉也許算不上是最傑出的作品，但它卻可算是一篇相當特殊的詩歌。因為，杜詩的內容，一般而言，多數表現在公忠體國、憂時憂世那一方面，也表現在反映社會動亂、民間疾苦那一方面，而〈義鶻行〉卻不屬於上述兩種類型。不過，詩人畢竟是多姿多彩的，就如「採菊東籬下，悠然見南山」的陶淵明也曾寫出〈詠荊軻〉那種慷慨激昂的詩篇一樣，工部在〈義鶻行〉中所表現的，也是詩人循循儒者之外的另一種豪邁壯烈的氣概和心態。

〈義鶻行〉（據楊倫《杜詩鏡銓》卷四）如下：

陰崖有蒼鷹，養子黑柏顛，白蛇登其巢，吞噬恣朝餐，雄飛遠求食，雌者鳴辛酸，力強不可制，黃口無半存。其父從西歸，翻身入長煙，斯須領健鶻，痛憤寄所宜，斗上捩孤影，噭哮來九天，修鱗脫遠枝，巨顙折老拳，高空得蹭蹬，短草辭蜿蜒，折尾能一掉，飽腸皆已穿。生雖滅眾雛，死亦垂千年，物情可報復，快意在目前，茲實鷙鳥最，急難心炯然，功成失所往，用舍何其賢。近經濡水湄，此事樵夫傳，飄蕭覺素髮，凜欲衝儒冠，人生許與分，只在顧盼間，聊為義鶻行，永激壯士肝。

此詩直接從敘事開始，直至全詩接近尾聲，才透露出，此事係得自樵夫所傳，而折入抒懷之意；因此，直接的敘事，易於使人產生一種身臨其境，目睹其事的感覺，因之，此詩從「陰崖有蒼鷹」到「黃口無半存」，不僅是展現出草原上弱肉強食的一幕悲劇，也使得讀者自然地感染了填膺的悲憤，而「雌者鳴辛酸，力強不可制」兩句，悲泣之聲，尤使人不忍卒聞。

「其父從西歸」以下四句，寫出了弱小者強忍悲痛，遠走求援的果決迅速，以及健鶻一至，痛憤之情，寄於義舉的深切盼望，「長煙」可見其遠，「斯須」適顯其速，都是傳神的筆法。

「斗上捩孤影」至「快意貴目前」，寫出了健鶻為鷹報讐的行動，斗上孤影，嗷哮九天，刻畫出健鶻義憤所寄，來勢威猛，哮聲淒厲，霎時自天而降的英武形象。「修鱗」以下六句，將健鶻義勇絕特，與巨蟒搏鬪的情形，摹寫得極其生動，始則健鶻力銜巨蟒，遠脫修枝，繼則以翼下勁骨，飽以老拳，痛擊其顙，巨蟒不敵，高空蹭蹬得脫，蜿蜒舒卷躲藏於短草叢錯之間，折尾岌岌尚能一掉，而飽腸終為健鶻銳喙所穿，巨蟒生時，雖滅眾雛，及其死後，終也遺臭萬年，物情報復，足以垂鑒。

「茲實鷙鳥最」以下四句，寫出健鶻謀事之忠，急難之切，而「功成失所往」兩句，更點示出功成身退，俠行輝耀千古的義勇典型。

「近經潏水湄」以下，則寫此事之來歷，「聊為義鶻行，永激壯士肝」，反之，也唯有壯士之肝，始能受激，素髮飄蕭，儒冠凜然欲脫，則將隱藏於詩人內心深處的豪情俠義，赤裸裸地顯露出來，王嗣奭說此詩「借端發議，時露作者品格情情」，確是知人之言，浦起龍說「讀此而無動於中者，全無心肝人也」，也屬的當之論，要之，〈義鶻行〉詠物敘事，就詩而論，雖不必有甚深的義趣，卻不失為激勵人心的佳構。

蔡夢弼在《草堂詩箋》中，以為回紇曾自稱回鶻，因之，認為此詩乃工部以健鶻助鷹雪恥復讎而喻回紇助唐討平安史之亂，且又諷其當效健鶻之不宜邀功，因此，便儘量將篇中詩句，牽附到祿山叛國，河北陷賊，肅宗結好回鶻，收復兩京等事件上去。也許，詩人在寫作此篇之時，或曾含有因事起興，隱寓諷喻的成份，不過，筆者仍然願意將它當作是一首純粹的「詩」篇來欣賞。

王嗣奭在《杜臆》中說，義鶻行「是太史公一篇義俠客傳」，楊倫也說此詩「是聶政荊軻專諸傳一樣筆墨，故足與太史公爭雄千古」，這種比喻，自屬切當，而筆者每誦此詩，卻時常想起經典影片「原野奇俠」，那優美遼闊的草原景緻，見義勇為，挺身而出的動人情節，功成不居，悄然遠引的俠者氣概，都使人盪氣迴腸，激動不已，而〈義鶻行〉所展示的，豈不正是一幅「原野」中的「奇俠」故事？

在現代法制社會上，以武犯禁的行為，自然已不被允許，但是，在高度都市化的生活中，人們見義不為、遠身避患、自掃門前霜雪的情形，導致人情味的日趨淡薄，也是不容否認的事實；讀〈義鶻行〉，有感於朱家郭解式的行徑，千里誦義，濟人之阨，也自有其可貴的一面，因為抒其讀後之感於上。

（原刊於《幼獅月刊》第四十九卷第三期）

四十五、〈長恨歌〉與〈圓圓曲〉讀後

(一)引　言

〈長恨歌〉是唐代詩人白居易最為膾炙人口的作品，作於唐憲宗元和元年（西元八〇六年），此詩的內容，是有感於唐玄宗與楊貴妃的愛情故事而創作的。

〈圓圓曲〉則是明末清初詩人吳偉業（梅村）的作品，作於清順治九年（西元一六五一年），此詩的內容，是有感於吳三桂與陳圓圓的愛情故事而創作的。

溫習了兩篇詩歌之後，仍然有一些感想，試取兩詩，略加比較，記之於下。

(二)讀　後

以下，略分幾項，記述讀後之感。

1. 事件背景

唐玄宗天寶十四年（西元七五五年），安祿山造反，史思明繼之，次年，玄宗奔蜀，軍行至馬嵬驛，將士饑疲交迫，憤恨中誅殺楊國忠，並逼迫玄宗下令將楊貴妃縊死。

玄宗西行入蜀，次年，太子李亨即位於靈武，改元為至德，至德二年，郭子儀與李光弼平定安史之亂，肅宗與玄宗（改稱太上皇）先後返回長安。

另外，明思宗崇禎八年（西元一六三五年）以後，流寇四起，清兵屢次犯境，崇禎十六年（西元一六四四年），李自成陷北京，思宗自縊而亡。明大將吳三桂原本駐守於山海關，李自成命三桂之父吳襄投書招三桂，並以銀四萬兩犒賞三桂軍，三桂大喜，忻然接受，已入關中，聞愛妾陳圓圓為李自成部將劉宗敏所虜，大怒，乃乞師於滿廷，並開山海關之天險，以迎清兵入關，且為前導，直入北京，驅走李自成，李自成臨行，誅殺吳襄全家三十餘人，清兵入關之後，授三桂為平西王，以滅南明。

2. 作者時代

白居易的〈長恨歌〉，作於唐憲宗元和元年（西元八〇六年），距離唐玄宗的天寶十四年（西元七五五年），時間相距約五十年，在政治上，已經由安史之亂，走向了小康的局面，在文學風格上，已經由盛唐時代興旺的詩風，進入了中唐時代沉穩的風氣。

白居易在安史之亂約五十年後的太平時代，在〈長恨歌〉中，回憶半個世紀以前的一段悲傷的愛情故事，而重新加以敘說追述，在文字的感情表達上，或多或少，不免有著「隔」的阻礙，因為，他畢竟是處身於整個悲劇事件之外的一位旁觀者。

吳梅村的〈圓圓曲〉，作於清順治九年（西元一六五七年），其時，滿清以異族入侵，明朝以華夏淪亡，更是震鑠千古的奇變，而清人入關之後，屠戮之慘，誅殺之眾，吳梅村都一一親身目睹，親身感受，切膚之痛，淪肌浹髓，痛澈心肺。

吳梅村在明清戰亂之際，在〈圓圓曲〉中，書寫那一段特殊的愛情故事，作者置身事件之內，在親眼目睹之中，與整個悲劇時代同其悲切，要之，他是整個哀痛悲慘事件之內的一位參與者。

3. 男女主角

〈長恨歌〉中的男女主角是唐玄宗李隆基、楊貴妃楊玉環，唐玄宗於開元元年（西元七一三年）即位，在位四十三年。楊貴妃是蜀州司戶楊玄琰之女。

開元二十四年，玄宗之惠妃卒後，六宮粉黛，雖然為數眾多，但都不如玄宗之意。

《新唐書・玄宗紀》記載：「開元二十八年十月甲子，幸溫泉宮，以壽王妃楊氏為道士，號太真。」由此推算，唐玄宗幾歲登基，唐玄宗與楊貴妃年齡相距多少，仍不能確定。不過，一位帝王與一位寵妃之間的愛情，其純真的程度，總不免讓人覺得有幾分勉強。

〈圓圓曲〉中的男女主角是吳三桂與陳圓圓，吳三桂是當朝率領重兵的大將軍，又是少年英雄，陳圓圓則是色藝雙全，歷盡風霜的歌舞伎，二人一見鍾情，互相傾慕，彼此之間的愛情，其純真的程度，使人覺得比較自然。

4. 作品基調

〈長恨歌〉是敘述唐玄宗與楊貴妃二人的愛情故事，作品的基本態度，也是以歌頌二人愛情的偉大為主軸，而描寫負面的情況畢竟較少，對於帝王與貴妃因為愛情而引來社會的動盪，民間的疾苦，也著墨極少，詩歌的寓義，也較淺顯，讓一般當時的民眾有霧裡看花之感，誦讀後，不易引起共鳴之感。

〈圓圓曲〉是敘述吳三桂與陳圓圓二人的愛情故事，只是，二人的愛情，影響到國家的覆亡，民族的沉淪，因此，詩歌的寫作，對於男女主角的愛情故事，乃深含了諷刺貶責的用意，對於當時的狀況，有極深刻的描繪，對於民間的感受，也有著更加明顯的表露，整個詩歌作品，寓義也較深刻。

5. 寫作技巧

〈長恨歌〉的寫作，主要是歌誦唐玄宗與楊貴妃二人之間的愛情，作品的重點放在此處，從「回眸一笑百媚生，六宮粉黛無顏色」，「雲鬢花顏金步搖，芙蓉帳暖度春宵」，到「承歡賜宴無閑暇，春從春遊夜專夜」，到「後宮佳麗三千人，三千寵愛在一身」，都是描寫玄宗與貴妃二人的濃情蜜意，摯愛深情。只有「春宵苦短日高起，從此君王不早朝」，「姊妹兄弟皆列土，可憐光彩生門戶」，才略見貶意。

等到「漁陽鼙鼓動地來，驚破霓裳羽衣曲」，「六軍不發無奈何，宛轉蛾眉馬前死」，「君王掩面救不得，回看血淚相和流」，才點出了悲字與恨字。

等到「天旋地轉回龍馭，到此躊躇不能去，馬嵬坡下泥土中，不見玉顏空死處」，也點出了君王對貴妃的憶念之情，抱恨之深，從「悠悠生死別經年，魂魄不曾來入夢」，到「忽聞海外有仙山，山在虛無縹緲間」，到「中有一人字太真，雪膚花貌參差是」的疑幻疑真，到追憶當年「七月七日長生殿，夜半無人私語時」，「在天願作比翼鳥，在地願為連理枝」，這些帝王獨知的誓言，更歸結到一個「恨」字而作結束。

〈圓圓曲〉的寫作，主要是諷刺吳三桂與陳圓圓二人的愛情，作品的重點放在此處，從「鼎湖當日棄人間，破敵收京下玉關，慟哭六軍俱縞素，衝冠一怒為紅顏」，在此詩的開始處，即刻直接點明了此詩所以要諷刺貶責的重點，原來大明朝的帝王賓天，舉國都在期待英雄壯士率領大軍返京復仇，翦除元凶之際，卻不料將軍震怒，原因卻在愛妾為敵人所虜，竟乃反投異族，開啟天險，樂為前導，以屠毒故國。此詩開始數句，即已為全詩之主題定調。

第二段自「相見初經田竇家，侯門歌舞出如花」，至「橫塘雙槳去如飛，何處豪家強載歸，此際豈知非薄命，此時只有淚沾衣」，描寫了陳圓圓的出身微寒，歷經辛苦，身世堪憐，在詩中也增加了對陳圓圓的寬恕之意，也更加重了對吳三桂的譴責之力。

第三段自「明眸皓齒無人惜」，「一曲哀弦向誰訴」，「白晳通侯最少年」，「揀取花枝屢回顧」，到「恨殺軍書底死催，苦留後約將人誤」，點出吳陳二人最初相見卻又乍別的情形。

第四段自「相約恩深相見難，一朝蟻賊滿長安，可憐思婦樓頭柳，認作天邊粉絮看」，到「若非壯士全師勝，爭得蛾眉匹馬還，蛾眉馬上傳呼進，雲鬟不整驚魂定，蠟炬迎來在戰場，啼妝滿面殘紅印」，不僅描繪得十分真確傳神，也更增加了讀者對於陳圓圓的同情之心。

第五段自「傳來消息滿江鄉，烏桕紅經十度霜」，至「舊巢共是銜泥燕，飛上枝頭變鳳凰」，至「常聞傾國與傾城，翻使周郎受重名」，敘說了吳三桂因陳圓圓而聲名益盛，為人所知。

第六段為全詩結束，最為沉重，自「妻子豈應關大計，英雄無奈是多情」，引入「全家白骨成灰土，一代紅妝照汗青」之反言警句，讀之使人驚心動魄，最後引入「為君別唱吳宮曲，漢水東南日夜流」之悠遠不盡，也點出〈圓圓曲〉之「曲」字，吳宮之名，則遠取於夫差與西施故事，也更有所引喻及暗示。

6. 作品風格

白居易的詩歌作品，文字較為淺顯，風格平易近人，故在當時，號稱老嫗能解，主張「文章合為時而著，歌詩合為事而作」，故所作〈長恨歌〉，講述他人故事，平鋪直敘，明白曉暢，但也較少言外之意，供人咀嚼回味。

吳梅村的詩歌創作，文字較為晦澀，風格沉鬱幽暗，因為有所忌諱，使用典故較多，索解較為不易，但是，作品因此也更加富於內涵，經得起咀嚼推敲，讀之往往發人深省。

7. 文學效果

閱讀文學作品，欣賞詩歌創作，讀者在內心之中，自然會產生不少讀後的感想，以及對自己思想觀點看法所產生的影響。

比較一下，閱讀〈長恨歌〉之後，感動於唐玄宗與楊貴妃之間淒婉的愛情故事，悲慘結局者，自然為數不少，但是，恐怕也會有不少讀者，尤其是當時的讀者，會覺得，那只是帝王與寵妃之間的自家事，距離人民百姓十分遙遠，有點不食人間烟火，不知民間疾苦。

記得清人袁枚有一首讀〈長恨歌〉的詩：「莫唱當年長恨歌，人間亦自有銀河，石壕村裡夫妻別，淚比長生殿上多。」說的倒很實在。

閱讀〈圓圓曲〉，也許就不同了，讀者們（當時的讀者尤其如此）很容易感受到異族入侵，國家淪亡的椎心之痛，對於引狼入室的漢奸，更會有著切齒之痛恨，對於無數同胞遭到屠殺，更是會有著難以忘懷的記憶，這些，都容易由誦讀〈圓圓曲〉時所引發，王國維先生曾說：「一切文學作品，我最喜歡以血淚相和而寫成的。」〈圓圓曲〉，正是一首由血淚相和所寫成的作品。

(三) 結　語

吳學昭在《吳宓與陳寅恪》一書中，曾經引述其父吳宓之日記（一九五七、八、十三）云：

> 宓夙愛顧亭林與吳梅村之詩，近年益甚，蓋感情深同耳。

吳宓先生並且比較顧吳二人之詩，重點是，其一，「亭林陽剛，梅村陰柔」。其二，「亭林詩如一篇史詩，梅村詩如一大部小說」。其三，「二人者，其志同，其情同」。其四，「不得以亭林遺民，梅村貳臣為說也」。

吳梅村晚年詩〈過淮陰有感〉云：「我本淮王舊雞犬，不隨仙去落人間。」身世之感，可見其心中隱痛之深。

四十六、三國英雄趙子龍

(一)

提到三國人物，大家注目的焦點，不是神機妙算的諸葛亮，就是忠義千秋的關雲長，個人喜歡閱讀《三國演義》，也曾經閱讀《三國志》，總覺得，討論三國人物，一代英雄，個人還是最推崇常山趙子龍。

《三國志》是歷史，《三國演義》是小說，只是，《三國演義》雖然是鋪衍三國的史事而來，所幸內容方面，重大的事件，在《三國志》中，都找得到大略的根據，如果再配合裴松之的《三國志注》，則《三國演義》中人物故事的推演，便更加有所據有所本了。[1]

談到三國英雄人物，首先要提出《孫子兵法》中所論為將之道的五個條件；「智、信、

1 筆者另有〈略論《三國演義》與裴松之《三國志注》的關係〉一文，載學生書局《古典文學》第三卷，一九八一年出版，可資參閱。

仁、勇、嚴。」孫武子認為為將之道，必需具備上述的五個條件，以下，我們就依據上述的五個條件，比較一下三國時代的各路英雄人物。

(二)

談到三國的英雄人物，首先不得不提到呂布，所謂是「人中呂布，馬中赤免」。在十七鎮太守的人馬齊集虎牢關前，討伐董卓之時，呂布英勇無敵，只有在劉備、關羽、張飛，三英會戰呂布之時，才使得呂布落荒而逃，但是，呂布的英勇，早已深入人心。

在曹操進兵濮陽時，呂布出城，大戰典韋、許褚，再加夏侯惇、夏侯淵、李典、于禁，六員大將夾攻呂布，呂布才撥馬回城，足以見其英勇。

等到袁術派遣大將紀靈，進攻駐紮在小沛的劉備，呂布領兵前往解救劉備，自言曰「平生不好鬥，惟好解鬥」。轅門射戟，百步中的，排解兩家糾紛，更是顯出呂布神射的功夫。

當然，呂布也有許多缺點，像貪愛女色，寵愛貂蟬，弑殺義父丁原、董卓，在人格上，都曾留下了不少的污點，以至在上邳的戰役中，為部下生擒，在白門樓被殺殞命，英勇的形象，也大打折扣。

(三)

談到曹魏方面的英勇將士，我們可以舉出典韋、許褚、張遼、張郃、徐晃等人作為代表。

典韋可以說是曹營中的第一勇將，在曹軍中，曾經一手執定旗桿，在大風中巍然不動，也曾被曹操比喻為「古之惡來」，在濮陽的戰役中，典韋曾取短戟十數枚，飛戟刺敵，戟無虛發，立斃十數人，但是，卻在征伐張繡的戰役中，貪酒醉臥，雙戟被盜，手提兩個軍士迎敵，終至被殺而死。

另外，曹營的勇將，便要算到許褚了，許褚曾經大戰典韋，也曾手掣二牛之尾，倒行百餘步，而使敵人大驚失色，被曹操喻為「樊噲」，他也曾在渭河之戰中，獨奮神威，勇救曹操，也曾與馬超裸衣大戰，不分勝負，而被譽為「虎癡」。

曹營中的大將，典韋與許褚雖然英勇，卻缺少智謀，只有張遼，不但武藝超群，而且擅用謀略，在曹軍與孫權的戰爭中，曾經大敗吳軍，使得張遼的威名，震動逍遙津，甚至江南之人，聞得張遼之名，小兒也不敢夜啼。

另外，曹營的武將，要以張郃與徐晃二人，稱得上是一流的勇將了。

(四)

談到東吳方面的勇將，我們可以舉出黃蓋、韓當、周泰、太史慈、甘寧五人為代表。

黃蓋在赤壁之戰中，扮演苦肉計，騙過曹操，又充當吳軍先鋒，率領二十隻火船，乘著風勢，撞入曹營水寨，引發了曹兵連環船的大火，立下了大破曹軍的第一功勞。

韓當和周泰二人，在赤壁之戰中，乘舟水戰，刺殺魏將焦觸、張南，建立殊功，而周泰在守宣城時，為了營救孫權，曾經幾度出入曹營，身被十二槍，金瘡發脹，命在旦夕，幸虧得到神醫華陀的治療，方才脫險。

至於太史慈，也是東吳的老將，他曾經大戰小霸王孫策，而名震一時，至於甘寧，曾經在濡須口的戰役中，率領百騎，勇劫魏營，回到寨門，而不折一人一騎，聲威大噪。

(五)

評論三國英雄人物，重點自然要落在蜀漢方面，五虎上將，關、張、趙、馬、黃，自然是討論的對象。

五虎上將之中，關羽在民間的崇拜，聲譽最高，在功業的表現上，他從斬華雄開始，就展現了英勇的神威，然後是斬顏良、誅文醜，以至於千里尋兄，過五關，斬六將，到華容道，義釋曹操，到東吳欲討回荊州，魯肅邀宴，關羽單刀赴會，威震一時，以至後來的水淹七軍，殺龐德，擒于禁，以及華陀為他刮骨療傷，都顯現了非凡的英勇氣慨。

只是，在智謀方面，關羽卻不免令人有負面的評價，像諸葛亮在入川之時，將守荊州的重任交付給關羽，要關羽「北拒曹操，東和孫權」。可是，當孫權派人向關羽為子提親欲娶關羽之女時，關羽卻忘記了諸葛亮的囑咐，而說：「虎女焉能配犬子」，而埋下了日後的禍害。又如馬超初歸蜀漢之後，關羽卻從荊州修書，想要入川，與馬超比武，幸虧諸葛亮回信，說是：「孟起雖雄烈過人，亦乃黥布彭越之徒耳，當與翼德並驅爭先，猶未及美髯公之絕倫超群也。」而關羽卻將書信遍示賓客，才打消了入川之意，未免不識大體。

至於張飛，在英勇方面，最值得稱許的，自然是在當陽縣長坂坡，一人拒敵，驚退曹兵，嚇死夏侯傑之事。在智謀方面，張飛也有舉用龐統，義釋嚴顏，智取瓦口隘，大敗張郃的行徑，令人欽佩，可是，他也有因酒誤事，失卻徐州，為呂布所乘，以及因酒醉暴躁，招致身亡之事。

說到馬超，人們總忘不了他「錦馬超」的英勇形象，也忘不了他大戰潼關，殺得曹操脫袍、割鬚，大敗而逃之事，也忘不了他大戰許褚，夜戰張飛的驍勇表現，只是，在五虎上將之中，他卻享年最短，只活了四十七歲，便因病而歿。

至於黃忠，不愧是老將一員，戰長沙，鬥關羽，射盔纓，都證明他的武藝高強，不在關羽之下，至於後來，計奪天蕩山，大敗張郃，攻佔定軍山，力斬夏侯淵，都是智勇雙全的表現。

(六)

最後提到趙雲，趙雲原是公孫瓚的部下，後來與劉備相見，十分投契，等到劉備率兵前往徐州，解救陶謙之困時，便向公孫瓚商借趙雲同行，雖又回歸，卻在古城與劉備關羽張飛見面，從此追隨了劉備。

趙雲在三國武將之中，不但是英勇無匹，而且，智信仁勇嚴，《孫子兵法》中所論及的為將之道，五種條件，趙雲全都具備，都有著高度的表現。

在「智」的方面，我們只要看，《三國演義》之中，蜀漢武將需要兼用「智」「勇」的場合，往往都是由趙雲出馬，便可見一斑，例如劉備駐紮在新野時，劉表請他往荊州赴宴，蔡瑁、蒯越想要在宴會中殺害劉備，就是由趙雲保護劉備前往荊州，而安然脫險的，又如赤壁之戰，諸葛亮登上七星壇，祭借東風，周瑜卻欲殺孔明，也是孔明事先安排趙雲，前往江邊迎接諸葛亮脫險回營的。又如周瑜死後，諸葛亮前往東吳弔喪，也由趙雲隨同前往護衛，又如孫權向劉備討還荊州不得，乃用周瑜之計，將妹妹許嫁劉備，令劉備過江招親，而護衛前往的，又是趙雲，從這些地方，也可以見出趙雲在用智謀的方面，確實有著相當傑出的表現。

又如孫權命周善假藉吳國老病重之名，往荊州接回孫夫人，也是趙雲機智，與張飛二人，沿路截江，在船上將阿斗奪回。

此外，關羽死後，劉備興兵，準備討伐東吳，趙雲極力諫勸，說道：「國賊乃曹操，非孫權也，且先滅魏，則吳自服。」也足以見出他的智謀見識，以大局為重，並非一般武將可比。

在「信」的方面，趙雲自從追隨劉備之後，忠心義膽，不稍更改，在當陽縣長坂坡之役，劉備潰敗，張飛保護劉備，且戰且走，卻見糜芳帶傷而來，口稱「趙子龍反投曹操去了」，張飛也加以懷疑，結果卻是趙雲前往曹兵千軍萬馬之中，單騎救出了阿斗，並沒有改變信守舊交的立場。

在「仁」的方面，例如劉備進入益州後，卻將成都有名的田宅，分賜給官員住宿使用，趙雲卻諫勸說：「益州人民，屢遭兵火，田宅皆空，今當歸還百姓，令安居復業，民心方定，不宜奪之為私賞也。」趙雲的見識，能從大處著眼，趙雲的仁民愛物之心，也表露無遺。

在「勇」的方面，趙雲的表現，更是不比三國任何一位武將來得遜色，例如早年隨同劉備往襲許都，力戰許褚，大敗張郃。又如在當陽縣長坂坡，奮勇出入曹營之中，力救阿斗。又如在漢水定軍山之役中，趙雲勇救黃忠，大敗曹兵，贏得劉備「子龍一身都是膽也」的讚語，甚至到了趙雲年過七十，仍然隨軍出戰，力斬曹營五將，建立奇功。

在「嚴」的方面，例如趙雲領軍征討桂陽，桂陽太守趙範出城請降，趙雲與趙範，同鄉同年，結為兄弟，趙範遂邀趙雲入衙飲酒，酒至半酣，趙範請出寡嫂樊氏，為趙把酒，願嫁與趙雲為妻，趙雲大怒，厲聲說：「吾既與汝結為兄弟，汝嫂即吾嫂，豈可作此亂人倫之事？」此事也可見出趙雲立身律己之嚴格。

(七)

總之，討論三國英雄人物，自然要以蜀漢的五虎上將為主，五虎上將之中，黃忠年紀最長，所建功勳不多，馬超英年早歿，至可痛惜，關羽張飛，各建功業，也不免各有過失，致招身殉，只有趙雲，英勇蓋世，有功無過，為將之道，五者俱備，又享高齡，年近八十，方壽終正寢。

因此，若論三國人物，英雄表現，實當以常山趙子龍，為第一人選。

（此文原刊載於臺灣省立臺中圖書館出版之《築夢踏實話生涯》，一九九七年十二月出版）

四十七、汪中〈狐父之盜頌〉讀後

(一)引　言

清代文人學士，擅長駢儷之文者，以揚州汪中（容甫）最為知名，汪中所撰寫的駢體作品，以〈廣陵對〉、〈哀鹽船文〉、〈黃鶴樓銘〉，尤為膾炙人口，其〈哀鹽船文〉前，有杭世駿序，稱該文「采遺製于〈大招〉，激哀音于變徵，可謂驚心動魄，一字千金矣」，信不為虛譽。

汪氏另有〈狐父之盜頌〉一文，較為特殊，誦讀之後，略記所感。

(二)分　析

汪中〈狐父之盜頌〉並序云：

《列子・說符篇》：「東方有人焉，曰爰旌目，將有適也，而餓于道。狐父之盜曰邱，

見而下壺餐以餔之。三餔，然後能視。」有感其事，因作此頌。（古直《汪容甫文箋》）

據楊伯峻《列子集釋》，汪中此文所引《列子・說符篇》於「爰旌目三餔而後視」之下，尚有「曰，子何為者也？曰，我狐父之人丘也，爰旌目曰，譆！汝非盜邪？胡為而食我？吾義不食子之食也。兩手據地而歐之，不出，喀喀然，遂伏（地）而死。狐父之人則盜矣，而食非盜也。以人之盜因謂食為盜而不敢食，是失名實者也」一段文字，而汪中未加引述，亦必有其原因。汪中〈狐父之盜頌〉又云：

> 狐父之盜，厥名曰邱。飽食而嬉，稅于道周。東方有人，惟爰旌目。貿貿然來，既餒而踣。於時子盜，盱睢審顧。匪我昏媾，匪我舊故。嗒然七尺，形在神奄。弱息裁屬，飢火方炎。致此非我，哀我無辜。左挈懿筐，右執方壺。得之則生，失之則死。藐爾一簞，倏焉人鬼。芒芒下土，曾無可依。惟盜餔我，慈母嬰兒。彼盜之食，於何乃得。外御國門，內意窟室。勇夫寢戈，暴客是禦。國有常刑，在死不赦。惟得之艱，致忘其身。既淅既炊，以濟路人。舍之何咎？救之何報？悲心內激，直行無撓。吁嗟子盜，孰如其仁。用子之道，薄夫可敦。悠悠溝壑，相遇以天。孰為盜者，吾將託焉。

汪中此文，於《列子・說符篇》中「譆！汝非盜邪？胡為而食我？我義不食子之食也。兩手據地而歐之，不出，喀喀然，遂伏（地）而死。狐父之人則盜矣，而食非盜也。以人之盜因謂食為盜而不敢食，是失名實者也」一段文字，不加引述，所引《列子》文字，僅至於「三餔，而後能視」，繼之則曰，「有感其事，因作此頌」，自然已經顯示，汪氏之文，重心即在「三餔，而後能視」，與《列子》下文「吾義不食子之食也」，並無關聯，至少，已非此文重點關鍵所在。此外，汪氏所撰駢文，以「銘」命名者較多，如〈泰伯廟銘〉、〈黃鶴樓銘〉、〈漢上琴臺之銘〉，而以「頌」為名者較少，「狐父之盜」，本非美名，而此文又以「頌」為名，其意義必有較為特殊關係者在。

汪中〈狐父之盜頌〉云：

> 狐父之盜，厥名曰邱。飽食而嬉，稅於道周。東方有人，曰爰旌目，貿貿然來，既餒而踣。

「貿貿然來」，取自於《禮記．檀弓》：「齊大饑，黔敖為食於路，以待餓者而食之，有餓者，蒙袂輯屨，貿貿然來。黔敖左奉食，右執飲，曰，嗟！來食。揚其目而視之，曰，予唯不食嗟來之食，以至於斯也！從而謝焉，終不食而死。曾子聞之，曰，微與！其嗟也可去，其謝也可食。」（《新序．節士》略同）只是，汪中使用了《檀弓》的文句，取義卻與「終不食而死」，大不相同。

汪中〈狐父之盜頌〉又云：

於時子盜，睢盱審顧。匪我婚媾，匪我舊故。嗒然七尺，形在神奄。弱息裁屬，饑火方炎。

汪中頌文言，狐父之盜，與我非親非故，而自己多日不食，饑腸碌碌，形神皆疲乏困頓，氣息奄奄，性命垂危，汪中〈狐父之盜頌〉又云：

致此非我，哀爾無辜。左挈懿筐，右執方壺。藐爾一簞，倏焉人鬼。

頌文言此盜與我雖無親無故，基於人性憐憫之善良本質，仍然哀憐於我，奉上食物飲水，得此簞食瓢飲，才將自己由鬼門關前，救回一命，免於成為道路邊側僵臥的餓莩。汪中〈狐父之盜頌〉又云：

芒芒下土，曾無可依。惟盜餔我，慈母嬰兒。

頌文言行念自己，天下之大，一無容身之所，舉世之富，自己也常徘徊於饑餓之邊緣，危急困頓之際，得此盜惠以一食，猶如慈母之撫慰嬰兒，能不終身感念於心！汪中〈狐父之盜頌〉又云：

彼盜之食，於何乃得？外禦國門，內意窟室。勇夫寢戈，暴客是禦。國有常刑，在死不赦。惟得之艱，致忘其身。

強盜之食物，取之他人，強盜之行為，違犯國法，此為世事之常經。

汪中〈狐父之盜頌〉又云：

既淅既炊，以濟路人。舍之何咎，救之何報？悲心內激，直行無撓。吁嗟子盜，孰如其仁，用子之道，薄夫可敦。

盜者的行為，自然是國法所不許，但是，盜者若有加惠他人之善行，若有一念慈悲為懷仁心之顯現，世人則也不應泯滅其善念善心行為之表現。何況人間尚多假行善、虛行仁之族輩！汪中〈狐父之盜頌〉又云：

悠悠溝壑，相遇以天。孰為道者？吾將託焉。

在頌文之末，作者指出自己與狐父之盜相遇，得其一飯之思，得以活命，也純屬上天惠予之機緣，不能不感念在心中。

在汪中的駢儷文中，〈狐父之盜頌〉是一篇很特殊的作品。第一，他依據《列子》的記載而作發揮，卻又不遵守《列子》「義不食子之食」的敘述。第二，使用《禮記》「有餓者貿貿然來」的典故，卻也不使用《禮記》「終不食而死」的結果。第三，頗違世情，對盜者作文直接以「頌」為名。第四，在汪中之子汪喜孫所提到的「先君有手寫文稿目錄」之中，〈狐父之盜頌〉竟列為第一篇，而〈哀鹽船文〉則列為二十一篇。（見中央研究院中國文哲研究所出版之《汪中集》頁三一二）這幾點，都與一般常情不同。

不論以上這幾點如何解釋，而〈狐父之盜頌〉這一篇作品，在汪中的心中，肯定是非常重要，而這篇作品，恐怕也不只是客觀地敘述傳聞而來，恐怕也與汪中自己主觀地感受有關。

汪中撰有一篇〈先母鄒孺人靈表〉，其中說道：

> 母諱維貞，先世無錫人，明末遷江都，……及歸於汪，汪故貧，……世叔父數人，皆來同爨。先君子羸病，不治生。母生子女各二，室無童婢，飲食衣屨，咸取具一身，月中不寢者恆過半。先君子下世，世叔父益貧，久之，散去。母教女弟子數人，且緝屨以為食，猶思與子女相保。值歲大饑，乃蕩然無所託命矣。再徙北城，所居止三席地，其左無壁，覆之以苫。日常使姊守舍，攜中及妹，傫然匄於親故，率日不得一食。歸則藉稿於地，每冬夜號寒，母子相擁，不自意全濟。比見晨光，則欣然有生望焉。

在汪中筆下，其母與子女四人窮苦相依的情況，經常一日不得一食的饑餓情況，冬夜中母子相擁號寒，期待熹光微現，慶幸又得活命一天的情況，一一清晰展現。饑餓與酷寒的侵襲，只有身受其苦的人，才能體味其真實的感受，何況是汪中自己童年親身所受到的遭遇，記憶也最深切而恐懼難忘，一旦遇到可以抒發的機會，自然隨機表露出來，而〈狐父之盜頌〉，就在這種隨機閱讀《列子》書時被引發出來，應該是極為合理的現象。

(三) 結　語

人類具有感情，因此，無論古今，描寫親情的文學作品，也往往是最為感動人心的作品。因此，像汪中的〈先母鄒孺人靈表〉，蔣士銓的〈鳴機夜課圖記〉，描寫慈母愛護子女之情，像蔣衡的〈鞭虎救弟記〉，王拯的〈媭碪課誦圖記〉，描述兄弟姊妹手足情深的作品，都是勢將流傳千古，感動人心的文學作品，值得人們去欣賞、去體會、去感受。

四十八、曾氏兄弟刊刻《船山遺書》之用意

(一)引　言

王夫之（一六一九—一六九二）是晚明時代的大儒，他是湖南衡陽人，清兵入關，他曾起兵抵抗，也曾仕於永曆帝，為行人司行人，兵敗之後，隱居石船山，退而著書，兩百年間，罕為世人所知，至於道光咸豐間，鄧顯鶴蒐集夫之著作，編成目錄，同治之間，曾國藩、曾國荃兄弟刊刻《船山遺書》，共計七十七種，二百五十卷，其未刻而散佚者，尚不在少數。

(二)湘軍擊潰太平軍

道光三十年（一八五〇），太平軍洪秀全起事，咸豐二年，包圍長沙，三年，建號太平天國，沿長江東下，聲勢大振。時曾國藩奉旨典試江西，稍後，丁母憂回湘鄉，召募鄉勇，以湘軍之名，與太平軍抗衡。

時太平軍以民族大義喚醒民眾，以反清復明號召天下，一時之間，聲勢大振，不出數年，

席捲江南半壁天下，大軍逕入直隸，清廷震懼不已。

太平天國定都金陵之後，內爭不已，北王韋昌輝殺東王楊秀清，逐走翼王石達開，而無力北上，驅逐清軍。

同治三年（一八六四），曾國荃攻克金陵，洪秀全自殺，太平天國滅亡。

金陵攻克之後，傳說湘軍將領皆有擁立曾國藩，取代滿清朝廷之議，因此，一時，「東南半壁無主，我公其有意乎！」「神所憑依，將在德矣，鼎之輕重，似可問焉！」似此一類的勸進之言，在暗中傳遞不絕。而曾國藩卻卒未首肯。（參方君〈曾國藩何以不取滿清天下〉，載《暢流》四十四卷十二期）此雖不能確定必有其事，但揆請情理民心，其事卻亦不無可能。

曾國藩不肯取代滿清天下的原因，試加分析，可以歸納如下：

1.受傳統儒學禮教忠君思想太深

曾國藩飽讀詩書，自幼受到傳統儒家思想影響甚深，天地君親師，五倫的觀念，根深柢固，君臣一倫的大節，終生不敢踰越，不敢冒此無君無父之評議。

2.畏懼災禍及身

曾國藩一旦接受諸將之建議，黃袍加身，高舉義旗，驅逐滿人。成則為萬世所崇仰，敗則淪為誅殺九族之罪人，兩相衡量，不免棄彼取此，為子孫後代萬世綿延而深加計議。

3.避免引起亡國之災禍

蔣廷黻在《中國近代史大綱》中說：「他（指曾國藩）想清廷經過大患難之後，必能有相當覺悟。」又說：「他怕滿清的滅亡，要引起長期的內亂。他是深知中國歷史的，我國千年來，每次換個朝代，總要經過長期的割據和內戰，然後天下才得統一和太平。在閉關自守，無外人干涉的時代，內戰雖給人民無窮的痛苦，尚不至於亡國，到了十九世紀，有帝國主義環繞著，長期的內戰，就能引起亡國之禍。曾國藩所以要維持滿清，最大的理由在此。」（九思書局本頁二六四）

蔣廷黻是著名的歷史學者與外交官，曾經擔任駐蘇聯大使、駐美國大使，駐聯合常任代表，他的看法，比較深刻而中肯。不過，他也應該想到，首先，湘軍與太平軍鏖戰十餘年，那才是「長期的內戰」，而且，攻克金陵，長期的內戰，已經過去，並未引起列強干涉而帶來亡國之禍。其次，蔣先生自己也說：「倘若他（指曾國藩）客觀的、誠實的研究滿清在嘉慶、道光、咸豐三代的施政，他應該知道滿清是不可救藥的。」（《中國近代史大綱》頁二六四）況且，太平天國滅亡之後，滿族人民的人數，在全國人口中，已經佔著極少的比率，與曾國藩統率的湘軍相比，軍力上也根本不堪一擊，曾國藩未曾把握此一大好機會，取代滿廷，振興漢族，使中國步上革新富強之途，不能不說是一種莫大的遺憾。

我們不妨從歷史的回顧上，看一看那一段過往的情形：

一八四〇年　中英鴉片戰爭，簽訂南京條約，割讓香港予英國

一八五〇年　洪秀全起事

一八五八年　英法聯軍入大沽，簽訂天津條約

一八六四年　曾國荃攻克金陵，太平天國滅亡

一八六七年　日本明治天皇即位，推動維新政策

一八九四年　中日甲午戰爭，簽訂馬關條約，割讓臺灣澎湖予日本

縱觀歷史的發展，如果曾國藩在一八六四年湘軍攻克金陵之後，取代滿清，而中國歷史，也必然會是另一番嶄新的面貌。以他那一班僚友部屬如左宗棠、胡林翼、李鴻章等所擁有的才具見識，以他那湘軍乘勝追擊的士氣，則可以斷言。因此，蔣廷黻也感慨地說：「倘使同治、光緒年間的改革，移到道光年間，我們的近代化就要比日本早二十年，遠東的近代史就要完全變更面目。」又說：「所以我們說，中華民族喪失了二十年的寶貴光陰。」（蔣廷黻《中國近代史大綱》頁二四一）其實，所喪失的，又何只是二十年的寶貴光陰呢！

(三) 曾氏兄弟刊刻《船山遺書》

王夫之是湖南衡陽人，為晚明大儒著述甚多，道光咸豐之間，鄧顯鶴收集其遺書，得七十七種，二百五十卷，同治元年，曾國藩、國荃兄弟謀刊王夫之《船山遺書》，先在安慶籌設書肆，後於金陵續設書肆，於同治四年（一八六五年），刻成《船山遺書》三百二十二卷，用以行世。

只是，王夫之為反清復明之志士，其遺書中充滿民族思想，嚴判夷夏之分別，而曾氏兄弟則以剿滅反滿抗清之太平天國，成為功在滿清朝廷之漢族人士，如今卻反其道而行，乃為王夫

之刊刻《船山遺書》，用以行世，此其事也，確有令人不易索解之矛盾存在。

章炳麟針對此事，曾寫了一篇〈書曾刻船山遺書後〉，說道：

王而農著書，壹意以攘胡為本，曾國藩為清爪牙，踣洪氏以致中興，遽刻其遺書，何也？衡湘間士大夫，以為國藩悔過之舉，余終不敢信。最後有為國藩解者曰，夫國藩與秀全，其志一而已矣，秀全急於攘滿洲者，國藩緩於攘滿洲者，自湘淮軍興而駐防之威墮，滿洲人亦不獲執兵柄，雖有塔齊布多隆阿輩伏匿其間，則固已為漢帥役屬矣，自爾五十年，虜權日衰，李鴻章、劉坤一、張之洞之倫，時抗大命，喬然以桓文自居，巡防軍衰，而後陸軍繼之，其卒徒皆漢種也，於是武昌倡義，盡四月而清命斬，夫其端實自國藩始。刻王氏遺書，因以自道表志，非所謂悔過者也。（載《太炎文錄續編》卷二上）

太炎先生為興中會時期的革命先進，他稱曾國藩為滿清的爪牙，自不為過，至於湖湘人士以為刊刻《船山遺書》，是曾國藩因為擊潰太平天國而深自悔恨的表白舉動，不過，這一推斷，太炎先生卻不肯採信。此外，另一種說法，是曾國藩與洪秀全一樣，目的都是推翻滿清政府，不過，洪秀全所採取的手段，是急進的，而曾國藩所採取的手段，是緩進的，因此，刊刻《船山遺書》，只是委轉表示自己心中這一目的而已。這種說法，太過迂曲，也太為曾國藩設想出脫了。所以，太炎先生也批評說：「自君子觀之，既懷陰賊以覆人國，又姑假其威以就功名，斯亦譎之甚矣。」

章炳麟〈書曾刻船山遺書後〉又說：

及金陵已下，戲下則有情歸之氣，而左李諸子新起，其精銳乃逾於舊，雖欲乘勝仆清，物有相制者矣。獨有提挈湘淮，以成百足之勢，清之可覆與否，非所睹也，然其魁柄已移，所謂制人不制於人。

太炎先生以為，當湘軍苦戰多年，攻克金陵之後，官兵已現疲態，已漸生厭戰之感，而在此時，左宗棠、李鴻章也崛起軍中，所部軍士，精銳超越舊部，當此之際，曾國藩想若改弦更轍，揮戈北向滿廷，可能招致左李等人的反對或牽制。這種想法，以曾國藩在當時的統帥地位，勝利聲威而言，義旗一舉，則不管論德論才，論理論勢，恐怕也屬多慮。

綜合各種推測而言，則曾氏兄弟刊刻《船山遺書》的心意和目的，約可敘說如下：

1. 表彰鄉賢

明清之際，湖湘一帶，仍然處於邊陲地區，文化學術，遠不如直隸、江浙一帶為盛，自曾國藩創導儒學，讀書風氣，才大為改觀，（參梁啟超《清代學風之地理分布》）因此，當王夫之的遺著逐漸出現，學術水準令人驚羨之際，曾氏兄弟在行有餘力之時，刊刻《船山遺書》，用以表彰同鄉先賢之學術，也是人情之常的舉措，在刊刻《船山遺書》時，曾國藩還曾親自校閱《禮記章句》、《張子正蒙》、《讀通鑑論》、《宋論》、以及四書、易、詩、春秋諸經之

《稗疏》、《考異》等書，（參曾國藩〈船山遺書序〉），在日記中，曾國藩還曾批評王夫之的《正蒙注》、《周易內傳》等說理之書，「每失之艱深，而不能軒豁」。

2. 彌補過錯

曾國藩身為漢族子孫，飽讀聖賢經傳，而在太平天國以民族大義號召天下之際，卻協助滿清朝廷，擊潰太平軍，當他在指揮湘軍，作戰之際，難道不曾一絲一毫思及當初清軍入關，屠戮漢人的悲慘情形？因此，當太平軍失敗之後，曾國藩中夜反省，清明在躬之際，或許會有彌補過錯之想法，而刊刻《船山遺書》，也許正是此一彌補過錯心情的宛轉表達。

3. 表明心志

王夫之一生，以反清復明，為其志節，以闡釋民族大義，為其著述之重心，太平天國之失敗，成為許多漢族人民心中之隱痛。雖然，洪楊等人，以天父天兄等異教相標榜，不盡符合國人之傳統觀念，但是，事過境遷之後，曾國藩澄心默念，華夷之辨，終在胸中，一點愧疚之感，恐也常在心中，因此，刊刻遺書，不僅是表彰王夫之的學術思想，也更是藉此以表白一己未曾遺忘民族志節之心意。

以上三種推測，其在曾國藩心中的比重，由一項至三項，則亦由輕而逐漸加重，似可斷言。

(四) 結　語

當太平天國起義之初，以民族大義相號召，以反清反滿為目的，在翼王石達開所撰寫的〈布告天下檄〉中，特別強調者，諸如：

> 自昔皇漢不幸，胡虜紛張，本夜郎自大之心，東方入寇，竊天子乃文之號，南面稱尊，陽借靖亂之名，陰售併吞之計，而乃蠻夷大長，既竊帝號以自娛，種族相仇，復殺民生以示武，揚州十日，飛毒雨於漫天，嘉定三屠，匝腥風於遍地。兩王入粵，三將封藩，屠萬戶於壑溝之中，屈貳臣於宮闕之下，若宋度欷於南浙，故秦泥不封於西函，嗚呼！明祚從此亡矣，國民寧不哀乎？

又如：

> 洪公奉漢威靈，憫民水火，睹狼梟滿地，作牛馬於他人，用是崛起草茅，縱橫粵桂，早臥薪以嚐膽，爰破釜以沉舟。忍令上國衣冠，淪於夷狄，相率中原豪傑，還我河山。

又如：

> 今廣西已定，士氣方揚，軍兵則鐵騎千羣，將校則旌旗五色，特奮長驅，分征不順，中臨而長江可斷，北望而幽雲自捲。凡爾官吏，爰及軍民，受天命者為奇人，當思歸漢，識時務者為俊傑，胡可違天，所有歸順之良民，即是軒轅之肖子。（載《石達開全

集》，臺中：普天出版社）

當曾國藩讀到「揚州十日，飛毒雨而漫天，嘉定三屠，匝腥風於遍地」，「嗚呼！明祚從此亡矣，國民寧不哀乎」，讀到「忍令上國衣冠，淪於夷狄；相率中原豪傑，還我河山」，「所有歸順之良民，即是軒轅之肖子」之時，不知道他心中作何感想！

針對石達開所撰寫的檄文，曾國藩也撰寫了一篇〈討粵匪檄〉，作為回應，但是，在檄文中，對於石達開在檄文中所強調的民族大義，夷夏之別，曾國藩卻不敢回應，而不置一辭，不敢一攖其鋒。

曾國藩的〈討粵匪檄〉，約可分為八段，第一段，強調洪楊之亂，荼毒生靈，蹂躪州縣，為禍極大。第二段，敘說洪楊等人，自處於安富尊榮。第三段，指洪楊行事，毀名教，亂人倫，上下皆以兄弟姊妹相稱。第四段，以耶穌之說，新約之書為教，「舉中國數千年禮義人倫，詩書典則，一旦掃地蕩盡，此豈獨大清之變，乃開闢以來，名教之奇變，我孔子孟子之所痛哭於九原」。第五段，指太平軍毀神明，焚廟宇。第六段，號召民眾，相助剿滅洪楊，給予獎勵。第七段，歌頌當今天子，憂勤惕厲，敬天恤民。第八段，則曾氏自訴以忠信二字，為行軍之準則。（文載《曾文正詩文集》，文集卷二，《四部備要》本）

綜觀曾國藩所撰寫之〈討粵匪檄〉，除了其中第四段較能打動民眾之內心，其他各處，較之石達開所撰之〈布告天下檄〉，則不免令人有避重就輕之感覺。

湘軍與太平軍之戰事，艱困慘烈，綿延十餘年，動盪數千里，半壁錦繡山川，億萬善良人民，為之震盪不已，遍嚐艱辛，然而，太平天國之失敗，則必當歸咎於初定之後，天王猜忌，楊（秀清）韋（昌輝）相殘，禍起蕭牆，加以逼迫翼王出走，自壞長城，以至痛失人心，痛失戰力，因而也成就了曾氏湘軍屢敗屢戰之名聲。

因此，曾氏兄弟晚年刊刻《船山遺書》之用心，也必當就此有關之許多方面，綜合予以探討，方能覓知其真相。

四十九、古直教授〈十九路軍抗日死國將士之碑〉讀後

(一)引　言

古直字層冰，廣東梅縣人，為民國早期著名之古典文學家，曾任教於廣州中山大學多年，著有《曹子建詩箋》、《阮嗣宗詩箋》、《陶靖節詩箋》、《陶靖節年譜》、《層冰堂文略》，（以上合稱《層冰堂五種》）以及《層冰堂文略續編》等書，世人尊之為一代大儒。

在《層冰堂文略》及《文略續編》之中，有兩篇記述抗日戰爭重要歷史的碑誌文章，誦讀之後，極為欽佩，茲篇撰述，先分析〈十九路軍抗日死國將士之碑〉，再另及〈長沙會戰碑〉。

(二)分　析

清光緒二十四年（一八九四），歲次甲午，清廷為保衛朝鮮，與日本發生戰爭，清廷大敗之後，與日本簽定馬關條約，賠償軍費二萬萬兩，割讓臺灣與澎湖予日本。

甲午戰爭之後，日本侵略中國之野心，日盛一日，民國二十年（一九三一），日本發動九一八事變，侵佔東北三省。

民國二十一年（一九三二），一月二十八日，上海日軍夜襲擊閘北，我駐守上海之十九路軍，奮起抵抗，史稱一二八之役。

中日雙方，停戰之後，十九路軍卜葬殉國烈士，古直教授撰為〈十九路軍抗日死國將士之碑〉，永誌紀念。

古直教授〈十九路軍抗日死國將士之碑〉（代蔡廷鍇）云：

> 仁義豈有常，蹈之則君子，伊古迄今，天綱決，地維絕，其決不決，其絕不絕，皆仁人義士，肝腦塗地之為也，我將士抗日死國之烈，絕於等倫矣，今我不述，後昆何聞哉！乃謹敘之曰。（《層冰堂文略》卷六，民國七十三年，國立編譯館中華叢書本）。

碑文首段，主於議論，論君子所為，扶持天地之綱常，使勿決斷，必出於世之仁人義士，以生命鮮血，力加維護，方能勿使決斷，永續國脈。碑文又云：

> 十九路軍，其先曰十一軍，所部多嶺表子弟，而四方精英亦萃焉。革命一紀，大小百

戰，率為軍鋒，東窮泰岱，南極朱垠，山河兩戒，江海萬里，莫不縈我軍之魂氣，埋我軍之碧血。

辛亥革命成功，清廷退位之後，因為革命黨並沒有武力作基礎，因此，各地的軍事將領，往往擁兵自重，袁世凱的稱帝美夢，雖然不久即告失敗，南北對立的局面，卻更為嚴重，形成分崩離析的情況，其中，北方的直系、皖系、奉系，南方的粵系、桂系、滇系，力量尤強，相互爭奪，相互交戰。

粵系的將領，以陳炯明、張發奎、陳銘樞、陳濟棠等人，先後崛起。孫中山先生在二次革命失敗之後，退回南方，先後在廣東廣西，成立大元帥府，謀求統一。

民國初期，粵軍成立三個正規師，分別由鄧鏗、洪兆麟、魏邦平任師長，支援孫中山先生革命，而蔡廷鍇、蔣光鼐、戴戟等，尚皆為中下級軍官，所統率者，自然以廣東子弟，為數最多，民國十年，鄧鏗之第一師，由粵赴桂，擊敗桂軍沈鴻英部，建立首功。

民國十一年，鄧鏗被刺，陳銘樞受命為第一旅旅長，蔣光鼐為團長，蔡廷鍇為營長。

民國十四年，陳銘樞率部擊敗粵軍之林虎，平定滇軍楊希閔、桂軍劉震寰之叛亂。陳銘樞受命為國民革命軍第四軍第十師師長，平定廣東之鄧本殷，統一粵境。

民國十五年，國民革命軍誓師北代，陳銘樞率第第十師，協同張發奎部，擊敗吳佩孚之大軍於汀泗橋，攻破武昌城，使國民革命軍之第一、三、七軍，得以迅速平定江西，直搗金陵。

陳銘樞也以戰功卓著，升任為國民革命軍第十一軍軍長，兼武漢衛戍司令。

民國十六年，共黨叛變，寧漢分裂，共產黨賀龍、葉挺等，在南昌暴動，脫離國軍，自建紅軍。

民國十八年，張發奎之粵軍，聯合廣西李宗仁、白崇禧之桂軍，進攻廣東，蔣光鼐指揮之粵軍，擊敗桂軍，乘勝追擊，直入廣西。

民國十九年，第十一軍奉命進入江西，圍剿共黨，民國二十年，中央任命陳銘樞為剿匪軍右翼集團軍總司令，並令第十一軍改編為十九路軍。

民國二十年九月十八日，日本寇軍，侵佔瀋陽，並迅即佔領東北三省，全國軍民憤慨已極，剿共大業，反遭沖淡。十九路軍即刻電請中央，調軍北上抗日，中央以關內平津及京滬一帶，兵力空虛，乃調十九路軍為京滬衛戍部隊，並令陳銘樞為京滬衛戍司令長官。

古直教授在碑文中所說「革命一紀，大小百戰，牽為軍鋒」，即泛指前述各項戰役而言，一紀十二年，《文選》卷一班固〈東都賦〉云：「西蕩河源，東澨海濱，北動幽崖，南耀朱垠。」李善注：「朱垠，南方也。」泰岱指東嶽泰山，朱垠則泛指南方粵桂兩省而言，自北國至南疆，皆有十九軍征戰之痕跡，流血之記錄。

以上敘述十九路軍過往之歷史，拱衛京滬之原因，下文方始敘述十九路軍滬上抗日之壯烈事跡。碑文又云：

> 民國二十年冬，廷鍇以軍長奉命駐戍上海，時倭寇已連陷遼瀋齊齊哈爾，檀公卅六，走為上計，白山黑水，倏淪為戎，人興微管之悲，家抱皆亡之戚，夫地有所必爭，城有所必守，田單即墨，巡遠睢陽，保一隅，捍全局，上海為長江咽喉，不猶是哉。有備無患，古之善志也，預戒不虞，武之善經也，於是衛戍陳公，指揮蔣公，警備戴公，密與廷鍇，同心協規。

九一八東北淪陷之後，長白山黑龍江所代表之三省，已完全為日寇所鯨吞，萬千中華同胞，淪為日本軍閥之奴隸，《語論・憲問》記載孔子曰：「微管仲，吾豈被髮左衽矣。」《尚書・湯誓》記載有夏民眾譏刺夏桀曰：「時日曷喪，予及汝皆亡。」都是民眾百姓悲憤已極的表示，古直教授又引述田單守即墨，張巡、許遠守睢陽之事跡，艱辛萬端，保全一城，而其作用影響，則是足以保全國家大局，然而，上海一地，扼長江之咽喉，影響首都及東南半壁之安危，其重要尤過於即墨與睢陽兩地。九一八東北為日寇佔據之後，日本野心不止，又復蠢蠢欲動。是以十九路軍，以守土有責，拱衛首都，更足以影響全局，故未雨籌謀，早作警戒，當時，陳銘樞任京滬衛戍司令長官，蔣光鼐任十九路軍總指揮，戴戟任淞滬警備司令，蔡廷鍇任十九路軍軍長，協力同心，密謀防衛大計。碑文又云：

> 粵明年正月，寇果以海陸重兵壓滬瀆，當軸失措，將為城下之盟矣，我軍聞之，投袂而起，萬眾一心，義不返顧，其月二十八日午夜，與寇遇于閘北，奮擊大破之，連戰皆

捷，寇自歐戰而還，夜郎自大，以為東方德意志，世界莫余毒也，及敗問至，舉國震動，引為神武開國至今未有之奇恥。星夜濟師，且易將焉，亟販則亟易將，亟濟師，比浹辰，師在戰線者，逾十萬，幾五倍我，加以海艦空機，晝夜轟擊，晝驚萬日之射落，夜見繁星之雨隕，蚩尤之霧，不啻千重，雷霆之震，且越百里，我軍以少敵眾，以弱敵強，以苦械當利兵，以飢疲當飽逸，禍重如地，亦知亡矣，然猶奮不顧身，必死為期者，國之大命，決諸此役也，卒之精感皇天，我戰必勝，萬國視聽，陡焉回易，民族精神，一朝復旦，毀家之饟日至，犒師之聲齊發。

民國二十年十一月，十九路軍全部抵達上海，布署防務，自「九一八事變」之後，日本軍閥食髓知味，日本海軍見陸軍佔領東三省，也躍躍欲試，想在中國動武，因此，距「九一八事變」才不過數月，日人又對上海發動侵略戰爭。

民國二十一年一月二十八日，傍晚，日軍突向我閘北地區進行大規模之攻擊，當時，政府的政策，仍以「攘外必先安內」為主軸，並未積極準備與日軍作大規模之抵抗，對外忍辱負重，委曲求全，尋求國際的交涉，因此，古直教授的碑文中，有「當軸失措，將為城下之盟」等語，但是，十九路軍身當其境，以守土有責，奮起抵抗，勇敢殺敵，浴血苦戰，三十日，蔣委員長通電全國軍人將士，枕戈待命，誓與敵寇周旋到底，又令最精銳之第八十七、八十八師，編組為第五軍，由張治中任軍長，馳赴上海，仍以十九路軍名義加入戰鬥。

一二八淞滬戰爭，日軍在戰爭之前，揚言四小時即可結束戰爭，擊潰中國軍隊，但是，十九路軍在裝備極度劣勢的情況下，奮勇抗敵，無畏犧牲，中國民眾，支援國軍，爭先恐後，戰事自一月二十八日開始，至三月一日為止，一共與敵寇激戰了三十三天，在這三十三天之中，大致可分為四個階段，其間因日軍挫敗，屢次透過英、法、美等國駐上海之領事，要求調停停戰，實際為增援軍力緩兵之計，我國為了尊重各國領事之請求，不得不勉予同意，一俟增兵抵達，日軍又復展開進攻，但是，我十九路軍，人人奮起，大敗日軍，自歐戰之後，日本自命為東方之德意志，驕傲狂妄，及至淞滬之戰失利，日本舉國震驚，引為開國以來之奇恥大辱，故在三十三天之中，屢次增兵，四易統帥，（先後為塩澤幸一、野村吉三郎、植田謙吉、白川義則）動員陸海空軍，近十萬人，故古直教授，以「晝夜轟擊，晝驚萬日之射落，夜見繁星之雨隕，蚩尤之霧，不啻千重，雷霆之震，且越百里」，以形容日寇火力之強大，而我十九路軍，數僅兩萬，以少敵眾，兵器陳舊，仍然奮不顧身，以血肉之軀，作為保衛疆土之長城，蓋我將士袍澤，皆知國家存亡之命運，在此一役也。終於一戰苦勝，旋乾轉坤，民族精神，重獲尊嚴，國際驚詫，讚譽湧至，而國內民眾同胞，慷慨捐輸物質，也源源運至，欽敬之聲，絡續不絕。

古教授之碑文又云：

當軸者苟中道改轍，應機急難，雖使寇隻輪不返，聚為京觀，永昭世戒，可也。乃湘東

> 之子不下，諸侯之徒壁觀，寇遂更遣大將白川，聯艦飛渡，百重之圍已成，瀏河之背斯拊，我軍猶創病俱起，以一當千，九天九地，十盪十決。

自鴉片戰爭之後，列強在中國取得內河航行權，日本軍艦，因此也可以上溯長江，直抵重慶，因此，當時有人獻議，我國海軍如能及時在長江口布雷封鎖，而在黃浦江口加以阻塞狙擊，則日寇增援之船艦不能進入，而停泊於上海附近以及航行於長江內之軍艦又無法出海，則淞滬之戰，中國可以取得一場百年來空前之勝利，雪恥復讎，而震驚世界，也不足怪，只是決策當局，舉棋不定，大好時機，稍縱即逝，令國人扼腕不已。京觀，典出《左傳》宣公十二年晉楚邲之戰，「君盍築武軍而收晉尸以為京觀」，指收敵人屍體建高臺而以木表之」，用以記述勝利，永昭世戒，《史記．項羽本紀》云：「諸侯軍救鉅鹿，下者十餘壁，莫敢縱兵，楚擊秦，諸侯皆從壁上觀。」《昭明文選》卷四十一李陵〈答蘇武書〉云：「以五千之眾，對十萬之軍。」又云：「疲兵再戰，一以當千。」又云：「然陵一呼，創病皆起。」《孫子兵法．形篇》云：「善守者，藏於九地之下，善攻者，動於九天之上。」瀏河，水名，在江蘇太倉縣東北。此處用李陵典故，也隱含悲憤之意，不僅對外，也兼對內也。

古教授之碑文又云：

> 廷鍇此時，自維將墟上海以為田橫荒島乎？抑姑緩須臾，終濟大事乎？擐甲執兵，固即死也，然得臣死而晉喜，岳飛死而宋亡矣，所以慷慨呼天，淚盡而繼之以血者也，於是

忍死退舍，以聽國聯之公判。

戰國時，田橫義不帝秦，以五百壯士自決於荒島，春秋城濮之戰，楚國大將得臣死，而後晉文公其喜可知，以為莫余毒也。民國二十一年三月四日，淞滬戰爭，由英、美、法、意等國駐華公使調解，三月二十四日敵我雙方代表，及四國公使，開停戰會議，五月五日協定簽字生效。而稍早，三月三日蔣光鼐、蔡廷鍇、戴戟、張治中，及全體將士，發表通電，泣告國人，表白抗敵之決心。

古教授之碑文又云：

昔張巡、許遠守睢陽，以蔽江淮，後睢陽終破，而賊之力亦屈，遂拯唐宗，我功雖不及成全乎，庶比於此，以告無罪於天下後世也。

韓愈〈張中丞傳後敘〉曾說：「守一城，捍天下，以千百就盡之卒，戰百萬日滋之師，蔽遮江淮，沮遏其勢，天下之不亡，其誰之功也。」在〈碑文〉中，古教授也即以第十九軍保衛京滬的功績，與唐代張巡、許遠堅守睢陽，阻扼安史亂軍之貢獻相比擬，以論定十九路軍一二八京滬抗敵在中華民族歷史上之功績。

古教授之碑文又云：

是役也，鏖亙三十二晝夜，殲寇殆萬，而我國殤，亦且盈千矣。事定，卜地黃花岡之陽，遷其毅魄，永藏于茲，前此革命諸役死難者附葬焉。

此節敘述十九路軍淞滬抗日之時日，殺敵之成果，己軍壯烈犧牲之數目，以及慎遷抗日烈士與民國革命以來，十九路軍死難者之遺骸，遷葬一處，營墓室於黃花岡之南向處，俾與辛亥革命三二九犧牲之七十二烈士，同躋不朽，而永受國人所崇敬與追憶。

古直教授之碑文又云：

嗚呼！我將士節陵五岳，功塞八紘，取義成仁，聲威凜然，諸夏之不泯，民族之中興，緊此浩氣，靈光是賴。廷鍇不武，屬當戎行，不能相從地下，精忠報國，猶靦顏人寰，坐視寇讎之宰割，伊可愧也，亦可痛也，痛定任聲，亂以哀歌，歌曰：

此文本係古教授代十九路軍軍長蔡廷鍇所撰，故此段回歸蔡軍長之身分口吻，既稱譽十九路軍將士之保國衛民，功在天地，死後靈威奕奕，永受同胞國人所崇敬，而「諸夏之不泯，民族之中興，緊此浩氣，靈光是賴」，語極沉痛，而意極崇高，而十九路軍保國衛民死難犧牲將士永垂不朽之精神，盡可見矣。

古教授碑文之歌辭云：

天蒼蒼兮野茫茫，天時墜兮魂飛揚，飛揚上天兮正之帝，帝謂吾人兮何不平，內有姦兮作汝祥，非然汝功邁南塘，翩然披髮下大荒，雲車風馬迴故鄉，驃騎之營象天長，鄰德肅若揖我良，相與戮力誅猾狂。

碑文體例，文末繫以仿《楚辭》體的「亂曰」，以總括一篇之大意，彰明其旨趣，〈敕勒歌〉云：「天蒼蒼，野茫茫，風吹草低見羊。」屈原〈國殤〉云：「天時墜兮威靈怒。」《說文》云：「祥，福也。」段玉裁注：「凡統言則災亦謂之祥，析言則善者謂之祥。」蘇軾〈潮州韓文公廟碑〉云：「翩然披髮下大荒。」張華《博物志》云：「漢武帝好道，七月七日夜漏七刻，西王母乘紫雲車來。」昔漢武帝始用霍去病為驃騎將軍，鄰德，指七十二烈士之墓，猾狂，指外侮日寇。

在「亂曰」總結一篇的大意時，古教授的碑文，主要是在強調，十九路軍的浴血抗敵，保衛疆土，而天時不利，內有奸佞，以致奇功不成，將士犧牲，而其精神，足以與黃花岡七十二烈士並轡齊驅，而毫無愧怍也。

(三) 結　語

一二八事變，日軍侵略淞滬，我十九路軍奮起抵抗，激戰三十二天，在國際調停之下，雖然於三月二日，停止戰鬥，但是，民間的抗敵活動，卻未嘗停頓，其中最活躍者，為王亞樵領導之抗日鋤奸敢死隊。

民國二十一年（一九三二年）四月二十九日，是日本天皇之生日「天長節」，日本軍方在上海虹口公園舉行慶祝會及戰爭祝捷會，王亞樵決定乘機行事，朝鮮抗日義士尹奉吉、安昌浩慨然請命，混入人群，進入會場，會議開始，在日本國歌「君之代」正在演唱之際，尹奉吉乘機將炸彈投向主席台，日軍侵華司令白川義則當場被炸飛五公尺之遠，日僑會長河端也立即斃命，日本駐華公使重光葵、師團長植田、總領事村井，均受重傷，尹奉吉義士也從容就義。

五月二十八日，為一二八事變四週月紀念日，蘇州公共體育場，五千多名愛國群眾舉行「一二八抗日陣亡將士追悼大會」，宋慶齡、蔡廷鍇、張治中出席了大會，蔣光鼐親撰輓聯：

> 自衛乃天賦人權，三萬眾慷慨登陴，有斷頭將軍，無降將軍，石爛海枯猶此志；
> 相約以血湔國恥，四十日見危受命，吾率君等出，不率其入，椒漿桂酒有餘哀。

風寒雨細，天為下淚，眾多之悼辭、輓聯、花圈，將會場裝點得肅穆莊嚴，永留哀思。

古教授所撰寫的這篇碑文，古雅肅穆，涵義豐富，在一千字左右的碑文之中，總持少文，包羅宏富，將十九路軍抗日血戰的重要史實，對國家民族的影響，在歷史上之地位，作出公正謹嚴的論斷，非學養深厚，文筆精練，不克至此。讀者如能細讀碑文，深心體會，反覆誦讀，多加吟味，自然能夠體會古教授此文的精神氣脈，所謂「非高聲朗誦，不能得其雄偉之概，非密詠恬吟，不能得其幽遠之韻」（曾國藩語），如果只是「看而不讀」，只是瀏覽一遍，滑眼看過，則不能體味古教授此文之優點，也不能了解古教授此碑的卓越之處。

古教授《層冰文略》卷二，有〈攘倭行〉詩一首，可與此碑文互相參閱。（參丘國珍：

《十九路軍興亡史》，文海出版社，華振中：《十九路軍抗日血戰史料》，上海書店，胡楚生：《中華民族抗日戰爭史略》，大社會出版社）

五十、古直教授〈長沙會戰碑〉讀後

(一)引　言

九一八事變之後，日本積極侵略中國，在各處製造事端，發動戰爭，七七蘆溝橋事變之後，更對中國展開全面之進犯，蔣委員長發表嚴正聲明，「犧牲到底，抗戰到底」，「地無分南北，人無分老幼，無論何人，皆有守土抗戰之責任，皆應抱定犧牲之決心」。

經過八一三淞滬戰爭、台兒莊會戰、武漢會戰等重大戰役之後，由於我軍堅強抵抗，屢獲勝利，中日戰事已呈現膠著狀態，日軍知道「三月亡華」之說，已成夢想，因而想在湖湘一帶用兵，進佔長沙，強奪兩湖豐富的食糧礦產，以達到「以戰養戰」之迷夢。

日軍進犯長沙，我軍嚴加阻擊，一共有三次大規模之會戰，第一次會戰，自民國二十八年（一九三九）九月四日至十月四日，歷時一個月，第二次會戰，自民國三十年（一九四一）九月七日至十月九日，歷時三十三天，第三次會戰，自民國三十年（一九四一）十二月十九日至民國三十一年（一九四二）一月十五日，歷時二十七天，我軍皆取得輝煌之戰果。

民國三十年，古直教授撰成〈長沙會戰碑〉，用以紀念國軍抗日之經過，對國家之貢獻，對世局之影響。

以下，即對古教授所撰之碑文，加以分析，以記錄讀後之感想。

(二) 分　析

古直教授所撰〈長沙會戰碑〉云：

> 伊古以來，一戰而決國命者有之矣，未有一戰而係世界之禍福者也。有之，自長沙會戰始。（《層冰文略續編》卷三）

一戰而決定國家存亡之命脈，我國歷史上或亦有之，如劉秀與王莽軍昆陽之戰，孫權、劉備與曹操赤壁之戰，謝玄與苻堅淝水之戰，皆足以關係國家存亡之命脈。但在我國歷史上，「一戰而係世界之禍福」，則自當在二次世界大戰，我國抵抗日本侵華戰役中尋覓，而長沙三次會戰之影響，足可以與言於此。古教授在碑文之首，即將目光投向世界，在當時世局的變化大勢中，指出長沙會戰所具有的歷史影響與國際地位。

古直教授〈長沙會戰碑〉又云：

> 初，倭寇連陷廣州、武漢，乘勢直趨岳陽，迫長沙。長沙散地，焚如、棄如，幾為決定

之命運。夫長沙失，則湘南湘西並危，桂林詔關亦皆殆哉岌岌。西南之屏藩盡撤，行都之拱衛空矣。

長沙居西南之中央，長沙失守，則湖南、廣西之門戶洞開，而直接影響四川陪都重慶之安全，西南之戰略形勢全盤改觀，其重要性可謂大矣。

古直教授〈長沙會戰碑〉又云：

總裁雄斷，立下必守之命，艱鉅之任，以付第九戰區司令長官薛岳將軍，時將軍方滅松浦師團於德安萬家嶺，寇焰頓衰，故雖得岳陽，而次且不敢遽進。將軍已赴鎮，救死扶傷，勞來安輯，日夜討訓，完備以待。鎮長沙九閱月，寇內閣連倒，妄冀僥倖一逞，以靖其民之反戰。於是，悉其醜類二十萬眾，聯合海空，由贛北、鄂南、湘北，六路來攻，且宣播於世界，刻期十月一日佔領之。驕狂之態，恍如苻堅之視晉人矣。

鑒於長沙地位之重要，委員長下令堅守勿失，而以千鈞重擔，責付薛岳將軍任之。時日本民眾大規模反戰，日本政府內閣連續更易，乃冀圖籍國外軍事勝利而弭平其百姓之不滿情緒，於是二十萬大軍盡出，陸海空軍齊發，並狂言於該年十月一日佔領長沙，狂妄驕矜，尤過苻堅。

古教授〈長沙會戰碑〉又云：

將軍肅奉黨國威靈，上稟總裁勝算，下與百姓同欲，外勵諸將忠勇，內綜惟帟智謀，彼

> 己之情，洞若觀火，山川之勢，瞭如指掌，料敵制勝，不差絫黍；即與吳參謀長逸志，按照判斷決心，指揮所部，贛北主將羅總司令卓英，王總司令陵基，鄂南主將楊總司令森，湘北主將關總司令麟徵，以及軍長陳沛、陳烈、歐震、張耀明、王耀武、孫渡、宋肯堂、安思溥、韓全樸、夏首勳、彭位仁、夏楚中、楊漢域、李覺、李玉堂、劉多荃等，各率將領，取絕對攻勢，只求殲滅敵人，不呆守陣地，不死用方案，堅忍沉著，快速機敏，實行反包圍，以破敵之包圍。

薛岳司令長官既受領袖重托，乃詳加規畫，悉心布署，於贛北、鄂南、湘北三面，分配專責，布置重兵，制定戰略，求取勝利。

古直教授〈長沙會戰碑〉又云：

> 鏖戰二十四晝夜，遂奏膚功，殲寇四萬，長驅三百里，時中華民國二十八年國慶前三日也。造空前之戰績，奠最後之勝利，堅全民之信念，改國際之聽觀，旋乾轉坤，寰海歡騰，謝大傅肥水之捷，韓蘄王大儀之勝，功雖髣髴，而難易迥殊矣。

日寇進攻長沙，第一次會戰由岡村寧次指揮，二三次會戰由阿南惟幾指揮，每次皆動員陸軍十餘萬人，配合海空軍戰艦戰機，猛撲長沙而來，而我軍薛岳長官，則採擲「天鑪戰」法，在預定作戰之各地帶，構成網形據點陣地，配合守衛部隊，以伏擊、誘擊、側擊、尾擊諸手段，逐次消耗敵人之兵力，挫折其銳氣，然後於決戰地帶，使用優勢之兵力，熾盛之火網，施行反包圍及反擊，利用優越之態勢，予敵人以殲滅性之打擊。

長沙三次會議，擊潰日軍，日寇傷亡達十四萬六千餘人，我軍方面，傷亡也達十一萬七千餘人，戰況之慘烈，可見一斑，我軍在武器軍械方面，雖不如日本之先進，但軍士用命，浴血奮戰，終於獲得勝利之成果，薛岳上將也獲得政府頒授青天白日勳章。

長沙會戰，取得了艱鉅之戰果，古教授在碑文中所強調的「堅全民之信念，改國際之聽觀」，使國際人士大為驚訝，一改蔑視中國軍隊戰力之成見，也給予我國民眾莫大之鼓舞與信心，是以古教授也將長沙大捷，與歷史上謝安謝玄在淝水戰勝苻堅，韓世忠在太儀（江蘇江都縣西面）大敗金兵，相提並論。

古直教授〈長沙會戰碑〉又云：

> 何況此役影響，乃遠及太平洋哉！使寇陷淖愈深，不能乘機南進，贏得時間，以援英美，形成今日之局勢，此長沙會戰所以為曠古無倫之大烈也。

長沙會戰前後，國際局勢，變化巨大，在歐洲，一九三八年（民國二十七年），德國兼併奧地利，佔領捷克，以閃電戰進襲波蘭，又佔領荷蘭、比利時、挪威、法國，隔海空襲、狂炸英國，又進攻蘇聯，一九三九年（民國二十八年）九月一日，第二次世界大戰正式爆發。

在亞洲，民國二十八年（一九三九年）九月四日，中國與日本第一次長沙會戰開始，民國三十年（一九四一年）九月七日，第二次長沙會戰展開，民國三十年（一九四一年）十二月八日，日本偷襲珍珠港，美國英國，對日宣戰，十二月十九日，第三次長沙會戰開始。

日軍在偷襲珍珠港成功，美國海軍損失慘重之後，日本更是橫行於太平洋，連續進攻關島、菲律賓、馬來亞、新加坡、緬甸、泰國、香港，進襲澳洲。

軸心國家，德國、義大利、日本，目標是打通歐洲、亞洲，會師祝捷，統治世界。而在同盟國家，卻一連串遭受進襲，軍事陸續失利，士氣低迷，民心渙散。

而在國際局勢似此沉迷之際，長沙會戰大捷，卻似暗夜中的一線光芒，沖天而出，振奮人民，也牽制了在華日軍南進澳洲、印度的野心，打破軸心國家歐亞會師的迷夢，得以使英美等大國，獲得喘息之機會，得以重整軍備，而與德日大軍，再決生死。

英國泰晤士報社評曰：「十二月七日以來，同盟軍唯一決定性之勝利，係華軍之長沙大捷。」英國每日電訊報社評也稱：「際此遠東陰霧密佈中，唯長沙上空之雲彩，確見光輝奪目。」中央社華盛頓一月三十日電，美國海軍部長諾克斯稱：「長沙偉大之戰績，非僅為中國之勝利，抑且為所有同盟國家共同之勝利，而為打擊整個軸心國之勝利。」長沙會戰對中國對世局之影響，由此可見一斑。

古直教授〈長沙會戰碑〉又云：

一髮牽而全身動，微風渙而四海波，梅縣距長沙二千里，南洋群島則萬餘里矣。然直等能安居樂業，從事於出錢出力抗戰建國者，胥為長沙會戰之賜，感激贊嘆，不能自休，用述其要，伐石勒銘。若夫其詳，宜在民族中興之史。

古教授為梅縣人，而南洋群島又多廣東、福建兩省之移民，在抗戰時期，華僑出錢出力，捐輸大量金錢，又有大批青年，返國投入抗日戰役，是與長沙會戰，三次大捷，有其緊密之關係也。

古直教授〈長沙會戰碑〉又云：

其辭曰：危而能安，亡而能存，直破歷史之成例，而橫制太平洋之狂瀾。此皆我總裁之勝算兮，薛長官能秉承勿懈，日居月諸，倏忽三年，六種震動，而我掎角於其間。朔風兮變楚，民族兮開元，比浯溪兮作頌，永巍巍兮極天。

在總括碑文的贊辭之中，古教授強調長沙會戰在民族歷史上之重要地位，以及在國際關係上之影響，都將永存於世人心中。因而也模仿唐代元結，為平定安史之亂而撰作的〈大唐中興頌〉（顏魯公手書上石，碑在浯溪，今湖南省祁陽縣），而寫作〈長沙會戰碑〉的贊頌之辭。

稍後，古教授在〈長沙會戰碑〉之末，又附有跋文一節，其辭云：「以長沙一隅，屏蔽西南六年，俾我同盟，從容豫備，形成今日之局勢。論功為中興第一，不因意外蹉跌而異也。民國三十三年雙十節後十日，古直跋。」也可為碑文內容作一補充。

(三)結　語

古教授所撰之〈長沙會戰碑〉，風格典雅，文辭洗鍊，所敘史實，貫串全局，縱觀此文，極能彰顯湖湘戰場浴血奮戰國軍之英勇精神，也能使犧牲性命之中華戰士，長昭史冊，永垂不朽。

唐代韓愈在〈張中丞傳後敘〉一文之中，曾經總結張巡、許遠堅守睢陽，抵擋安祿山叛亂的功績時說道：

守一城，捍天下，以千百就盡之卒，戰百萬日滋之師，蔽遮江淮，沮遏其勢，天下之不亡，其誰之功也。

古教授於〈長沙會戰碑〉中，起首即祖述韓文公此文之用意，以肯定長沙三次會戰在二次世界大戰中之影響及地位。而較之韓文之作，視野更為廣大，氣魄益為雄偉，不愧為大手筆之撰述。

古教授《層冰文略續編》卷三於〈長沙會戰碑〉之後，尚附有兩篇致薛岳將軍之電文，關係史實，也附列於後，以供參稽。

古直教授〈豎立長沙會戰碑致薛司令長官電（三十年）〉云：

長沙薛司令長官暨全體將士勛鑒：班固表燕然之隆碣，韓愈造淮西之瑰辭，矜誇渺小，猶足示後。何況長沙會戰，旋乾轉坤，銘勒衡麓，以昭總裁之神武，以彰將士之英勇，以揭民族之天聲。直等雖微，責無旁貸。今碑刻竣事，謹於抗戰四週年紀念日豎立。興言微管，三載如新，貢此精誠，期合報禮。於戲！長蛇能剪，奔鯨此曝，前日已見謝車騎，式辟江漢，至於南海，今日更望召穆公。臨電不任款款顒慕之至。

古直教授〈長沙會戰碑揭幕并祝二次大捷雙十國慶致薛司令長官電（三十年）〉云：

長沙薛司令長官暨全體將士勛鑒：蓋聞樂無不返，禮無不報，孔重歎於其仁，杜興嗟於活國。以今方昔，抑又過之，此直等長沙會戰碑之所以立也。乃隆崵之幕在方披雲際，而勝利之高墉復築長沙，以三疊大捷之愷樂，為雙十國慶之報禮。如火烈烈，揚總裁之威，萬目睽睽，慰四海之望，武有七德，先欣保大定功，人致精忠，盡可破倭過寇，謹申慶祝，再拜以聞。

古教授所撰之〈長沙會戰碑〉，勢將與長沙會戰大捷，同樣永留史冊，長在人心。（參容鑑光：《長沙三次會戰》、胡楚生：《中華民族抗日戰爭史略》）。

國家圖書館出版品預行編目資料

敏求軒讀書記

胡楚生著. – 初版. – 臺北市：臺灣學生，2022.08
面；公分

ISBN 978-957-15-1886-2 (平裝)

1. 經學 2. 漢學

032 111009877

敏求軒讀書記

著作者	胡楚生
出版者	臺灣學生書局有限公司
發行人	楊雲龍
發行所	臺灣學生書局有限公司
地址	臺北市和平東路一段 75 巷 11 號
劃撥帳號	00024668
電話	(02)23928185
傳真	(02)23928105
E-mail	student.book@msa.hinet.net
網址	www.studentbook.com.tw
登記證字號	行政院新聞局局版北市業字第玖捌壹號
定價	新臺幣五五〇元
出版日期	二〇二二年八月初版
ISBN	978-957-15-1886-2

03202